SHAKESPEARE

Hamlet Othello Macbeth

TRADUCTIONS DE YVES BONNEFOY, ARMAND ROBIN
ET PIERRE JEAN JOUVE

NOTES DES TRADUCTEURS

NOTICES DE JACQUES VALLETTE

LE LIVRE DE POCHE

Les trois pièces contenues dans ce volume sont extraites de l'édition bilingue des *Œuvres Complètes,* de Shakespeare, parue au Club Français du Livre.

HAMLET

LA TRAGÉDIE D'HAMLET
prince de Danemark

Traduction de Yves Bonnefoy

La scène est au Danemark.

PERSONNAGES

CLAUDIUS, roi de Danemark.

HAMLET, prince de Danemark, fils du dernier roi, et neveu du roi régnant.

POLONIUS, premier ministre.

HORATIO, un ami d'Hamlet.

LAERTE, fils de Polonius.

VALTEMAND, CORNÉLIUS, ambassadeurs en Norvège.

ROSENCRANTZ, GUILDENSTERN, anciens condisciples d'Hamlet.

OSRIC, courtisan.

Un gentilhomme.

Un docteur en théologie.

MARCELLUS, BERNARDO, FRANCISCO, officiers de la garde.

REYNALDO, serviteur de Polonius.

Quatre ou cinq comédiens.

Deux fossoyeurs.

FORTINBRAS, prince de Norvège.

Un capitaine norvégien.

Des ambassadeurs anglais.

GERTRUDE, reine de Danemark, mère d'Hamlet.

OPHÉLIE, fille de Polonius.

Seigneurs et dames, soldats, marins, un messager, etc.

Le SPECTRE du père du prince Hamlet.

ACTE PREMIER

SCÈNE PREMIÈRE

Le château d'Elseneur. Une terrasse sur les remparts.

Francisco, sentinelle; puis Bernardo.

BERNARDO

Qui va là?

FRANCISCO

C'est à vous de répondre. Halte! Qui êtes-vous?

BERNARDO

Vive le roi!

FRANCISCO

Bernardo?

BERNARDO

Lui-même.

FRANCISCO

Parfaitement à l'heure.

BERNARDO

Minuit! Va te coucher, Francisco.

FRANCISCO

Grand merci pour cette relève. Quel âpre froid!
Je suis transi jusqu'au cœur.

BERNARDO

N'as-tu rien remarqué?

FRANCISCO

Pas l'ombre d'une souris.

BERNARDO

Bonne nuit, donc.
Si tu vois Horatio et Marcellus,
Mes compagnons de guet, dis-leur qu'ils se hâtent.

Approchent Horatio et Marcellus

FRANCISCO

Je crois bien que je les entends... Halte-là, qui vive?

HORATIO

Amis de ce pays!

MARCELLUS

Loyaux sujets du roi!

FRANCISCO

Je vous souhaite une bonne nuit.

MARCELLUS

Ah! mon brave, bonsoir.
Qui vous a relevé?

FRANCISCO

Bernardo.
Je vous souhaite une bonne nuit.

Il sort.

MARCELLUS

Ho! Bernardo?

BERNARDO

Oui! Dites-moi,
Est-ce Horatio qui vient là?

HORATIO

Ce qu'il en reste[1]...

BERNARDO

Soyez le bienvenu, Horatio; et vous aussi, mon cher Marcellus.

MARCELLUS

Alors, a-t-on revu la chose, cette nuit?

BERNARDO

Je n'ai rien vu.

MARCELLUS

Horatio dit que ce n'est qu'un rêve,
Il ne veut pas accepter de croire
A l'horrible vision que deux fois nous avons eue.
Et c'est pourquoi je l'ai pressé de venir
Avec nous, pour épier ces heures de nuit.
Si ce spectre revient,
Il pourra rendre justice à nos yeux — et lui parler.

HORATIO

Bah! il ne se montrera pas.

BERNARDO

Asseyez-vous un moment,
Et une fois de plus nous assiégerons vos oreilles,
Qui sont si fortifiées contre nos paroles,
Du récit de notre vision de ces deux nuits.

HORATIO

Eh bien, asseyons-nous,
Écoutons Bernardo.

BERNARDO

La toute dernière nuit,
Quand l'étoile là-bas, à l'ouest du pôle,
En vint à éclairer cette région du ciel
Où maintenant elle brille, Marcellus et moi,
L'horloge sonnant une heure...

Paraît le spectr

MARCELLUS

Attention, arrête, regarde-le qui revient!

BERNARDO

Exactement semblable au roi qui est mort!

MARCELLUS

Tu es savant, Horatio, parle-lui[2].

BERNARDO

N'est-ce pas qu'on croirait le roi? Regardez bien, Horatio.

HORATIO

Tout à fait. Il m'accable d'effroi et de stupeur.

BERNARDO

Il voudrait qu'on lui parle.

MARCELLUS

Questionne-le, Horatio.

HORATIO

Qui es-tu, qui usurpes ce temps de nuit
Et la superbe apparence guerrière
Sous laquelle a marché jadis la majesté
Du roi de Danemark qui est mort? Par le Ciel,
Parle, je te l'ordonne!

MARCELLUS

Nous l'avons offensé.

BERNARDO

Regardez-le, il s'éloigne.

HORATIO

Reste, parle, parle! Je te l'ordonne, parle!

Le spectre disparaît.

MARCELLUS

Il est parti sans vouloir répondre.

BERNARDO

Eh bien, Horatio, vous tremblez et vous êtes pâle,
N'est-ce pas que c'est là tout autre chose qu'un rêve?
Qu'en pensez-vous?

HORATIO

Dieu m'est témoin! Je n'aurais pu le croire
Sans cette garantie sensible et sûre
Que me donnent mes yeux.

MARCELLUS

N'est-ce pas qu'il ressemble au roi?

HORATIO

Comme à toi-même tu te ressembles!
Et telle était l'armure qu'il portait
Quand il a combattu l'ambitieux Norvège,
Et ainsi fronça-t-il son front, dans cette âpre dispute,
Quand il a renversé les traîneaux polonais
Sur la glace... C'est bien étrange

MARCELLUS

Deux fois déjà, juste à cette heure morte, il est passé
De ce pas de soldat devant notre poste.

HORATIO

Que faut-il en penser, je n'en sais rien,
Mais ma première idée, c'est qu'il annonce
Le trouble et le malheur à notre pays.

MARCELLUS

Asseyons-nous,
Et celui qui le peut, je l'en prie, qu'il me dise
Pourquoi ce guet si strict et si vigilant
Fatigue chaque nuit les sujets du royaume?
Et pourquoi chaque jour on coule tant de canons de bronze
Et pourquoi l'on importe tant de matériel de guerre,
Et pourquoi tant de charpentiers sont requis, dont le dur labeur
Ne connaît plus semaine ni dimanche?
Que va-t-il advenir, pour que cette hâte fiévreuse
Attelle ainsi la nuit au travail du jour?
Quelqu'un peut-il me le dire?

HORATIO

Moi je le puis,
Au moins pour ce qu'on en murmure. Le feu roi,
Dont l'image à l'instant nous est apparue,

Fut défié au combat, vous le savez,
Par Fortinbras de Norvège, qu'excitait
Le plus jaloux orgueil; et Hamlet, le vaillant
(Ainsi l'estimait-on de ce côté du globe),
Tua ce Fortinbras. Mais celui-ci,
Dans un accord scellé et dûment garanti
Par la force des lois et l'honneur des armes,
Abandonnait avec sa vie toutes ses terres
A son vainqueur; notre roi, en contrepartie,
Risquant un bien égal qui fût revenu
Au patrimoine de Fortinbras
S'il l'avait emporté : comme, par ce traité
Et la teneur de cette expresse clause,
Tout fut donc accordé à Hamlet... Or, voici
Qu'un jeune Fortinbras, effréné, fougueux,
A ramassé aux confins de Norvège
Une troupe de hors-la-loi, de risque-tout,
Et, pour la solde et pour la pitance, les engage
Dans une action qui veut de l'estomac : rien moins,
Notre gouvernement le comprend fort bien,
Que de nous arracher, sous la contrainte,
Oui, par un coup de main, ces dites terres
Que son père a perdues... Telle est, à mon avis,
La cause principale de nos préparatifs,
La raison de ce guet et la source profonde
De ce grand train hâtif qui trouble le pays.

BERNARDO

Je pense aussi que ce n'est rien d'autre,
Et la preuve en serait cette forme sinistre
Qui hante notre garde : armée, semblable au roi
Qui de toujours fut l'âme de ces guerres.

HORATIO

Oh, ce n'est là pour l'œil de la pensée
Qu'une poussière irritante!
A l'heure la plus haute et la plus glorieuse de Rome,
Un peu avant que ne tombât le puissant César,

Les tombes se vidèrent et dans l'obscur des rues
On entendit les morts glapir et balbutier.
Ce sont les mêmes signes d'événements terribles,
Messagers devançant toujours la destinée,
Prélude de désastres imminents,
Que la terre et le ciel ensemble montrent
A nos régions et nos concitoyens :
Astres traînant le feu, rosée de sang,
Funeste aspect du soleil; et l'astre humide,
Dont l'ascendant régit l'empire de Neptune,
S'est affaibli dans une éclipse
Autant presque qu'au jour du Jugement dernier!

Le spectre reparaît.

Mais attention, voyez-le, il revient!
Dût-il me foudroyer je lui barre la route... Arrête, illusion!

Il étend les bras.

Si tu as une voix, si tu peux t'en servir,
Parle-moi.
Si quelque bonne action peut être faite
Pour ton soulagement et mon salut,
Parle-moi.
Si tu sais qu'un malheur menace ton pays
Que peut-être avertis nous pourrions éviter,
Ah, parle!
Ou si tu as enfoui de ton vivant
Dans le sein de la terre un trésor extorqué,
Ce pour quoi vous errez souvent, dit-on, esprits des morts...

Un coq chante.

Parle-m'en... Reste et parle!... Arrête-le, Marcellus!

MARCELLUS

Dois-je le frapper de ma hallebarde?

HORATIO

Oui, s'il ne s'arrête pas.

BERNARDO

Il est ici!

HORATIO

Ici!

MARCELLUS

Il est parti!

Le spectre disparaît

C'est l'offenser, lui si majestueux,
Que de lui opposer cette ombre de violence,
Car il est comme l'air, invulnérable,
Et nos coups ne sont rien qu'une vaine menace.

BERNARDO

Il allait parler quand le coq chanta.

HORATIO

Et il a tressailli, comme un coupable
Qui entend un terrible appel. Le coq, dit-on,
Le coq qui est le trompette de l'aube,
Éveille de sa voix hautaine, aiguë,
Le dieu du jour. Et à ce grand signal,
Dans la mer ou le feu, sur la terre, dans l'air,
Tous les esprits errants ou égarés
Se hâtent de rejoindre leur prison. Cela est vrai,
Ce que nous avons vu en est la preuve.

MARCELLUS

Il s'est évanoui au chant du coq.
D'aucuns disent que toujours, aux approches de la saison
Où l'on célèbre la naissance du Sauveur,
L'oiseau de l'aube chante toute la nuit.
Alors, dit-on, aucun esprit n'ose sortir,
Les nuits sont purifiées, les planètes ne foudroient plus,
Les fées ne jettent plus leurs maléfices, les sorcières sont sans pouvoir
Tant cette époque est sainte et chargée de grâce.

HORATIO

Je l'ai entendu dire et je le crois quelque peu.
Mais, voyez, l'aube en vêtements de bure[3]
Foule à l'orient, là-bas, la rosée des hautes collines.
Cessons notre faction et, si vous m'en croyez,
Rapportons ce que cette nuit nous avons vu
Au jeune Hamlet : car, sur ma vie,
Cet esprit devant nous muet lui parlera.
M'accordez-vous qu'il faut que nous l'en informions?
Notre affection, notre devoir l'exigent.

MARCELLUS

Oui, faisons-le, je vous en prie.
Je sais où ce matin nous pourrons le voir.

Ils sortent.

SCÈNE II

La salle du Conseil, au château.

Fanfare de trompettes. Entrent Claudius, roi de Danemark, Gertrude, la reine, des conseillers, Polonius et son fils Laërte, Valtemand et Cornélius. Le dernier de tous vient le prince Hamlet.

LE ROI

Bien que la mort d'Hamlet, notre cher frère,
Soit un souvenir toujours neuf; et qu'il convienne
Que nos cœurs restent tristes, et que tout le royaume
Soit crispé, comme un front accablé de douleur,
Voici : notre raison a si fort lutté contre la nature
Que, sages dans le chagrin, nous pensons au roi
Sans désormais nous oublier nous-mêmes.
Celle donc qui fut notre sœur, celle qui est notre reine,
L'impératrice douairière de ce pays belliqueux,
Nous l'avons — avec une joie pour ainsi dire défigurée,
Avec un œil joyeux et l'autre pleurant,

Avec de l'allégresse aux obsèques et un chant funèbre au mariage,
Tant nous tenons égaux le plaisir et le deuil,
Nous l'avons prise pour femme : et cela sans exclure
Vos plus sages avis qui, librement,
Nous ont toujours soutenu; à vous tous, merci.
Ceci encore, vous le savez : le jeune Fortinbras,
N'ayant de notre valeur qu'une faible idée
Ou pensant que la mort de notre cher frère
A détruit la charpente de l'État,
S'est armé de cet avantage imaginaire,
Et n'a pas manqué de nous importuner de messages
Exigeant le retour de ces territoires
Que son père a perdus, en vertu des lois,
Devant notre très vaillant frère... Mais passons.
Pour nous — c'est la raison de cette assemblée —
Voici notre propos : nous avons écrit
A Norvège, l'oncle du jeune Fortinbras,
Qui, impotent, cloué au lit, ne sait qu'à peine
Ce qu'entreprend son neveu; nous le prions
De mettre un terme à ses agissements, car les levées,
Les conscriptions, le plein des effectifs
Se font parmi ses sujets; et nous vous envoyons,
Vous mon cher Cornélius et vous Valtemand,
Porter ce compliment au vieux Norvège
En limitant vos pouvoirs personnels,
Dans les négociations avec le roi,
Aux prescriptions détaillées que voici... Au revoir,
Que votre diligence nous marque votre zèle.

CORNÉLIUS, VALTEMAND

En ceci comme en tout nous vous témoignerons notre zèle.

LE ROI

Nous n'en doutons pas. Au revoir, mes bons amis.

Sortent Cornélius et Valtemand.

Laërte, à vous maintenant. Qu'y a-t-il?

Vous nous avez parlé d'une requête; de quoi s'agit-il, Laërte?
Si vous parlez raison au roi de Danemark,
Vous ne le ferez pas en vain; que peux-tu désirer, Laërte,
Que je ne veuille t'offrir, plutôt même que t'accorder?
La tête n'est pas plus dévouée au cœur,
La main plus empressée à servir la bouche
Que ne l'est à ton père le trône de Danemark.
Que veux-tu donc, Laërte?

LAERTE

Mon redouté seigneur,
Votre gracieux congé de repartir en France.
Avec empressement je suis venu au Danemark
Vous rendre hommage au jour du couronnement.
Mais ce devoir rempli, sire, je vous l'avoue,
Mes pensées et mes vœux retrouvent la France
Et sollicitent humblement votre bienveillant congé.

LE ROI

Avez-vous l'accord paternel? Polonius?

POLONIUS

Il a fini, monseigneur, par me l'arracher
A force de prières; et j'en suis venu
A mettre à son désir le sceau d'un consentement forcé.
Je vous en prie, permettez-lui de repartir.

LE ROI

Jouis de tes belles heures, Laërte, profite de ton temps,
Dépense-le au gré de tes plus charmantes vertus...
Mais vous, Hamlet, mon neveu, mon fils...

HAMLET, *à part.*

Un peu plus qu'un neveu, mais rien moins qu'un fils[4].

LE ROI

D'où vient que ces nuées vous assombrissent encore?

HAMLET

Allons donc, monseigneur, je suis si près du soleil[5]!

LA REINE

Mon cher Hamlet, défais-toi de cette couleur nocturne,
Regarde Danemark avec amitié;
Ne cherche pas toujours de tes yeux baissés
Ton noble père dans la poussière.
C'est la loi commune, tu le sais, tout ce qui vit doit mourir
Et quitter notre condition pour regagner l'éternel.

HAMLET

Eh oui, madame. Cela au moins[6] est commun.

LA REINE

Puisqu'il en est ainsi,
Qu'y a-t-il dans ton cas qui te semble si singulier?

HAMLET

Qui me semble, madame? Oh non : qui est! Je ne sais pas
Ce que sembler signifie!
Ce n'est pas seulement mon manteau d'encre, ma chère mère,
Ni ce deuil solennel que l'on porte selon l'usage,
Ni les vains geignements des soupirs forcés,
Ni les fleuves intarissables nés des yeux,
Et non plus l'air abattu des visages, ou rien qui soit
Une forme ou un mode ou un aspect du chagrin,
Qui peut me peindre au vrai. Ce ne sont là que semblance, en effet,
Ce sont là les actions qu'un homme peut feindre,
Les atours, le décor de la douleur,
Mais ce que j'ai en moi, rien ne peut l'exprimer.

LE ROI

C'est votre bon, votre louable naturel, Hamlet,
Qui rend à votre père ces devoirs funèbres.
Mais, ne l'oubliez pas, votre père perdit un père,

Ce père avait perdu le sien; et, s'il convient
Que par piété filiale le survivant
Garde un moment la tristesse du deuil,
S'obstiner dans cette affliction, c'est faire preuve
D'entêtement impie, d'un chagrin indigne d'un homme,
C'est marquer une volonté contraire au Ciel,
Un cœur sans énergie, une âme sans frein,
Un jugement débile et inéduqué.
Car ce que nous savons qui doit advenir,
Ce qui est ordinaire autant que la chose la plus commune,
Pourquoi nous faudrait-il, dans notre absurde révolte,
Le prendre à cœur? Allons donc, c'est pécher contre le
  Ciel,
Pécher contre les morts et contre la nature,
Et c'est absurde surtout devant la raison, dont le lieu
  commun
Est la mort des pères, elle qui toujours a crié,
Depuis le premier mort jusqu'à aujourd'hui,
« Il en doit être ainsi »... Jetez, nous vous en prions,
Cet impuissant chagrin dans la poussière; et tenez-nous
Pour un père nouveau : car il faut que le monde sache
Que vous êtes le plus proche de notre trône,
Et que je vous chéris d'un amour non moins haut
Que celui que le père le plus tendre
Porte à son fils... Quant à votre projet
De retourner aux écoles de Wittenberg[7],
Il est à l'opposé de notre désir. Et nous vous prions
D'accepter de rester ici, où vous serez
Pour la joie de nos yeux, pour leur réconfort,
Le premier de nos courtisans, notre neveu, notre fils.

LA REINE

Ne sois pas insensible aux prières de ta mère, Hamlet.
Reste avec nous, ne va pas à Wittenberg, je te prie.

HAMLET

Je vous obéirai de mon mieux, madame.

LE ROI

Voilà une affectueuse, une courtoise réponse!
Soyez au Danemark un autre nous-même. Venez, madame,
Ce libre consentement d'Hamlet, cette gentillesse
Réjouissent mon cœur. Et en action de grâces,
Que Danemark aujourd'hui ne lève jamais son verre,
Sans que le grand canon n'en porte aux nues l'allégresse.
Ainsi les cieux rediront chaque rasade du roi
En répétant le tonnerre terrestre. Allons, venez!

Fanfares. Tous sortent, sauf Hamlet.

HAMLET

O souillures, souillures[8] de la chair! Si elle pouvait fondre,
Et se dissoudre et se perdre en vapeurs!
Ou encore, si l'Éternel n'avait pas voulu
Que l'on ne se tue pas soi-même! O Dieu, ô Dieu,
Qu'épuisant et vicié, insipide, stérile
Me semble le cours du monde!
Horreur, il fait horreur! C'est un jardin
D'herbes folles montées en graine, et que d'affreuses choses
Envahissent et couvrent. En être là! Et seulement
Deux mois après sa mort. Deux mois? Non, même pas.
Un roi si grand, qui fut à celui-ci
Ce qu'Hypérion est au satyre; et pour ma mère, si tendre
Qu'il ne permettait pas que les vents du ciel
Passent trop durement sur son visage. Cieux et terre!
Est-ce à moi de m'en souvenir? Quoi, elle se pendait à lui
Comme si son désir d'être rassasié
Ne cessait de grandir, et pourtant, en un mois...
Que je n'y pense plus! Faiblesse, tu es femme!
Un petit mois. Ces souliers ne sont pas usés
Avec lesquels elle a suivi son triste corps,
Telle que Niobé, tout en pleurs; et c'est elle, elle-même,
— O Seigneur, une bête, sans esprit,

Aurait souffert plus longtemps — qui épouse mon oncle,
Le frère de mon père, mais aussi différent de lui
Que je peux l'être d'Hercule[9]. Un simple mois,
Et avant que le sel des larmes menteuses
Eût cessé d'irriter ses yeux rougis,
Elle se remariait. Oh, quelle hâte criminelle, de courir
Si ardemment aux draps incestueux!
Ce n'est pas bien, et rien de bien n'en peut venir.
Mais brise-toi, mon cœur, car je dois me taire.

Entrent Horatio, Marcellus et Bernardo.

HORATIO

Salut à Votre Seigneurie!

HAMLET

Très heureux de vous voir...
Horatio! ou je me suis oublié moi-même!

HORATIO

C'est bien lui, monseigneur, et à jamais
Votre humble serviteur.

HAMLET

Non, monsieur, mon ami. C'est ce nom-là
Que nous échangerons. Mais, par le Ciel,
Que faites-vous si loin de Wittenberg? Marcellus...

MARCELLUS

Mon cher seigneur!

HAMLET

Je suis bien heureux de vous voir... *(A Bernardo.)* Bonsoir, monsieur.
Mais que diable vous a fait quitter Wittenberg?

HORATIO

Le goût du vagabondage, mon cher seigneur.

HAMLET

Je ne souffrirais pas que votre ennemi le dise,
Et vous ne pourrez pas forcer mon oreille

A croire au mal que vous dites de vous.
Je sais que vous n'êtes pas un paresseux.
Mais quelle affaire vous amène à Elseneur? Avant votre départ.
Nous vous aurons appris à boire sec.

HORATIO

Monseigneur, je suis venu aux obsèques de votre père.

HAMLET

Ne te moque pas, je te prie, mon camarade,
Dis que tu es venu au mariage de ma mère.

HORATIO

Il est vrai, monseigneur, qu'il les a suivies de bien près.

HAMLET

Économies, économies, Horatio! Les gâteaux du repas funèbre
Ont été servis froids au festin des noces.
J'aurais mieux aimé rencontrer mon pire ennemi au Ciel,
Horatio, que de vivre un pareil jour...
Mon père, il me semble que je vois mon père.

HORATIO

Où, monseigneur?

HAMLET

Avec les yeux de l'âme, Horatio.

HORATIO

Je l'ai vu une fois. C'était un vrai souverain.

HAMLET

C'était un homme, voilà le vrai,
Jamais je ne reverrai son pareil.

HORATIO

Monseigneur, je crois bien que je l'ai vu cette nuit.

HAMLET

Vu? Qui?

HORATIO

Le roi votre père, monseigneur.

HAMLET

Le roi mon père?

HORATIO

Réprimez un moment votre surprise, accordez-moi
Toute votre attention. Je vais vous rapporter,
Avec le témoignage de ces gentilshommes,
Quelle chose étonnante...

HAMLET

Pour l'amour de Dieu, dites-moi!

HORATIO

Deux soirs de suite ces gentilshommes,
Marcellus et Bernardo, qui faisaient le guet
Aux heures les plus mortes de la nuit,
Ont fait cette rencontre : une forme, semblable à votre
père,
Armée de toutes pièces et de pied en cap,
Apparaît devant eux et, solennellement, avec majesté,
Marche près d'eux, lentement. Elle passe, trois fois,
Sous leurs yeux accablés de surprise et de peur,
A une longueur de glaive. Et, dans l'instant,
Presque en cendres réduits par l'épouvante,
Eux ne peuvent lui dire mot; ce n'est qu'à moi
Qu'en secret et tremblants ils se sont confiés.
J'ai monté la garde avec eux la troisième nuit,
Et à l'heure et sous l'apparence qu'ils m'avaient dites,
Confirmant chacun de leurs mots, l'apparition
Est venue. J'ai pu reconnaître votre père.
Ces mains ne sont pas plus semblables.

HAMLET

Mais où était-ce?

MARCELLUS

Monseigneur, sur la terrasse du guet.

HAMLET

Ne lui avez-vous pas parlé?

HORATIO

Si, monseigneur,
Mais il n'a pas répondu, bien qu'une fois
Il m'ait semblé qu'il levât la tête, et qu'il ébauchât
Un mouvement, comme pour parler.
Mais juste alors le coq du matin a chanté
Et à ce cri il s'est enfui en hâte
Et s'est évanoui à nos regards.

HAMLET

C'est vraiment étrange.

HORATIO

C'est aussi vrai que je vis, mon vénéré seigneur,
Et il nous a paru que notre devoir
Nous prescrivait de vous en instruire.

HAMLET

En effet, messieurs, en effet; mais cela m'inquiète.
Prenez-vous la garde ce soir?

TOUS

Oui, monseigneur.

HAMLET

Armé, dites-vous?

TOUS

Armé, monseigneur.

HAMLET

De pied en cap?

TOUS

Oui, monseigneur, de la tête au pied.

HAMLET

Vous n'avez donc pas vu sa figure?

HORATIO

Oh si, monseigneur. Sa visière était levée.

HAMLET

Et semblait-il irrité?

HORATIO

Plutôt triste qu'en colère.

HAMLET

Pâle, ou le teint vif?

HORATIO

Pâle, très pâle.

HAMLET

Et il fixait les yeux sur vous?

HORATIO

Oui, fermement.

HAMLET

J'aurais voulu être là.

HORATIO

Il vous eût frappé de stupeur.

HAMLET

C'est très probable, très probable... Et il est resté longtemps?

HORATIO

Le temps de compter jusqu'à cent, sans se presser.

MARCELLUS, BERNARDO

Plus longtemps, plus longtemps!

HORATIO

Non pas quand je l'ai vu.

HAMLET

Sa barbe grisonnait, n'est-ce pas?

HORATIO

Elle était comme je l'ai vue quand il vivait,
D'un noir qui s'argentait.

HAMLET

Je monterai la garde cette nuit.
Peut-être reviendra-t-il?

HORATIO

Je vous le garantis.

HAMLET

S'il revêt l'apparence de mon noble père,
Je lui parlerai, dût l'enfer lui-même s'ouvrir
Pour m'ordonner de me taire; je vous prie, tous,
Si vous avez tenu secret jusqu'à présent
Ce que vous avez vu, gardez le silence
Et quoi qu'il puisse advenir cette nuit,
Confiez-le à l'esprit et non à la langue,
J'en saurai gré à votre affection... Bien. Au revoir.
Sur les remparts, entre onze heures et minuit,
Je viendrai vous rejoindre.

TOUS

Que Votre Honneur accepte nos respects.

HAMLET

Votre amitié plutôt, comme vous la mienne. Au revoir.

Ils sortent.

Le spectre de mon père, en armes! Tout n'est pas bien.
Je soupçonne une félonie. Ah, que la nuit n'est-elle venue!
Jusque-là reste en paix, mon âme. Les actes noirs,
Quand ils seraient enfouis sous toute la terre,
Reparaissent toujours au regard des hommes.

Il sort.

SCÈNE III

Une salle de la demeure de Polonius.

Entrent Laërte et sa sœur Ophélie.

LAERTE

Mes bagages sont à bord. Adieu.
Et n'est-ce pas, ma sœur, quand les vents seront favorables
Et qu'une occasion s'offrira, ne faites pas l'endormie,
Écrivez-moi.

OPHÉLIE

En doutez-vous?

LAERTE

Pour ce qui est d'Hamlet, et de ses futiles faveurs,
N'y voyez qu'une fantaisie, le caprice d'un jeune sang.
C'est la violette en sa prime saison,
Précoce mais sans durée, douce mais périssable,
Le parfum et l'amusement d'une minute,
Rien de plus.

OPHÉLIE

Rien de plus que cela?

LAERTE

Non, rien de plus... Car la croissance
Ne développe pas les seuls muscles ni la stature,
Mais à mesure que ce temple s'agrandit
Le service de l'âme et de l'esprit
Se fait plus exigeant. Peut-être en ce moment vous aime-t-il,
Et rien d'impur ni de mensonger ne ternit
La noblesse de son désir. Mais voyez sa grandeur, et redoutez
Qu'il ne soit pas le maître de ses projets,
Lui-même étant soumis à sa haute naissance.
Il ne saurait comme les gens de peu

Se servir à son gré, car de son choix dépend
Le bien-être et la force de l'État,
Ce qui fait que ce choix est limité
Par l'exigence ou l'assentiment de ce corps
Dont il demeure la tête. S'il vous dit qu'il vous aime,
Soyez donc assez sage pour ne le croire
Que pour autant que sa position particulière
Lui permet de tenir parole : et c'est dans les limites
Que désigne la voix du Danemark.
Comprenez quelle atteinte pourrait subir votre honneur
Si d'une oreille trop crédule vous écoutez ses chansons,
Ou s'il prend votre cœur, ou si vous sacrifiez
Aux brigues d'une ardeur sans retenue
Votre chasteté si précieuse. Ophélie, redoutez
Ce péril, oui, redoutez-le, ma chère sœur,
Et que votre tendresse reste sur sa réserve,
Hors de la périlleuse atteinte du désir.
« La plus prudente vierge est encore prodigue
De sa beauté, si elle la dévoile à la lune.
La vertu elle-même n'échappe pas
Aux coups de la calomnie. Le ver rongeur
Habite les enfants du printemps, trop souvent
Avant même que leurs boutons ne soient éclos.
Et c'est dans la limpide rosée de ce matin, la jeunesse,
Qu'il faut craindre le plus les contagions mortelles. »
Ayez donc peur : c'est la meilleure sauvegarde,
Car la jeunesse même seule connaît le trouble des sens.

OPHÉLIE

L'impression que m'ont faite vos bons conseils
Veillera sur mon cœur. Mais, mon cher frère,
N'allez pas imiter ces coupables apôtres
Qui nous montrent le dur chemin épineux du Ciel,
Tandis qu'eux-mêmes, impudents, assouvis,
Suivent parmi les fleurs le sentier des plaisirs
Sans se soucier de leurs propres sermons.

Entre Polonius.

LAERTE

Oh! quant à moi, ne craignez rien!
Mais je m'attarde trop... Voici mon père.
Être deux fois béni vaut double grâce,
C'est un sourire de la chance que de seconds adieux.

POLONIUS

Encore ici, Laërte? A bord, voyons, à bord!
Le vent gonfle l'épaule de votre voile,
On n'attend plus que vous... Allons, que je te bénisse!
Et prends soin de graver dans ta mémoire
Ces quelques préceptes-ci : sur tes pensées, pas un mot,
A celles qui seraient immodérées, pas de suite;
Sois familier, mais sans ombre de privautés;
Les amis que tu as, une fois éprouvés,
Enclos-les dans ton âme avec des barres de fer,
Mais n'use pas tes mains à bien accueillir
Le premier blanc-bec un peu matamore. Garde-toi
D'entrer dans une querelle; mais, engagé,
Mène-la de façon que l'on se garde de toi.
Donne à tous ton oreille; à très peu ta voix.
Prends l'avis de chacun, mais réserve le tien.
Vêts-toi aussi coûteusement que ta bourse te le permet,
Mais sans extravagance : un habit riche, mais non voyant,
Car la mise souvent dit ce qu'est l'homme
Et en France les gens du meilleur monde
Montrent par là surtout qu'ils sont bien nés.
N'emprunte ni ne prête; car prêter,
C'est souvent perdre et l'argent et l'ami,
Et emprunter use l'esprit d'épargne.
Ceci surtout : envers toi sois loyal,
Et aussi sûrement que la nuit suit le jour,
Il s'ensuivra que tu ne pourras pas tromper les autres.
Adieu... Que ma bénédiction fasse fructifier tout ceci.

LAERTE

Très humblement je prends congé de vous, monseigneur.

POLONIUS

L'heure est venue, allez, vos serviteurs attendent.

LAERTE

Au revoir, Ophélie. Ce que je vous ai dit,
Souvenez-vous-en bien.

OPHÉLIE

Tout est enclos dans ma mémoire,
Et vous en garderez la clef.

LAERTE

Adieu.

Il sort.

POLONIUS

Qu'est-ce donc qu'il vous a dit, Ophélie?

OPHÉLIE

S'il vous plaît, quelque chose au sujet du seigneur Hamlet.

POLONIUS

Ah! bonne idée!
On m'a dit qu'il vous a, depuis quelque temps,
Recherchée bien des fois en particulier; et que vous-même
Avez été bien généreuse, oui, bien prodigue
De votre accueil. Si cela — qu'on m'a rapporté
Pour me mettre en garde — est exact, alors il me faut vous dire
Que vous ne voyez pas assez clairement
Ce qui sied à ma fille et à votre honneur.
Qu'y a-t-il entre vous? Dites-moi toute la vérité.

OPHÉLIE

Monseigneur, il m'a maintes fois fait l'offre, ces derniers temps,
D'avoir de l'affection pour moi.

POLONIUS

De l'affection! Taratata! Vous parlez comme une fille naïve
Qui ne sait rien de ces périlleuses circonstances.
Ces offres, comme vous dites, y croyez-vous?

OPHÉLIE

Je ne sais pas ce que j'en dois penser, monseigneur.

POLONIUS

Eh bien, je vais vous le dire. Pensez que vous n'êtes qu'une enfant
De prendre pour argent comptant ces offres
Qui n'ont pas de valeur. Estimez-vous plus haut que de telles offres,
Sinon (au risque d'essouffler ce pauvre mot
A trop le faire courir)
Vous m'offrirez l'image d'une nigaude[10].

OPHÉLIE

Monseigneur, il m'a poursuivie de son amour
De la façon la plus honorable.

POLONIUS

Ah oui, façons, comme vous dites, façons, façons!

OPHÉLIE

Et il a garanti ses paroles, monseigneur,
De tous les serments[11] les plus sacrés.

POLONIUS

Ah, piège pour les bécasses! moi, je sais
Combien facilement quand le sang brûle
L'âme prête à la bouche les serments. Ces flammes-là, ma fille,
Donnent moins de chaleur que de lumière, et l'une et l'autre
S'éteignent aussitôt les promesses faites,
N'y voyez pas un feu! Et, désormais, soyez

Quelque peu plus avare de votre virginale présence,
Mettez votre rencontre à un plus haut prix
Qu'une offre de parlementer... Pour monseigneur Hamlet,
Pensez de lui ceci seulement : qu'il est jeune
Et qu'il peut beaucoup plus tirer sur sa longe
Que vous ne le pourrez jamais. En un mot, Ophélie,
Ne vous fiez pas à ses serments, car ce sont des entremetteurs
Bien différents du vêtement qu'ils portent,
Ils ne font que plaider pour d'infâmes requêtes
Et ne prennent l'aspect des promesses saintes
Que pour mieux vous tromper... Une fois pour toutes,
Et pour vous parler net, je ne veux plus
Que vous déshonoriez le moindre de vos loisirs
A bavarder avec monseigneur Hamlet.
Veillez-y bien, je vous l'ordonne. Allez, allez!

OPHÉLIE

Je vous obéirai, monseigneur.

Ils sortent.

SCÈNE IV

La terrasse sur les remparts.

Entrent Hamlet, Horatio et Marcellus.

HAMLET

La bise pince durement, il fait grand froid.

HORATIO

C'est une aigre et mordante bise.

HAMLET

Quelle heure est-il à présent?

HORATIO

Pas bien loin de minuit, je pense.

MARCELLUS

Non, minuit a sonné.

HORATIO

Vraiment? Je n'avais pas entendu... C'est bientôt l'heure
Où le spectre a coutume de venir.

Une fanfare de trompettes et des coups de canon.

Qu'est-ce que cela, monseigneur?

HAMLET

Le roi veille ce soir, il fait carousse,
Il mène l'impudente orgie du parvenu,
Et à chaque hanap de vin du Rhin qu'il vide,
Les timbales et les trompettes se déchaînent
Pour témoigner de ses prouesses de buveur.

HORATIO

Est-ce l'habitude d'ici?

HAMLET

Eh oui, pardieu,
Mais selon moi, bien que je sois de ce pays
Et rompu de naissance à ses usages,
L'honneur voudrait que cette coutume
Soit réformée plutôt que suivie. Cette débauche stupide
Fait que nous sommes de l'Orient à l'Occident
Dénigrés et blâmés par les autres peuples
Qui nous disent ivrognes, et souillent notre nom
De celui de pourceau. Certes, ce vice enlève
A nos exploits, si superbes soient-ils,
La substance et la moelle de leur gloire...
Et dans l'homme il en va de même : maintes fois,
Pour une tare fâcheuse de sa nature,
Un défaut de naissance (et en est-il coupable
Puisqu'on ne peut choisir son origine?),

Soit qu'il cède à l'empire excessif d'une humeur
Qui renverse souvent les tours de sa raison,
Soit que quelque habitude, ferment trop fort,
Vienne à dénaturer ses plus belles manières,
Maintes fois donc, marqué du sceau d'un seul défaut
Qui n'accuse que sa nature ou son étoile,
Et si même il montrait dans ses autres vertus
La pureté du ciel et toute la grandeur
Dont notre condition peut porter le poids,
Maintes fois il sera discrédité
Dans tous les examens les plus généraux
Pour cette faute particulière. Une goutte de mal
Noircit souvent[12] la plus noble substance
Pour son plus grand dommage...

Paraît le spectre.

HORATIO
Monseigneur, voyez! Le voici!

HAMLET
Ministres de la grâce, anges, secourez-nous!
Que tu sois un élu ou un démon,
Que tu apportes l'air céleste ou des bouffées de l'enfer,
Que tes fins soient malignes ou charitables,
Tu viens sous un aspect si mystérieux
Que je te parlerai, que je te nommerai
Hamlet, mon roi, mon père et Danemark! Oh, réponds-moi!
Ne fais pas que j'étouffe d'ignorance, dis
Pourquoi tes os bénis dans leur coffre funèbre
Ont percé leur linceul? Et pourquoi le sépulcre,
Dans lequel je t'ai vu reposer en paix,
A soudain desserré ses mâchoires de marbre
Pour te jeter ici-bas? O toi corps mort
Et de nouveau debout dans l'acier, que veut dire
Que tu viennes revoir les lueurs de la lune,
Et faire affreuse la nuit, et nous, les dupes de Nature,

Si durement nous ébranler dans tout notre être
Par des pensées que l'âme n'atteint pas?
Pourquoi cela, pourquoi? Dis, que veux-tu de nous?

Le spectre fait un signe.

HORATIO

Il vous fait signe d'aller avec lui
Comme si, à vous seul,
Il désirait apprendre quelque chose.

MARCELLUS

Voyez de quel geste courtois
Il vous appelle vers un lieu plus écarté.
Mais ne le suivez pas!

HORATIO

Oh non, à aucun prix!

HAMLET

Il ne parlera pas, je le suivrai donc.

HORATIO

Ne le faites pas, monseigneur!

HAMLET

Allons donc, que pourrais-je craindre?
Je me soucie de ma vie comme d'une guigne,
Et mon âme, quel tort lui ferait-il
Puisqu'elle est comme lui chose immortelle?
Il m'appelle à nouveau, je le suis.

HORATIO

Et s'il vous attirait vers les flots, monseigneur,
Ou le sommet affreux de cette colline
Qui avance au-dessus des rives sur la mer,
Pour prendre là quelque autre horrible forme
Qui détrônât en vous toute raison
Et vous précipitât dans la folie? Réfléchissez!
Le seul aspect du lieu est désespoir
Pour qui regarde au profond de la mer
Et l'écoute rugir au-dessous de lui.

HAMLET

Il me fait signe encore.
Va; je te suis.

MARCELLUS

Vous n'irez pas!

HAMLET

Lâchez-moi!

HORATIO

Cédez-nous, monseigneur, vous n'irez pas.

HAMLET

Ma destinée m'appelle
Et fait la moindre fibre de mon corps
Dure comme le nerf du lion de Némée.
Il m'appelle à nouveau, lâchez-moi, messieurs.
Par le Ciel! Qui me retiendra, j'en fais un fantôme!
Arrière, je vous dis! Va, je te suis.

Le spectre sort, suivi d'Hamlet.

HORATIO

Le trouble de son esprit l'entraîne à tout risquer.

MARCELLUS

Suivons-le, nous avons tort de lui obéir ainsi.

HORATIO

Oui, allons. Que va-t-il sortir de tout cela?

MARCELLUS

Quelque chose est pourri dans le royaume de Danemark.

HORATIO

Le Ciel y pourvoira.

MARCELLUS

Quand même, suivons-le.

Ils sortent.

SCÈNE V

Un espace découvert devant le château.

Entre le spectre, suivi d'Hamlet.

HAMLET

Où me conduis-tu? Parle, je n'irai pas plus loin.

LE SPECTRE

Écoute-moi.

HAMLET

Oui, je veux t'écouter.

LE SPECTRE

L'heure est presque venue
Où je dois retourner
Aux flammes sulfureuses torturantes.

HAMLET

Hélas! pauvre ombre!

LE SPECTRE

Ne me plains pas, mais attentivement, écoute
Ce que je vais te révéler.

HAMLET

Parle, je suis prêt à entendre.

LE SPECTRE

Et à venger, quand tu auras entendu?

HAMLET

A venger?

LE SPECTRE

Je suis l'esprit de ton père,
Condamné pour un certain temps à errer la nuit,
Et à jeûner le jour dans la prison des flammes

Tant que les noires fautes de ma vie
Ne seront pas consumées. Si je n'étais astreint
A ne pas dévoiler les secrets de ma geôle,
Je pourrais te faire un récit dont le moindre mot
Déchirerait ton âme, glacerait
Ton jeune sang, arracherait tes yeux comme deux étoiles
A leur orbite, et déferait tes boucles et tes tresses,
Dressant séparément chaque cheveu
Comme un piquant de l'inquiet porc-épic.
Mais le savoir de l'éternel est refusé
Aux oreilles de chair et sang. Écoute, écoute, écoute!
Si jamais tu aimas ton tendre père...

HAMLET

O Dieu!

LE SPECTRE

Venge son meurtre horrible et monstrueux.

HAMLET

Son meurtre!

LE SPECTRE

Un meurtre horrible ainsi que le meurtre est toujours,
Mais celui-ci horrible, étrange et monstrueux.

HAMLET

Vite, instruis-moi. Et d'une aile aussi prompte
Que l'intuition[13] ou la pensée d'amour
Je vole te venger.

LE SPECTRE

Je vois que tu es prêt.
Et tu serais plus inerte que l'herbe grasse
Qui pourrit sur les rives molles du Léthé
Si mon récit ne t'émouvait pas : écoute, Hamlet,
On a dit que, dormant dans mon verger,
Un serpent me piqua. Et tout le Danemark
Est ainsi abusé, grossièrement,
Par cette relation menteuse. Mais, mon fils,

Toi qui es jeune et qui es noble, sache-le :
Le serpent dont le dard tua ton père
Porte aujourd'hui sa couronne.

HAMLET

O mon âme prophétique!
Mon oncle?

LE SPECTRE

Oui, cette bête incestueuse, adultère,
Par ses ruses ensorcelées, ses cadeaux perfides
— Oh! que pervers ils sont, cadeaux et ruses
Qui ont eu ce pouvoir de séduire! — a gagné
A sa lubricité honteuse les désirs
De ma reine, qui affectait tant de vertu.
O Hamlet, quelle chute ce fut là!
Quand mon amour était d'une dignité si haute
Qu'il allait la main dans la main avec le serment
Que je lui fis en mariage, s'abaisser
A la misère de cet être dont les dons
Furent si indigents au regard des miens!
Mais de même que la vertu ne s'émeut pas
Quand la débauche la courtise avec tout l'éclat des cieux,
De même la luxure, serait-elle
Unie à un ange de feu,
Se lassera de sa couche céleste
Et fera sa proie d'immondices... Mais, assez!
Il me semble sentir l'air du matin,
Je serai bref... Dormant, dans mon verger,
Comme je le faisais chaque après-midi,
Ton oncle vint furtif à cette heure calme,
Portant le suc maudit de l'hébénon[14],
Et il versa par les porches de mes oreilles
Cette essence lépreuse dont l'effet
Est à tel point hostile au sang de l'homme
Qu'aussi prompt que le vif-argent il se précipite
Par les seuils et les voies naturels du corps
Et glace et fige avec une vigueur brutale,

Comme d'acides gouttes dans le lait,
Le sang fluide et sain. Tel fut mon sort.
Une éruption instantanée comme une lèpre
Boursoufla d'une croûte infâme, répugnante,
Ma souple et saine peau. Et c'est ainsi
Que j'ai perdu la vie, la couronne et ma reine
D'un seul coup en dormant par la main d'un frère,
Et qu'en la fleur de mes péchés je fus moissonné
Sans communion, viatique ni onction,
Oui, envoyé, sans m'être préparé, devant mon juge
Avec tous mes défauts. Oh, c'est horrible,
Horrible, trop horrible! Si ton sang
Parle, ne le supporte pas, ne souffre pas
Que la couche royale du Danemark
Soit un lit de luxure et d'inceste maudit...
Mais de quelque façon que tu agisses,
Ne souille pas ton âme, ne fais rien
Contre ta mère. Elle appartient au ciel
Et aux ronces qui logent dans son cœur
Pour la poindre et la déchirer. Mais vite, adieu.
Le ver luisant trahit que le matin est proche
En ternissant ses inutiles feux.
Adieu, adieu, adieu, ne m'oublie pas!

Le spectre disparaît.

HAMLET

O vous, toutes armées du Ciel! O terre! Et quoi encore?
Faut-il y joindre l'enfer? Infamie! Calme-toi, calme-toi, mon cœur,
Et vous, mes nerfs, d'un coup ne vieillissez pas,
Mais tendez-vous pour me soutenir... Que je ne t'oublie pas?
Non, pauvre spectre, non, tant que la mémoire
Aura sa place sur ce globe détraqué.
Que je ne t'oublie pas? oh, des tables de ma mémoire
Je chasserai tous les futiles souvenirs,
Tous les dires des livres, toute impression, toute image

Qu'y ont notés la jeunesse ou l'étude,
Et seul vivra ton commandement,
Séparé des matières plus frivoles,
Dans le livre de mon cerveau; oui, par le Ciel!
O femme pernicieuse, pernicieuse!
O traître, traître, ô maudit traître souriant!
Mon carnet! Il est bon que j'y inscrive
Qu'on peut sourire et toujours sourire et être un traître,
C'est, j'en suis sûr, au moins le cas au Danemark.
Voici, mon oncle, vous êtes là... Et maintenant, ma devise.
Elle sera : « Adieu, adieu, ne m'oublie pas »...
Je l'ai juré.

Horatio et Marcellus appellent dans les ténèbres.

HORATIO

Monseigneur, monseigneur!

MARCELLUS

Monseigneur Hamlet!

HORATIO

Que le Ciel le protège!

HAMLET, *bas.*

Ainsi soit-il.

MARCELLUS

Illo, ho, ho, monseigneur!

HAMLET

Illo, ho, ho, petit! Viens, oiseau[15], viens.

Ils aperçoivent Hamlet.

MARCELLUS

Eh bien, mon noble seigneur?

HORATIO

Quelles nouvelles, monseigneur?

HAMLET
Oh! prodigieuses!

HORATIO
Mon cher seigneur, dites-les-nous.

HAMLET
Non, vous iriez les redire.

HORATIO
Pas moi, par Dieu, monseigneur.

MARCELLUS
Et moi non plus, monseigneur.

HAMLET
Eh bien, qu'en dites-vous? Quel cœur eût pensé cela?
Mais vous tiendrez le secret?

HORATIO, MARCELLUS
Oui, monseigneur, devant Dieu.

HAMLET
Il n'y a pas dans tout le Danemark un traître...
Qui ne soit un fieffé coquin.

HORATIO
Fallait-il, monseigneur, qu'un spectre quittât sa tombe
Pour nous apprendre cela?

HAMLET
Ah! c'est juste, vous voyez juste.
Et c'est pourquoi sans plus de détour,
Je crois qu'il faut nous serrer la main et nous séparer.
Allez où vos affaires vous appellent, ou votre désir,
Car chaque homme a bien ses affaires, ou son désir,
Qu'ils soient ceci ou cela. Pour ma pauvre part, voyez-vous,
J'irai prier.

HORATIO
Ce ne sont là que des mots, décousus et incohérents.

HAMLET
Je regrette de tout mon cœur qu'ils vous offensent,
Oui, sur ma foi, de tout mon cœur.

HORATIO
Il n'y a pas d'offense, monseigneur.

HAMLET
Mais si, par saint Patrick[16], il y a offense,
Une grande offense, Horatio[17]... Pour cette apparition,
C'est un honnête fantôme, cela je puis vous le dire.
Quant à savoir ce qui s'est passé entre nous,
Surmontez ce désir de votre mieux... Mes bons amis,
Puisque vous êtes mes amis, mes frères d'armes et
d'étude,
Accordez-moi une pauvre faveur.

HORATIO
Laquelle, monseigneur? Nous sommes prêts.

HAMLET
Ne jamais révéler ce que vous avez vu cette nuit.

HORATIO, MARCELLUS
Jamais, monseigneur!

HAMLET
Oui, mais jurez-le.

HORATIO
Sur ma foi, monseigneur, je ne dirai rien.

MARCELLUS
Et moi non plus, monseigneur.

HAMLET
Jurez sur mon épée.

MARCELLUS

Nous avons déjà juré, monseigneur.

HAMLET

Non, non, sur mon épée.

LE SPECTRE, *sous terre.*

Jurez!

HAMLET

Ah! ah! mon garçon! C'est donc cela que tu dis? Tu es là, mon brave?
Venez, vous entendez le bonhomme à la cave[18]?
Allons, jurez!

HORATIO

Dites-nous comment, monseigneur?

HAMLET

Ce que vous avez vu, n'en jamais parler.
Sur mon épée, jurez-le.

LE SPECTRE, *sous terre.*

Jurez!

HAMLET

Hic et ubique? Eh bien, nous allons changer de place.
Venez ici, messieurs. Et de nouveau
Étendez votre main sur mon épée.
Jurez sur mon épée
De ne jamais parler de ce que vous avez entendu.

LE SPECTRE, *sous terre.*

Jurez sur son épée.

HAMLET

Bien dit, vieille taupe! Comment peux-tu avancer si vite, sous la terre?
Fameux sapeur[19]! Éloignons-nous encore, mes bons amis.

HORATIO

Par le jour et la nuit, ce sont d'étranges prodiges!

HAMLET

Eh bien, accueillez-les en étrangers.
Il y a plus de choses sur la terre et dans le ciel, Horatio,
Que votre philosophie n'en rêve.
Mais venez... Et ici comme tout à l'heure,
Par la grâce qui nous assiste, que jamais,
Si étrange, si singulière soit ma conduite
(Car il se peut, bientôt, que je juge bon
De prendre le manteau de la folie),
Que jamais, me voyant alors, jamais vous n'alliez
Avec vos bras croisés, comme ceci, avec ce hochement de tête
Ou par le biais de mots réticents
Tels que « Bien sûr nous savons », ou « Si nous voulions... »
Ou « S'il nous plaisait... » ou « Il y en a, s'ils pouvaient... »
Ou toute autre phrase ambiguë, laisser entendre
Que vous savez quelque chose sur moi — jurez cela,
Et que la grâce pitoyable vous assiste
Dans le suprême besoin.

LE SPECTRE, *sous terre.*

Jurez!

HAMLET

Calme-toi, calme-toi, esprit inquiet. *(Ils jurent une troisième fois.)* Maintenant, messieurs,
De tout mon cœur je m'en remets à vous
Et tout ce qu'un pauvre homme tel qu'Hamlet
Pourra vous témoigner d'amitié et d'amour,
Vous l'aurez, Dieu aidant. Rentrons ensemble,
Et vous, toujours la bouche close, s'il vous plaît.
Le temps est hors des gonds. O sort maudit
Que ce soit moi qui aie à le rétablir!...
Allons, rentrons ensemble.

Ils sortent.

ACTE II

SCÈNE PREMIÈRE

Une salle de la maison de Polonius.

Polonius et Reynaldo.

POLONIUS
Remettez-lui cet argent et ces lettres, Reynaldo.

REYNALDO
Oui, monseigneur.

POLONIUS
Et, mon bon Reynaldo, vous feriez fort bien,
Avant de lui rendre visite,
De vous informer de ses habitudes.

REYNALDO
C'était mon intention, monseigneur.

POLONIUS
Ah! voilà une bonne, une excellente réponse! Tenez, monsieur,
Recherchez-moi d'abord les Danois de Paris,
Qui sont-ils et comment ils vivent, quels sont leurs moyens, leurs logis,
Leurs fréquentations, leur dépense. En découvrant
Par ces détours, par ces coups de sonde,
Qu'ils connaissent mon fils, vous parviendrez
Plus près du but qu'avec des questions précises.
Faites celui qui le connaît, si je puis dire, de loin.

Dites par exemple : je connais son père, ses amis,
Je le connais lui-même un peu... Vous me suivez, Reynaldo?

REYNALDO

Oh! oui, très bien, monseigneur.

POLONIUS

Lui-même un peu; et, pourrez-vous dire, assez mal,
Mais s'il est celui que je crois, je le sais fort dissipé,
Adonné à ceci et à cela; et alors, chargez-le
De tout ce qu'il vous plaît d'imaginer; oh, rien de grave,
Rien qui atteigne son honneur, veillez-y bien,
Mais de ces turbulentes folies, de ces banales fredaines
Qui sont, chacun le sait, la loi des jeunes gens
Quand ils sont laissés à eux-mêmes.

REYNALDO

Comme de jouer, monseigneur?

POLONIUS

Oui, ou de boire, ou de ferrailler, de jurer
Ou de se quereller, de courir les filles...
Vous pouvez aller jusque-là.

REYNALDO

Monseigneur, ce serait le déshonorer!

POLONIUS

Non, si vous savez bien doser vos critiques.
Car, surtout, n'allez pas laisser entendre
Qu'il est d'une nature débauchée!
Ce n'est pas ce que je veux dire; non, exposez ses défauts si adroitement
Qu'ils semblent les travers d'un esprit libre,
Les écarts et les feux d'une âme fougueuse,
L'ardeur d'un sang qui ne s'est pas dompté,
L'effervescence commune.

REYNALDO

Mais, monseigneur...

POLONIUS

Pourquoi devez-vous agir ainsi?

REYNALDO

Oui, monseigneur, c'est ce que je voulais savoir.

POLONIUS

Eh bien, monsieur, voici où je désire en venir,
Et c'est un stratagème, je crois, qui réussira.
Quand vous aurez chargé mon fils de ces ternissures
légères,
Comme un ouvrage, dirai-je, un peu sali sur le métier,
Votre interlocuteur, écoutez bien, Reynaldo,
Celui que vous voulez sonder,
Pour peu qu'il ait noté, dans le jeune homme
Dont vous l'entretenez, lesdites fautes,
Soyez sûr qu'il en conviendra avec des mots
Comme « mon bon monsieur » ou « ah, mon ami » ou
« mais oui, messire »
Selon les tours familiers de cet homme
Et les titres qu'on donne dans son pays.

REYNALDO

Ce n'est pas douteux, monseigneur.

POLONIUS

Et alors, monsieur, il fera, il... que vous disais-je?
Par le Ciel, j'allais dire quelque chose.
A quoi en suis-je resté?

REYNALDO

A « il en conviendra », et « par ces mots »,
Et « mon ami » et « messire ».

POLONIUS

Ah oui, parbleu, « par ces mots ». Oui, voici
Comment il approuvera : « Je connais ce seigneur,

Je l'ai vu hier, ou bien l'autre jour,
Ou à telle date ou telle autre, avec un tel ou un tel,
Et comme vous disiez il jouait, ou il était ivre
Dans une beuverie, ou à se disputer
Au jeu de paume » et, qui sait, « Je l'ai vu entrer dans un de ces lieux »...
Comme nous dirions : un bordel. Comprenez-vous, maintenant?
Votre appât de mensonge a pris cette carpe, la vérité,
Et voilà comment, nous qui sommes sages, capables,
Par des détours, par des attaques de biais
Nous parvenons indirectement à nous diriger.
Bien! Cette leçon-là, et mes conseils,
Appliquez-les à mon fils. Vous m'avez compris, Reynaldo?

REYNALDO

Je vous ai compris, monseigneur.

POLONIUS

Au revoir donc. Bon voyage.

REYNALDO

Je vous remercie, monseigneur.

POLONIUS

Gardez pour vous ses faiblesses!

REYNALDO

Oui, monseigneur.

POLONIUS

Et laissez-le jouer sa musique!

REYNALDO

Bien, monseigneur.

Il sort.

POLONIUS

Au revoir.

Entre Ophélie.

Eh bien, Ophélie, que se passe-t-il?

OPHÉLIE

O monseigneur, monseigneur, j'ai été si effrayée!

POLONIUS

Par quoi, au nom du Ciel?

OPHÉLIE

Monseigneur, j'étais dans ma chambre en train de coudre,
Quand monseigneur Hamlet, le pourpoint tout délacé,
Sans chapeau, les bas sans attache
Boueux et tout en plis sur les chevilles,
Pâle comme son linge, les genoux qui s'entrechoquaient
Et la mine aussi pitoyable que si l'enfer
L'eût relâché pour dire ses horreurs...
Le voilà qui se jette devant moi!

POLONIUS

Fou? Par amour pour toi?

OPHÉLIE

Je ne sais pas, monseigneur,
Mais je le crains.

POLONIUS

Que t'a-t-il dit?

OPHÉLIE

Il m'a saisie par le poignet et m'a serrée fort,
Puis il s'est éloigné de toute la longueur de son bras,
Et avec l'autre main au-dessus des yeux, comme ceci,
Il m'a regardée au visage aussi aigûment
Que s'il eût voulu me peindre. Il est longtemps demeuré, comme cela,
Puis à la fin, me secouant un peu le bras,
Et hochant par trois fois la tête, comme ceci,
Il a poussé un soupir si profond et si pitoyable
Qu'il semblait qu'il dût faire éclater son corps

Et mettre fin à ses jours. Il m'a ensuite lâchée
Et, la tête tournée vers moi par-dessus l'épaule,
Il semblait sans ses yeux trouver son chemin,
Car il est sorti sans leur aide et jusqu'au bout
Il m'a tenue sous leurs feux!

POLONIUS

Vite, viens avec moi. Allons trouver le roi.
C'est le délire même de l'amour
Qui se détruit par sa propre violence
Et voue au désespoir notre volonté
Tout autant qu'aucune passion qui soit au monde
Pour notre accablement. — Ah, je regrette...
Voyons, lui avez-vous parlé avec dureté, récemment?

OPHÉLIE

Non, monseigneur, mais selon vos ordres
J'ai repoussé ses lettres, j'ai refusé de le voir.

POLONIUS

C'est cela qui l'a rendu fou.
Je regrette bien de ne pas l'avoir observé
Avec plus d'attention et de jugement.
Je craignais qu'il ne fît que s'amuser
Et ne méditât de te perdre. Mais au diable tous mes soupçons!
Est-il donc aussi naturel aux gens de mon âge
De se laisser duper par leurs opinions
Qu'il est fréquent de voir les jeunes gens
Manquer de retenue? Viens, allons chez le roi,
Il faut qu'il sache tout : car celer cet amour
Causerait plus de peine
Que de le révéler ne nous vaudra de haine.
Allons, viens.

Ils sortent.

SCÈNE II

Une salle du château.

Sonneries de trompettes. Entrent le roi et la reine, suivis par Rosencrantz, Guildenstern et d'autres.

LE ROI

Salut, cher Rosencrantz et vous Guildenstern!
Sans compter que nous désirions vivement vous voir,
Le besoin où nous sommes de vos services
Nous a fait vous mander en hâte. Vous avez entendu parler
De la métamorphose d'Hamlet... C'est bien le mot
Puisque son apparence et son être même
Ne sont plus ce qu'ils ont été. Quelles raisons,
Outre la mort d'un père, ont eu ce pouvoir
De l'égarer si loin du contrôle de soi,
Je ne puis le comprendre. Et je vous prie,
Vous qui fûtes si tôt ses compagnons
Et qui par l'âge et les goûts êtes si proches de lui,
De bien vouloir rester tous deux à notre cour
Un peu de temps. Que votre société
L'incite à se divertir. Et découvrez,
Dans ce que le hasard permet de glaner,
Si un mal inconnu de nous le fait souffrir
Qui, décelé, pourrait être guéri.

LA REINE

Messieurs, il a beaucoup parlé de vous,
Et il n'est pas, j'en suis sûre, deux autres hommes
Auxquels il soit plus attaché. S'il vous agrée
D'avoir la courtoisie et la bonne grâce
De perdre auprès de nous un peu de temps
Pour le plus grand profit de notre espoir,
Cette visite vous vaudra les remerciements
Que sait trouver la mémoire d'un roi.

ROSENCRANTZ

Vos majestés
Ont un si haut pouvoir souverain sur nous
Qu'elles pourraient nous signifier leurs volontés redoutables
Comme un ordre plutôt qu'une prière.

GUILDENSTERN

Nous vous obéirons
Et, mettant à vos pieds notre libre allégeance,
Nous nous livrons de tout notre cœur
A vos commandements.

LE ROI

Merci, Rosencrantz et vous noble Guildenstern.

LA REINE

Merci, Guildenstern et vous noble Rosencrantz.
Et je vous en supplie, allez tout de suite rendre visite
A mon fils hélas! si changé... Que l'un de vous
Conduise ces gentilshommes auprès d'Hamlet.

GUILDENSTERN

Fasse le Ciel que notre présence et nos soins
Lui soient agréables et salutaires!

LA REINE

Oh oui, ainsi soit-il!

Sortent Rosencrantz et Guildenstern.
Entre Polonius.

POLONIUS

Nos ambassadeurs, mon suzerain,
Sont heureusement rentrés de Norvège.

LE ROI

Tu as toujours été le père des bonnes nouvelles.

POLONIUS

Vraiment, monseigneur? O mon suzerain, soyez assuré
Qu'à mon très gracieux roi comme à mon Dieu

Je voue d'un même élan mon service et mon âme.
Et je crois bien, ou alors mon cerveau
Ne suit plus aussi sûrement qu'il ne faisait
La piste d'une affaire, que j'ai trouvé
La cause des bizarreries d'Hamlet.

LE ROI

Oh dis-la-moi, j'ai grand désir de t'entendre!

POLONIUS

Donnez d'abord audience aux ambassadeurs.
Mon récit sera le dessert de ce grand festin.

LE ROI

Fais-leur toi-même les honneurs et introduis-les.

Polonius sort.

Il me dit, ma chère Gertrude, qu'il a trouvé
L'origine des maux de votre fils.

LA REINE

Je crains que ce ne soit que la grande cause,
Son père mort, notre mariage trop rapide.

LE ROI

Nous en aurons le cœur net.

Polonius revient avec Valtemand et Cornélius

Soyez les bienvenus, mes chers amis!
Eh bien, Valtemand, que dit mon frère Norvège?

VALTEMAND

Il vous rend très courtoisement compliments et vœux,
Et dès nos premiers mots il a fait suspendre
Les levées opérées par son neveu, qu'il avait prises
Pour des préparatifs contre les Polonais,
Mais qu'à mieux regarder il a reconnues
Etre en effet hostiles à Votre Altesse; et dépité
Que ses maux, sa faiblesse, son grand âge
Soient ainsi abusés, il a passé des ordres
A Fortinbras, lequel s'est incliné,

A accepté les réprimandes de Norvège et, en bref, a fin[i]
Devant son oncle par jurer que jamais plus
Il ne ferait la guerre à Votre Majesté;
Sur quoi le vieux Norvège, plein d'allégresse,
Lui a fait une rente de soixante mille livres,
Avec le mandement d'employer les troupes
Qui se trouvent levées, contre la Pologne;
Et dans les lettres que voici, il vous demande
De bien vouloir à cette fin lui accorder
Passage sur vos terres... Dans ces lettres
Sont proposées les clauses de l'octroi,
Les garanties...

Il présente les documents.

LE ROI

Oui, volontiers.
Plus à loisir nous lirons cela
Et, après examen, nous répondrons. En attendant,
Merci pour votre peine et votre succès.
Allez vous reposer. Ce soir nous fêterons ensemble
Votre si bienvenu retour.

Sortent Valtemand et Cornélius.

POLONIUS

Voilà qui a bien fini...
Mon suzerain et vous, madame, rechercher
Ce qu'est la majesté ou le devoir,
Pourquoi le jour est jour, la nuit la nuit ou le temps le temps,
Ce serait gaspiller la nuit, le jour et le temps.
Si donc la brièveté est l'âme de la pensée
Quand les longueurs en sont l'ornement et les membres,
Je serai bref... Votre noble fils est fou.
Oui, je puis dire fou puisqu'à la bien définir
La folie n'est rien d'autre que de n'être rien que fou.
Mais passons...

LA REINE

Plus de matière et moins d'art.

POLONIUS

Je vous jure, madame, que je n'y mets aucun art.
Qu'il soit fou, c'est bien vrai. Et il est vrai que c'est bien dommage
Et bien dommage que ce soit vrai... Cette figure-là est saugrenue,
Mais laissons là, je parlerai sans art.
Admettons qu'il soit fou, il reste maintenant
A découvrir la cause de cet effet
Ou pour mieux dire la cause de ce défaut,
Car cet effet défectueux a sa cause.
Oui, c'est là ce qui reste; un reste... que voici!
Écoutez bien.

Il présente quelques feuillets.

J'ai une fille (je l'ai, tant qu'elle est mienne)
Qui par devoir d'obéissance, notez-le,
M'a remis tout ceci. Méditez, concluez!
(Il lit) « A l'idole de mon âme, à la divine, à la toute belle Ophélie »...
Voilà qui est mal dit, c'est un vilain mot, « toute belle » est un vilain mot, mais écoutez. Voyons. « Dans la blancheur exquise de ton sein. » Passons...

LA REINE

Est-ce Hamlet qui lui a écrit cela?

POLONIUS

Un instant, madame, je ne vous cacherai rien.

Il lit.

« Doute que les étoiles soient du feu,
Doute que le soleil se meuve,
Doute de la vérité même,
Ne doute pas que je t'aime.

O chère Ophélie, je suis maladroit dans l'art des rimes, je ne sais pas scander mes soupirs, mais que je t'aime par-dessus tout, ô toi qui vaux plus que tout, n'en doute pas. Au revoir.

A jamais à toi, ma dame très chère,
tant que ce triste corps sera mien...
« HAMLET. »

Voilà ce que ma fille obéissante m'a montré,
Me rapportant aussi toutes ses requêtes,
Leur forme, leur moment, leur lieu.

LE ROI

Mais quel accueil a-t-elle fait à son amour?

POLONIUS

Que pensez-vous de moi?

LE ROI

Que vous êtes loyal et honorable.

POLONIUS

Je voudrais l'être! Eh bien, quand j'ai compris
Que cet ardent amour prenait son essor
(Ce que j'ai deviné, n'en doutez pas,
Avant le premier mot de ma fille), qu'auriez-vous dit
Et qu'aurait dit sa gracieuse Majesté, votre reine ici présente,
Si j'avais servi de pupitre ou de porte-plume,
Ou contraint mon cœur au silence, ou regardé
D'un œil absent cet amour? Oui, qu'auriez-vous pu dire!
Mais non, je suis allé droit au fait,
Et à la jeune personne, voici comment j'ai parlé :
« Monseigneur Hamlet est un prince, hors de ta sphère,
C'est impossible, impossible! » Et je lui ai prescrit
Qu'elle se ferme à ses requêtes, qu'elle n'accepte
Aucun message, aucun gage. Ceci dit,
Elle a fait fructifier cette leçon,
Et lui, mais j'abrégerai, tomba,
Étant repoussé, dans la nostalgie,
Puis dans l'inappétence, puis l'insomnie,
Puis la faiblesse du corps et puis celle de l'esprit,
Et toujours déclinant, dans cette folie
Qui, pour notre chagrin, l'égare aujourd'hui.

LE ROI

Pensez-vous que ce soit cela?

LA REINE

C'est possible et même probable.

POLONIUS

Que je sache, jamais est-il advenu
Que j'aie affirmé : c'est ainsi!
Quand il en fut autrement?

LE ROI

A ma connaissance, jamais.

POLONIUS, *montrant sa tête et ses épaules.*

S'il en est autrement, séparez ceci et cela.
Il me suffit d'un indice... et je vais droit
A la vérité, serait-elle (en vérité!)
Cachée au centre de la terre.

Hamlet entre dans le vestibule.
Il s'arrête un moment, inaperçu.

LE ROI

Mais comment nous en assurer?

POLONIUS

Vous savez qu'il marche parfois pendant des heures
Ici, dans le vestibule.

LA REINE

C'est sa coutume, en effet.

POLONIUS

Dans un de ces moments-là je lâche sur lui ma fille,
Et vous et moi sous la tapisserie
Nous observons la rencontre. S'il n'aime pas,
Si ce n'est pas là-dessus qu'a trébuché sa raison,
Je renonce à servir l'État
Pour régir une ferme et des charretiers.

LE ROI

Essayons cela.

Hamlet s'avance.

LA REINE

Mais voyez-le qui vient en lisant tristement, le pauvre.

POLONIUS

Éloignez-vous, je vous prie, éloignez-vous,
Et sur-le-champ je vais l'accoster. Excusez-moi.

Le roi et la reine sortent.

Mon bon seigneur Hamlet, comment allez-vous?

HAMLET

Je vais bien, merci.

POLONIUS

Me reconnaissez-vous, monseigneur?

HAMLET

Parfaitement, vous êtes un maquereau[20].

POLONIUS

Certes non, monseigneur.

HAMLET

Alors je voudrais que vous fussiez aussi honnête.

POLONIUS

Honnête, monseigneur?

HAMLET

Eh oui, monsieur. Un honnête homme au train dont va le monde, on en trouve un sur dix mille.

POLONIUS

C'est bien vrai, monseigneur.

HAMLET

Et si le soleil engendre des vers dans un chien crevé, laquelle charogne est bien digne d'être baisée... Vous avez une fille?

POLONIUS

Oui, monseigneur.

HAMLET

Qu'elle n'aille pas au soleil! Concevoir est une bénédiction, mais, mon ami, veillez à la façon dont votre fille peut concevoir.

Il lit.

POLONIUS, *à part.*

Qu'en dites-vous? Ma fille, toujours ma fille! Pourtant il ne m'a pas reconnu d'abord, il m'a pris pour un maquereau. Il est pris, il est bien pris, et c'est vrai que dans ma jeunesse j'ai beaucoup souffert aussi par amour, oui, presque autant... Je vais lui parler encore... Que lisez-vous, monseigneur?

HAMLET

Des mots, des mots, des mots.

POLONIUS

Mais quel est leur lien[21], monseigneur?

HAMLET

De qui parlez-vous?

POLONIUS

De ces mots que vous lisez, monseigneur.

HAMLET

La calomnie, monsieur! Car ce railleur éhonté prétend que les vieillards ont des barbes grises et un visage ridé, que leurs yeux sécrètent une résine pâteuse et de la gomme comme un prunier, et qu'ils ont une abondante pénurie d'esprit en même temps que les jambes faibles. Toutes choses, monsieur, dont je suis fortement et profondément convaincu, mais que je trouve déshonnête de coucher ainsi par écrit; car vous-même, monsieur, vous serez un jour aussi vieux que je le suis, pour peu que vous alliez à reculons comme un crabe.

Il lit de nouveau.

POLONIUS, *à part.*

De la folie, mais qui ne manque pas de méthode.
Ne voulez-vous pas vous mettre à l'abri de l'air, monseigneur?

HAMLET

Si, au tombeau.

POLONIUS, *à part.*

C'est vrai, on y est à l'abri de l'air. Que de sens quelquefois dans ses réponses! La folie a souvent un à-propos dont la raison et l'équilibre accoucheraient moins heureusement. Je vais le laisser et, sans perdre de temps, préparer sa rencontre avec ma fille.
(Haut) Mon vénéré seigneur, je prends très humblement congé de vous.

HAMLET

Vous ne pourriez rien prendre, monsieur, dont je ne sois plus avide de me défaire : sinon de ma vie, sinon de ma vie, sinon de ma vie!

POLONIUS

Portez-vous bien, monseigneur.

HAMLET

Détestables vieux imbéciles!

Entrent Rosencrantz et Guildenstern.

POLONIUS

Vous cherchiez monseigneur Hamlet, il est ici.

ROSENCRANTZ, *à Polonius.*

Dieu vous garde, monsieur!

Polonius sort.

GUILDENSTERN

Mon seigneur vénéré!

ROSENCRANTZ

Mon seigneur bien-aimé!

HAMLET

Mes chers, mes excellents amis! Comment vas-tus Guildenstern?
Ah! Rosencrantz. Comment allez-vous, mes camarades?

ROSENCRANTZ

Comme de médiocres fils de la terre.

GUILDENSTERN

Heureux, de ne pas être trop heureux.
Sur le bonnet de la Fortune
Nous ne sommes pas le plus haut bouton.

HAMLET

Mais non plus la semelle de ses souliers?

ROSENCRANTZ

Non, pas davantage, monseigneur.

HAMLET

Alors, c'est que vous êtes du côté de sa ceinture ou, disons, au nombril de ses faveurs?

GUILDENSTERN

Eh oui, nous sommes de ses intimes.

HAMLET

Dans ses parties intimes? Ah! c'est bien vrai, la Fortune est une putain. Quelles nouvelles?

ROSENCRANTZ

Rien, monseigneur, sauf que le monde est devenu honnête.

HAMLET

Il faut donc que le Jugement soit proche. Mais non, c'est une fausse nouvelle. Et laissez-moi vous poser une question plus directe : qu'avez-vous fait à la Fortune, mes bons amis, pour qu'elle vous envoie ici en prison?

GUILDENSTERN

En prison, monseigneur!

HAMLET

Le Danemark est une prison.

ROSENCRANTZ

Alors le monde en est une.

HAMLET

Une fameuse, avec beaucoup de cellules, de quartiers et de cachots; le Danemark étant l'un des pires.

ROSENCRANTZ

Monseigneur, ce n'est pas notre sentiment.

HAMLET

Alors il n'est pour vous rien de tel. Car rien n'est bon ou mauvais en soi, tout dépend de notre pensée. Pour moi, le Danemark est une prison.

ROSENCRANTZ

Ce sera l'effet de votre ambition : il est trop étroit pour votre âme.

HAMLET

O Dieu! Je pourrais être enfermé dans la coque d'une noisette et me tenir pour le roi d'un espace sans limites... Mais je fais de mauvais rêves.

GUILDENSTERN

Des rêves, c'est bien cela l'ambition. Car toute sa substance n'est jamais que l'ombre d'un rêve.

HAMLET

Le rêve lui-même n'est qu'une ombre.

ROSENCRANTZ

Certes! Et je tiens l'ambition pour une chose si vaine et inconsistante qu'elle n'est que l'ombre d'une ombre.

HAMLET

En ce cas nos gueux sont les corps, et nos monarques, nos ostentatoires héros ne sont que l'ombre des gueux... Si nous allions à la cour? Car, sur ma foi, je suis incapable de raisonner.

ROSENCRANTZ, GUILDENSTERN

Nous sommes à vos ordres.

HAMLET

Surtout pas! Je ne veux pas vous confondre avec le reste de mes gens. Car, pour tout vous dire, je suis atrocement entouré... Mais, par notre vieille amitié! que venez-vous faire à Elseneur?

ROSENCRANTZ

Vous rendre visite et rien d'autre, monseigneur.

HAMLET

Gueux comme je suis, je suis pauvre même en remerciements. Merci pourtant... Mais un merci d'un demi-penny, c'est trop vous payer, mes chers amis. Ne vous a-t-on pas appelés? Êtes-vous venus de vous-mêmes, en visite spontanée? Allons, allons, soyez francs. Allons, parlez!

GUILDENSTERN

Que pourrions-nous vous dire, monseigneur?

HAMLET

Eh, n'importe quoi sauf la vérité... On vous a fait venir, cela se trahit sur votre visage, que votre vergogne n'est pas assez astucieuse pour farder... Ce bon roi et la reine vous ont fait venir, je le sais.

ROSENCRANTZ

A quelles fins, monseigneur?

HAMLET

C'est ce qu'il faut que vous m'appreniez. Oh! je vous en conjure, par nos liens de camaraderie, et l'accord de nos âges, et notre affection qui ne s'est jamais démentie, par tout ce que quelqu'un de plus adroit pourrait invoquer de plus cher, dites-moi, honnêtement et sans détour, si l'on vous a fait venir.

ROSENCRANTZ, *bas à Guildenstern.*

Qu'en dites-vous?

HAMLET, *à part.*

Oh! j'ai l'œil sur vous!
(Haut.) Si vous m'aimez, ne me cachez rien.

GUILDENSTERN

On nous a fait venir, monseigneur.

HAMLET

Je vais vous dire pourquoi, ainsi je préviendrai votre aveu, et le secret que vous avez promis au roi et à la reine ne perdra pas une plume. J'ai depuis peu, pourquoi je n'en sais rien, perdu toute ma gaieté, abandonné mes habituels exercices; et de fait mon humeur est si désolée que cet admirable édifice, la terre, me semble un promontoire stérile, et ce dais de l'air, si merveilleux n'est-ce pas, cette voûte superbe du firmament, ce toit auguste décoré de flammes d'or, oui, tout cela n'est plus pour moi qu'un affreux amas de vapeurs pestilentielles. Quel chef-d'œuvre que l'homme! Comme il est noble dans sa raison, infini dans ses facultés, ses mouvements, son visage, comme il est résolu dans ses actes, angélique dans sa pensée, comme il ressemble à un dieu! La merveille de l'univers, le parangon de tout ce qui vit! Et pourtant que vaut à mes yeux cette quintessence de poussière? L'homme n'a pas de charme pour moi, non, et la femme non plus, bien que votre sourire semble insinuer le contraire.

ROSENCRANTZ

Monseigneur, il n'y avait rien de tel dans ma pensée.

HAMLET

Alors pourquoi avez-vous ri quand j'ai dit : « l'homme est sans charme pour moi »?

ROSENCRANTZ

Je pensais, monseigneur, que si vous ne trouviez à l'homme aucun charme les comédiens feraient carême chez vous. Nous les avons dépassés sur le chemin, et ils vont arriver pour vous offrir leurs services.

HAMLET

Celui qui joue le Roi sera le bienvenu, Sa Majesté recevra mon tribut, le Chevalier Errant pourra brandir son glaive et son bouclier, l'Amoureux ne soupirera pas pour des prunes, le Lunatique ira en paix jusqu'aux derniers mots de son rôle, le Clown pourra égayer ceux qui ont toujours le rire aux lèvres, et la Dame improviser à son gré — sinon, c'est le pentamètre qui boitera[22]. Quels sont ces comédiens?

ROSENCRANTZ

Ceux-là mêmes qui avaient tant de charme pour vous, les tragédiens de la Cité.

HAMLET

Comment se fait-il qu'ils soient en tournée? Pour la gloire et pour le profit, mieux vaudrait pour eux rester à demeure.

ROSENCRANTZ

Je crois que les derniers bouleversements[23] le leur interdisent.

HAMLET

Sont-ils toujours aussi appréciés que lorsque j'étais en ville? Ont-ils autant d'auditeurs?

ROSENCRANTZ

Non, vraiment pas.

HAMLET

Pourquoi donc? Commenceraient-ils à se rouiller?

ROSENCRANTZ

Oh! non, leur entrain est resté le même; mais il leur faut compter, monsieur, avec une nichée d'enfants, de petits oisillons dont les criaillements aigus couvrent toute discussion, ce qui leur vaut d'autant plus d'applaudissements furieux[24]. Ils sont le dernier mot de la mode, et ils décrient tellement les théâtres du commun (comme ils disent) que bien des gens qui portent l'épée n'osent plus s'y aventurer, tant ils sont effrayés par les plumes d'oie[25].

HAMLET

Mais quoi, est-ce vraiment des enfants? Qui les entretient, qui pourvoit à leurs dépenses? garderont-ils ce métier quand ils ne pourront plus chanter? Et s'ils deviennent un jour des comédiens du commun, comme cela est bien probable s'ils n'ont pas d'autres ressources, ne dira-t-on pas que leurs écrivains ont eu grand tort de les faire dauber leur propre avenir?

ROSENCRANTZ

Oui, il y a eu beaucoup de bruit dans les deux partis, et le pays ne s'est pas fait faute de les exciter à la controverse. Il y eut un moment où l'on ne risquait pas un sou sur un sujet de pièce où le poète et le comédien n'en venaient aux coups sur cette question.

HAMLET

Est-ce possible?

GUILDENSTERN

Oh! il y a eu un beau gaspillage de matière grise.

HAMLET

Et ce sont les enfants qui l'emportent?

ROSENCRANTZ

Eh oui, monseigneur. Ils emportent même Hercule et son fardeau[26].

HAMLET

Ce n'est pas si étrange, après tout, puisque mon oncle est devenu roi de Danemark, et que ceux qui du vivant de mon père le boudaient donnent maintenant vingt, quarante, cinquante ou cent ducats pour avoir son portrait en miniature. Par Dieu, il y a là quelque chose de surnaturel, si la philosophie pouvait s'en apercevoir.

Sonnerie de trompettes.

GUILDENSTERN

Voici les comédiens.

HAMLET

Messieurs, vous êtes les bienvenus à Elseneur. Vos mains? Mais oui, les façons, les cérémonies, voilà les auxiliaires du bon accueil. Faisons-nous quelque politesse, de peur que mon salut aux comédiens, auxquels je dois faire bon visage, ne paraisse plus chaleureux que l'accueil que je vous réserve... Vous êtes les bienvenus; mais mon oncle de père, et ma tante de mère, se trompent fort.

GUILDENSTERN

Comment cela, monseigneur?

HAMLET

Je ne suis fou que par vent du nord-nord-ouest. Quand le vent est au sud, je sais distinguer la poule de l'épervier[27].

Entre Polonius.

POLONIUS

Salut à vous, messieurs!

HAMLET, *bas.*

Attention, Guildenstern, soyez tout oreilles et vous aussi : ce gros poupon que vous voyez là est encore aux langes.

ROSENCRANTZ, *bas.*

Peut-être qu'il y est revenu, puisqu'on dit que la vieillesse est une seconde enfance.

HAMLET, *bas.*

Je prophétise qu'il vient me parler des comédiens, attention... *(Haut.)* Vous dites vrai, monsieur, c'était bien un lundi matin.

POLONIUS

Monseigneur, j'ai une nouvelle à vous apprendre.

HAMLET

Monseigneur, j'ai une nouvelle à vous apprendre... A Rome, quand Roscius était acteur...

POLONIUS

Les acteurs viennent d'arriver, monseigneur.

HAMLET

Taratata!

POLONIUS

Sur mon honneur...

HAMLET

« Sur leur âne v'naient les acteurs »...

POLONIUS

Les meilleurs acteurs qui soient au monde! Tragédie, comédie, drame historique, pastorale. Pastorale comique. Pastorale historique. Tragédie historique. Pastorale tragico-comique et historique. Décors fixes ou poèmes sans décors. Sénèque ne saurait être trop grave pour eux ni Plaute trop léger. Pour la rigueur de l'un et la liberté de l'autre, ils sont les seuls.

HAMLET

O Jephté[28], quel trésor tu avais, juge d'Israël!

POLONIUS

Quel trésor avait-il, monseigneur?

HAMLET

Voyons !

Une fille bien jolie
Qu'il aimait à la folie

POLONIUS, *à part.*

Toujours ma fille !

HAMLET

Pas vrai, vieux Jephté ?

POLONIUS

Si vous m'appelez Jephté, monseigneur, j'ai une fille que j'aime à la folie.

HAMLET

Non, non, ce n'est pas cela la suite.

POLONIUS

Quelle est donc la suite, monseigneur ?

HAMLET

Eh,

Bien entendu, Dieu le sut,

après quoi :

Il advint, vous pensez bien...

ce qu'il advint, c'est le premier couplet de cette pieuse chanson qui vous l'apprendra, car, regardez, voici qui va me permettre d'abréger.

Entrent quatre ou cinq comédiens.

Bienvenus êtes-vous, mes maîtres, bienvenus ! Oh, toi, je suis content de te voir... Bienvenue, mes chers amis... Oh ! oh ! mon vieux, tu as mis une frange à ta figure depuis la dernière fois, viens-tu au Danemark pour rire à mes dépens dans ta barbe ? Et vous, ma jeune dame, ma princesse[29] ! Par Notre-Dame, votre gracieuse personne est plus proche du ciel, depuis que je vous ai vue, de toute la hauteur d'une bottine. Fasse Dieu que votre voix, comme une pièce d'or fêlée, ne risque pas d'être retirée de l'usage... Maîtres, vous êtes les bienvenus. Et tout de suite, comme les fauconniers de France, qui lancent sur toute proie, tout de suite une tirade. *(Au premier comédien.)* Allons, donnez-nous un avant-goût de votre art. Quelque chose de passionné.

LE PREMIER COMÉDIEN

Quelle tirade, mon cher seigneur?

HAMLET

Je t'ai entendu une fois m'en réciter une, mais qui ne fut jamais portée à la scène, ou une fois seulement, car la pièce, je m'en souviens, ne plaisait pas au grand nombre, c'était du caviar pour la plèbe. Et pourtant, selon moi, et d'autres dont le jugement en pareille matière avait plus de portée que le mien, c'était une excellente pièce, bien conduite, écrite avec autant de pénétration que de mesure... Quelqu'un disait, si je me souviens bien, qu'il n'y avait pas dans les vers de ce piment qui relève les sujets, et qu'il n'y avait rien dans le style qui puisse faire accuser l'auteur d'affectation, mais que c'était une œuvre décente, aussi saine qu'agréable, et bien plus noble qu'apprêtée. Quant au passage que j'aimais par-dessus tout, c'était le récit que fait Énée à Didon, et surtout quand il parle du massacre de Priam. Si le souvenir vous en est resté, commencez donc à ce vers, voyons, voyons...

« Le farouche Pyrrhus, la bête d'Hyrcanie[30]... »
Ce n'est pas ça, mais le début est : Pyrrhus...
« Le farouche Pyrrhus, dont les armes noires
Et le morne dessein ressemblaient à la nuit
Quand il était caché dans le cheval funeste,
Va couvrir maintenant cette noirceur
D'un plus affreux blason. De pied en cap
Le voici rouge, horriblement souillé
Du sang des pères, mères, filles, fils,
Séché sur lui, recuit par le feu des rues
Qui jette sa clarté maudite, impitoyable

Sur le meurtre du roi. Exaspéré, brûlé,
Recouvert de la glu du sang coagulé,
Pyrrhus, les yeux comme des rubis, infernal,
Cherche l'aïeul, Priam... »
Mais continuez.

POLONIUS

Par Dieu, monseigneur, c'est fort bien dit, avec le ton qu'il faut, et avec mesure!

LE PREMIER COMÉDIEN

« Il le trouve bientôt, qui porte aux Grecs
De bien trop faibles coups. Sa vieille épée
Se refuse à son bras et à son cœur,
Elle tombe... O combat trop inégal!
Pyrrhus frappe Priam et dans sa rage
Le manque; mais le vent de son glaive féroce
Renverse le vieillard débile. Il semble alors
Que l'insensible Ilion ait ressenti ce coup.
Sa cime embrasée croule et, d'un affreux fracas,
Surprend l'oreille de Pyrrhus. Et cette épée,
Qui allait retomber sur la tête blanche
Du vénéré Priam, reste suspendue.
Tel qu'une image peinte est Pyrrhus, immobile.
Il semble indifférent à ce qu'il voulait,
Il ne fait rien;
Mais comme avant l'orage le silence
Emplit le ciel, comme les nues s'apaisent,
Comme les vents impétueux restent sans voix
Au-dessus de la terre comme morte — et le tonnerre
Déchire alors affreusement le ciel, ainsi Pyrrhus
S'éveille après sa pause à la vengeance.
Et jamais les marteaux des Cyclopes n'ont chu
Avec moins de remords sur l'armure de Mars
Ouvragée pour l'éternité, que l'épée sanglante
De Pyrrhus n'a frappé Priam. Honte, honte, Fortune,
O prostituée! Et vous, ô tous les dieux,
Assemblez-vous pour lui ravir sa force,

Brisez la jante de sa roue et ses rayons,
Et lancez son moyeu des hauteurs du ciel
Jusqu'en l'abîme infernal! »

POLONIUS

C'est trop long!

HAMLET

On l'enverra chez le coiffeur, avec votre barbe. Continue, je te prie. Il lui faut des bouffonneries ou une plaisanterie obscène, sinon il dort. Continue. Viens-en à Hécube.

LE PREMIER COMÉDIEN

«... Mais qui eût vu, hélas! la reine emmitouflée... »

HAMLET

Emmitouflée?

POLONIUS

Oui, oui, la reine emmitouflée, c'est très bon.

LE PREMIER COMÉDIEN

« ...Courir partout pieds nus, menaçant les flammes
Des pleurs qui l'aveuglaient, un torchon sur sa tête
Qui naguère portait la couronne, et pour robe
Sur ses reins épuisés une couverture
Prise au hasard dans l'affre de la peur,
Oui, qui eût vu cela, d'une langue de fiel
Eût dénoncé la trahison de la Fortune.
Mais si les dieux eux-mêmes l'avaient vue
Apercevant Pyrrhus qui se complaisait
De son glaive à hacher le corps de Priam,
Alors le cri qu'elle poussa,
Pour peu que le malheur des hommes les émeuve,
Aurait empli de pleurs les yeux brûlants du ciel
Et accablé les dieux! »

POLONIUS

Voyez s'il n'a pas changé de couleur! Ses yeux sont pleins de larmes! Arrête-toi, je te prie.

HAMLET

C'est bon, je te demanderai le reste bientôt. Monseigneur, faites en sorte que les comédiens soient bien logés. Entendez-vous, que l'on ait pour eux tous les égards, car ils sont l'abrégé, la chronique concise de l'époque. Mieux vaudrait pour vous après votre mort une injurieuse épitaphe que leurs quolibets de votre vivant.

POLONIUS

Monseigneur, je les traiterai selon leur mérite.

HAMLET

Beaucoup mieux, mon ami, par le corps du Christ! Si l'on traite chacun selon son mérite, qui pourra échapper au fouet? Traitez-les selon votre honneur, votre dignité — et moins ils le mériteront et plus vos bontés seront méritoires. Conduisez-les.

POLONIUS

Venez, messieurs.

HAMLET

Suivez-le, mes amis, vous jouerez pour nous demain. *(Au premier comédien.)* Écoute-moi, ô mon vieil ami, pouvez-vous jouer *Le Meurtre de Gonzague?*

LE PREMIER COMÉDIEN

Oui, monseigneur.

HAMLET

Vous le donnerez demain soir. Et vous pourriez au besoin étudier douze ou seize vers de ma façon, qu'on y introduirait, n'est-ce pas?

LE PREMIER COMÉDIEN

Oui, monseigneur.

Entre-temps sont sortis Polonius et les autres comédiens.

HAMLET

Très bien. Suivez ce seigneur et gardez-vous de vous en moquer.

Sort le premier comédien.

A Rosencrantz et Guildenstern.

Mes bons amis, je vous laisse jusqu'à ce soir. Vous êtes les bienvenus à Elseneur.

ROSENCRANTZ

Mon cher seigneur!

Sortent Rosencrantz et Guildenstern.

HAMLET

Oui, oui, que Dieu vous garde... Je suis seul.
Oh, quel valet je suis, quel ignoble esclave!
N'est-il pas monstrueux que ce comédien,
Pour une simple fiction, pour l'ombre d'une douleur,
Puisse plier si fort son âme à son idée
Que tout son visage en devienne blanc,
Et qu'il y ait des larmes dans ses yeux, de la folie dans ses gestes,
Et que sa voix se brise, et que tout en lui se conforme
Au vouloir de l'idée? Et tout cela, pour rien!
Pour Hécube!
Qu'est Hécube pour lui, qu'est-il lui-même pour Hécube,
Et pourtant, il la pleure... Oh, que ferait-il donc
S'il avait le motif impérieux de souffrir
Que j'ai, moi? Il noierait la scène de ses larmes,
Déchirerait les cœurs d'horribles cris,
Affolerait le coupable, apeurerait l'innocent,
Effarerait l'ignorant, il ébahirait
Notre oreille et notre œil. Et moi, et moi,
Inerte, obtus et pleutre, je lanterne
Comme un Jean-de-la-Lune, insoucieux de ma cause,
Et ne dis rien! Non, rien! Quand il s'agit d'un roi
Dont la précieuse vie et tous les biens
Furent odieusement détruits. Serais-je un lâche?
Qui me traite d'infâme? Qui vient me casser la figure?
Qui vient m'arracher la barbe et me la jeter aux yeux,
Et me tirer par le nez, et m'enfoncer dans la gorge
Mes mensonges jusqu'aux poumons? Qui me fera cela?

Car, par Dieu, je le subirai. Il est certain
Que j'ai le foie d'un pigeon et manque du fiel
Qui rend amer l'outrage, car sinon
J'aurais déjà gavé tous les milans du ciel
Des tripes de ce chien! O scélérat!
Être de stupre et sang! Dénaturé, sans remords,
Et dissolu, et perfide! Oh, me venger!
Mais quel âne je suis! Et qu'il est beau
Que moi le tendre fils d'un père assassiné,
Moi que ciel et enfer poussent à se venger,
Je déballe mon cœur avec des mots, des mots
Comme ferait une putain! Mots orduriers,
Dignes d'une catin ou d'un bardache. Quelle horreur!
Reprends-toi, mon esprit... Oh, j'ai entendu dire
Que certains criminels furent, au théâtre,
Si fortement émus par l'art de la pièce
Qu'ils ont crié leurs méfaits, sur-le-champ,
Car le meurtre, bien que sans langue, peut parler
Par des bouches miraculeuses. Je vais faire
Jouer à ces acteurs, devant mon oncle,
Quelque scène évoquant le meurtre de mon père,
Et je l'observerai, je le sonderai — s'il tressaille,
Je sais bien ce que je ferai... Cet esprit que j'ai vu
Est peut-être un démon, car le diable a pouvoir
De revêtir un aspect séduisant, et il se peut
Qu'étant donné mon trouble et ma mélancolie
Et l'empire qu'il a sur ces sortes d'humeurs,
Il m'abuse afin de me perdre. Il faut fonder
Sur un plus ferme sol... Le théâtre est le piège
Où je prendrai la conscience du roi.

Il sort.

ACTE III

SCÈNE PREMIÈRE

Le vestibule de la salle d'audience.

Entrent le roi et la reine, avec Polonius, Rosencrantz, Guildenstern et Ophélie.

LE ROI
Et ne pouvez-vous pas par quelque artifice
Découvrir la raison de cette démence
Dont les durs mouvements dangereux et troubles
Déchirent toute paix qu'il pourrait goûter?

ROSENCRANTZ
Il avoue bien qu'il se sent égaré,
Mais pour quelle raison, il se refuse à le dire.

GUILDENSTERN
Il est peu disposé à se laisser sonder
Et, avec l'art de la folie, il prend le large
Dès que nous l'amenons au bord d'un aveu
Sur son état véritable.

LA REINE
Vous a-t-il bien accueillis?

ROSENCRANTZ
En parfait gentilhomme.

GUILDENSTERN
Mais avec grand effort, contre son gré.

ROSENCRANTZ

Avare de questions, mais très sûr de soi
Quand il répondait aux nôtres.

LA REINE

Avez-vous essayé
De le tenter par quelque plaisir?

ROSENCRANTZ

Madame, le hasard a voulu qu'en venant,
Nous ayons dépassé des comédiens. Nous le lui avons dit,
Et cela semble avoir éveillé en lui
Une sorte de joie. Ils sont ici, à la cour,
Et déjà je crois bien qu'ils ont reçu l'ordre
De jouer devant lui ce soir.

POLONIUS

Exactement!
Et il m'a supplié d'engager Vos Majestés
A assister au spectacle.

LE ROI

De tout mon cœur! Cela me fait grand plaisir
De le savoir ainsi occupé.
Mes chers amis, poussez-le davantage dans cette voie,
Aiguisez son désir de ces distractions.

ROSENCRANTZ

Oui, monseigneur.

Sortent Rosencrantz et Guildenstern.

LE ROI

Laissez-nous aussi, ma chère Gertrude.
Nous àvons fait en sorte qu'Hamlet vienne
Ici, où il se trouvera, comme par hasard,
Soudain devant Ophélie. En attendant,
Son père et moi, honorables espions,
Nous allons prendre place, pour bien juger,
Voyant sans être vus, de leur rencontre
Et apprécier, selon son attitude,

Si oui ou non c'est le chagrin d'amour
Qui le fait souffrir de la sorte.

LA REINE

Je vais vous obéir...
Mais sachez, Ophélie, combien je voudrais
Que votre honnête beauté soit l'heureuse cause
Du désarroi d'Hamlet : car j'ai l'espoir
Que vos vertus le rendraient à lui-même
Pour votre honneur à tous deux.

OPHÉLIE

Je le souhaite, madame.

La reine sort.

POLONIUS

Promenez-vous ici, Ophélie... Sire, avec votre accord
Nous allons prendre place... Lis ce livre,
Que cette affectation d'un pieux exercice
Donne un air naturel à ta solitude. On peut, souvent,
Bien trop souvent, nous reprocher que, sous le masque
De la religion et des saintes pratiques,
C'est le diable que cachent nos airs sucrés.

LE ROI, *à part.*

Oh, que cela est vrai,
Quel sanglant coup de fouet pour ma conscience !
La joue de la putain dans sa beauté de plâtre
N'est pas plus laide au fond des couleurs qui l'apprêtent
Que ne sont mes forfaits sous le fard de mes phrases.
Ah, l'accablant fardeau !

POLONIUS

Je l'entends qui vient, retirons-nous, monseigneur.

Ils prennent place derrière la tapisserie.
Entre Hamlet.

HAMLET

Être ou n'être pas. C'est la question.
Est-il plus noble pour une âme de souffrir
Les flèches et les coups d'une atroce fortune,
Ou de prendre les armes contre une mer de troubles

Et de leur faire front, et d'y mettre fin? Mourir, dormir,
Rien de plus; oh, penser qu'un sommeil peut finir
La souffrance du cœur et les mille blessures
Qui sont le lot de la chair; oui, c'est un dénouement
Ardemment désirable! mourir, dormir[31]
— Dormir, rêver peut-être. Ah, c'est l'obstacle!
Car l'anxiété des rêves qui viendront
Dans ce sommeil des morts, quand nous aurons
Repoussé loin de nous le tumulte de vivre,
Est là pour retenir, c'est la pensée
Qui fait que le malheur a si longue vie.
Qui en effet supporterait le fouet du siècle,
L'injure du tyran, les mépris de l'orgueil,
L'angoisse dans l'amour bafoué, la lente loi
Et la morgue des gens en place, rebuffades
Que le mérite doit souffrir des êtres vils,
Alors qu'il peut se délivrer lui-même
D'un simple coup de poignard? Qui voudrait ces fardeaux,
Et gémir et suer sous l'épuisante vie,
Si la terreur de quelque chose après la mort,
Ce pays inconnu dont nul voyageur
N'a repassé la frontière, ne troublait
Notre dessein, nous faisant préférer
Les maux que nous avons à d'autres obscurs.
Ainsi la réflexion fait de nous des lâches,
Les natives couleurs de la décision
S'affaiblissent dans l'ombre de la pensée,
Et des projets d'une haute volée
Sur cette idée se brisent et viennent perdre
Leur nom même d'action... Mais taisons-nous,
Voici la belle Ophélie... Nymphe, dans tes prières,
Souviens-toi de tous mes péchés.

OPHÉLIE

Mon cher seigneur,
Comment va Votre Grâce après tant de jours?

HAMLET

Oh, merci humblement! Bien, bien, bien.

OPHÉLIE

Monseigneur, j'ai de vous des souvenirs
Que depuis longtemps je voulais vous rendre.
Recevez-les, je vous prie.

HAMLET

Moi? Non, non.
Je ne vous ai jamais rien donné.

OPHÉLIE

Si, mon cher seigneur, vous le savez bien,
Et vous donniez avec des paroles si douces
Que ces choses m'étaient précieuses. Leur parfum
Perdu, reprenez-les. Pour les âmes nobles,
Les plus riches présents perdent leur valeur
Quand celui qui donnait se montre cruel.
Les voici, monseigneur.

HAMLET

Ha, ha! Êtes-vous vertueuse?

OPHÉLIE

Monseigneur?

HAMLET

Êtes-vous belle?

OPHÉLIE

Que Votre Seigneurie veut-elle dire?

HAMLET

Que si vous êtes vertueuse et que si vous êtes belle, votre vertu se devrait de mieux tenir à l'écart votre beauté[32].

OPHÉLIE

La beauté pourrait-elle avoir une meilleure compagne que la vertu, monseigneur?

HAMLET

Oh! certes, oui! Car le pouvoir de la beauté fera de la vertu une maquerelle, bien avant que la force de la vertu ne façonne à sa ressemblance la beauté. Ce fut un paradoxe autrefois[33], mais le temps en a fait la preuve. Je vous ai vraiment aimée.

OPHÉLIE

Il est vrai, monseigneur, que vous me l'avez fait croire.

HAMLET

Vous n'auriez pas dû me croire. Car la vertu ne se greffe jamais sur nos vieilles souches au point d'en chasser l'ancienne sève... Je ne vous aimais pas.

OPHÉLIE

Je fus d'autant plus trompée.

HAMLET

Va-t'en dans un couvent[34]! Pourquoi procréerais-tu des pécheurs? Je suis moi-même honnête, ou à peu près, et pourtant je pourrais m'accuser de choses telles qu'il vaudrait mieux que ma mère ne m'eût pas conçu. Je suis très orgueilleux, je suis vindicatif, je suis ambitieux; et plus de méfaits répondraient à mon moindre signe que je n'ai de pensée pour les méditer, d'imagination pour les concevoir, de temps pour les mettre en œuvre. Des êtres de ma sorte, rampant entre ciel et terre, à quoi bon? Nous sommes de fieffés coquins, tous, ne te fie à aucun de nous, va au couvent... Où est votre père?

OPHÉLIE

A la maison, monseigneur.

HAMLET

Bouclez-le à double tour, qu'il ne fasse pas de sottises ailleurs que dans sa maison. Adieu!

OPHÉLIE

Secourez-le, cieux cléments!

HAMLET

Si tu te maries, je veux te donner pour dot cette peste : que, serais-tu aussi chaste que la glace, aussi pure que la neige, tu n'échapperas pas à la calomnie. Allons, va au couvent, et adieu... Ou, si tu tiens absolument au mariage, épouse un sot; car les sages savent trop bien quelle sorte de monstre vous faites d'eux. Au couvent, allons, et dépêche-toi! Adieu.

OPHÉLIE

O puissances du Ciel, guérissez-le!

HAMLET

J'ai aussi entendu parler, et bien trop, de vos barbouillages. Dieu vous a donné un visage et vous vous en faites un autre, vous vous trémoussez, vous trottinez, vous zézayez, vous donnez des surnoms à ce que Dieu a créé, vous êtes impudiques sous une feinte candeur. Allez, c'est fini pour moi, tout cela qui m'a rendu fou. Qu'il n'y ait plus de mariage, voilà ce que je dis. Ceux qui sont déjà mariés, qu'ils vivent tous, sauf l'un d'eux. Mais que les autres s'en tiennent à ce qu'ils sont. Au couvent, va-t'en au couvent!

Il sort.

OPHÉLIE

Oh! quelle âme noble voici détruite!
Les manières d'un prince, la parole
D'un savant, et le glaive d'un soldat,
L'espérance et la fleur d'un heureux royaume,
Le miroir du haut goût, le modèle de l'élégance,
Le centre de tous les regards, tout cela, tout cela brisé,
Et moi, de toutes les femmes la plus accablée, la plus triste,
Ayant goûté au miel de ses beaux serments,

Voir maintenant cette raison noble et royale
Comme un doux carillon désaccordé gémir,
Et cette grâce sans rivale, cette jeunesse fleurie
Dans l'égarement se flétrir! Oh! quel est mon malheur
D'avoir vu ce que je voyais, et de voir maintenant ce
que je vois!

Le roi et Polonius sortent de leur cachette.

LE ROI

De l'amour? Ses pensées ne s'y portent pas.
Et ce qu'il dit, bien qu'un peu décousu,
N'est pas non plus de la folie. Il y a dans son âme
Un mystère couvé par la mélancolie
Et, je le crains, ce qui en éclora
Sera quelque péril. Pour le prévenir,
Je me suis résolu, rapidement,
A ceci : qu'il ira en Angleterre
Sans délai, réclamer nos tributs négligés.
Il se peut que les mers, et d'autres pays
Aux spectacles divers, puissent chasser
De son cœur cette chose si profonde
Contre quoi son esprit vient buter, toujours,
Et qui l'a tant changé... Qu'en pensez-vous?

POLONIUS

Certes, c'est excellent. Pourtant je crois encore
Que la cause de ce chagrin et son début
Sont un amour dédaigné... Ophélie, eh bien?
Ne nous rapportez pas ce qu'a dit monseigneur Hamlet,
Nous l'avons entendu... Monseigneur, agissez à votre gré,
Mais, si vous jugez bonne cette idée,
Que la reine sa mère, après le spectacle,
Lui parle seule à seul et, sans ménagements,
Le presse de lui dire son chagrin. Et moi,
Si vous y consentez, je serai votre oreille
Tout au long de leur entretien. Si la reine échoue,
Envoyez-le en Angleterre, ou reléguez-le
En tel lieu qu'il plaira à votre sagesse.

LE ROI

Oui, nous ferons ainsi. La folie des princes
Ne peut pas ne pas être surveillée.

Ils sortent.

SCÈNE II

La grande salle du château. Au fond la scène dressée.

Entrent Hamlet et trois des comédiens.

HAMLET, *au premier comédien.*

Dites ce texte à la façon dont je vous l'ai lu, n'est-ce pas, d'une voix déliée et avec aisance, car si vous le déclamiez comme font tant de nos acteurs, mieux vaudrait que je le confie au crieur public. Et n'allez pas fendre l'air avec votre main comme ceci, mais soyez mesurés en tout, car dans le torrent, dans la tempête, dans l'ouragan, dirai-je même, de la passion, vous devez trouver et faire sentir une sorte de retenue qui l'adoucisse. Oh! cela me navre au fond du cœur, d'entendre ces grands étourneaux sous leurs perruques mettre la passion en pièces, oui, en lambeaux, et casser les oreilles du parterre qui ne sait d'ailleurs apprécier le plus souvent que les pantomimes inexplicables et le fracas! Je voudrais le fouet pour ces gaillards qui en rajoutent à Termagant et qui renchérissent sur Hérode[35]. Évitez cela, je vous prie.

LE PREMIER COMÉDIEN

J'en fais la promesse à Votre Honneur.

HAMLET

Ne soyez pas non plus trop guindés, fiez-vous plutôt à votre jugement et réglez le geste sur la parole et la parole sur le geste en vous gardant surtout de ne jamais passer outre à la modération naturelle : car tout excès de cette sorte s'écarte de l'intention du théâtre dont l'objet a été dès l'origine, et demeure encore, de présenter pour ainsi dire un miroir à la nature et de montrer à la vertu son portrait, à la niaiserie son visage, et au siècle même et à la société de ce temps quels sont leur aspect et leurs caractères. Outrer les effets, ou trop les affaiblir, c'est faire rire les ignorants, mais cela ne peut que désoler les gens d'esprit, dont un seul doit compter pour vous plus que toute une salle des autres. Ah! j'ai vu jouer de ces comédiens — et j'ai même entendu qu'on les célébrait, et avec de bien grands éloges — qui, Dieu me pardonne, n'avaient ni la parole ni l'allure d'un chrétien, d'un païen, d'un homme! Ils se dandinaient, ils beuglaient de telle sorte que j'ai pensé qu'ils avaient été façonnés par quelque apprenti de la Nature, et bien mal, tant ils singeaient abominablement l'espèce humaine.

LE PREMIER COMÉDIEN

J'espère que nous avons à peu près corrigé ce défaut chez nous, monseigneur.

HAMLET

Ah! corrigez-le tout à fait! Et ne laissez pas vos pitres en dire plus que leur rôle, car j'en connais qui tout de leur chef se mêlent de rire, pour faire rire avec eux ceux des spectateurs les plus ineptes, quand justement toute l'attention est requise par quelque point d'importance de la pièce. Ce qui est abusif et trahit dans le sot qui s'y adonne une bien pitoyable ambition. Allons préparez-vous.

Les comédiens se retirent.
Entre Polonius avec Rosencrantz et Guildenstern.

Eh bien, monseigneur, le roi entendra-t-il ce chef-d'œuvre?

POLONIUS

Oui, et la reine aussi; ils viennent à l'instant.

HAMLET

Dites aux comédiens de se hâter.

Polonius sort.

Voulez-vous les aider à faire hâte?

ROSENCRANTZ

Oui, monseigneur.

Rosencrantz et Guildenstern suivent Polonius

HAMLET

Horatio! Horatio!

Entre Horatio.

HORATIO

Me voici, mon cher seigneur; à vos ordres.

HAMLET

Horatio, je n'ai jamais rencontré quelqu'un
Qui fût autant que toi un juste.

HORATIO

Oh! monseigneur...

HAMLET

Non, ne crois pas que je te flatte.
Quel avantage attendrais-je de toi
Qui n'a pour te nourrir et te vêtir
D'autre revenu qu'une heureuse humeur?
Pourquoi flatter le pauvre? Non, plutôt,
Que les langues de miel lèchent la sotte grandeur
Et que les souples gonds des genoux se courbent
Quand il est profitable de ramper! Écoute bien :
Dès que mon cœur fut maître de son choix,
Dès qu'il sut distinguer entre les hommes,
Il t'a élu sans appel. Car tu étais,
Ayant tout à souffrir, celui qui ne souffre pas,
Acceptant aussi uniment les coups du sort
Que ses quelques faveurs. Bénis soient-ils,
Ceux dont raison et sang s'unissent si bien

Qu'ils ne sont pas la flûte que Fortune
Fait chanter à son gré! Que l'on me montre un homme
Qui ne soit pas l'esclave des passions, je le garderai
Au profond de mon cœur, dans ce cœur du cœur
Où je te garde, toi. Mais je t'en ai trop dit...
Dans la pièce qu'on joue devant le roi, ce soir,
Un passage n'est pas sans rappeler
Ce que je t'ai appris de la mort de mon père.
Et, je t'en prie, quand ce moment viendra,
Fais appel aux ressources de ton âme
Pour observer mon oncle. Si son crime
N'est pas contraint, à certains mots, de débucher,
C'est que nous avons vu un spectre de l'enfer,
Et mes suppositions sont aussi sordides
Que l'atelier de Vulcain. Surveille-le,
Pour moi je riverai mes yeux à son visage,
Et après nous rapprocherons nos deux pensées
Pour tirer la leçon de son attitude.

HORATIO

Oui, monseigneur. Que ce soit moi
Qui rembourse le vol si, sans être surpris,
Il dérobe quoi que ce soit pendant ce spectacle.

Trompettes et timbales.

HAMLET

Ils viennent voir la pièce, prenez place.
Je dois faire le fou.

Entrent le roi et la reine, suivis de Polonius, Ophélie, Rosencrantz, Guildenstern et autres courtisans.

LE ROI

Comment va notre cousin Hamlet?

HAMLET

Parfaitement bien, ma foi. Je vis de l'air du temps, comme le caméléon, je me gave d'espérances, mais ce n'est pas ainsi que vous obtiendrez un chapon.

LE ROI

Je n'entends rien à cette réponse, Hamlet, ce sont là des paroles qui m'échappent.

HAMLET

Comme elles m'ont échappé... *(A Polonius.)* Monseigneur, vous avez joué la comédie à l'Université, disiez-vous?

POLONIUS

Certes, monseigneur, et l'on jugea que j'étais un bon acteur.

HAMLET

Quel rôle teniez-vous?

POLONIUS

Celui de Jules César. J'étais tué au Capitole, Brutus me tuait.

HAMLET

Tuer un veau aussi capital, c'est bien là le fait d'une brute. Les comédiens sont-ils prêts?

ROSENCRANTZ

Oui, monseigneur, ils attendent votre bon plaisir.

LA REINE

Mon cher Hamlet, viens t'asseoir auprès de moi.

HAMLET

Non, ma chère mère, voici un meilleur aimant.

Il se tourne vers Ophélie.

POLONIUS, *au roi*

Ho! ho! Avez-vous remarqué ceci?

HAMLET

Madame, puis-je m'étendre entre vos genoux?

OPHÉLIE

Non, monseigneur.

HAMLET

Je voulais dire, ma tête sur vos genoux?

OPHÉLIE

Oui, monseigneur.

HAMLET

Pensiez-vous que j'avais l'idée de choses vilaines?

OPHÉLIE

Je ne pense rien, monseigneur.

HAMLET

Rien? C'est une belle pensée à mettre entre les jambes des pucelles.

OPHÉLIE

Quoi, monseigneur?

HAMLET

Rien.

OPHÉLIE

Vous êtes gai, monseigneur.

HAMLET

Gai, moi?

OPHÉLIE

Oui, monseigneur.

HAMLET

Oh! par Dieu, le roi des farceurs! Qu'a-t-on de mieux à faire que d'être gai? Voyez ma mère, comme elle a l'air joyeux. Et pourtant il n'y a pas deux heures que mon père est mort.

OPHÉLIE

Mais non, il y a deux fois deux mois, monseigneur.

HAMLET

Y a-t-il si longtemps? Alors que le diable prenne le deuil et moi je mettrai mes habits de martre[36]. O cieux!

mort il y a deux mois et pas encore oublié! On peut donc espérer que le souvenir d'un grand homme lui survivra de six mois? Mais pour cela, par Notre-Dame, qu'il fasse bâtir églises! Sinon il lui faudra souffrir l'oubli comme le petit cheval[37], dont vous connaissez l'épitaphe : « Hélas! hélas! on a oublié le petit cheval! »

Trompettes. Le rideau se lève, découvrant la scène où commence une pantomime.

LA PANTOMIME

Entrent un roi et une reine qui s'embrassent fort tendrement. La reine s'agenouille et fait au roi force protestations, il la relève et appuie sa tête sur son épaule, puis il s'allonge sur un tertre couvert de fleurs. Elle, le voyant endormi, se retire. Paraît alors un personnage qui ôte au roi sa couronne, embrasse celle-ci, verse un poison dans l'oreille du dormeur, et s'en va. La reine revient et à la vue du roi mort s'abandonne au désespoir. A nouveau, suivi de trois ou quatre figurants, arrive l'empoisonneur. Il semble prendre part au deuil de la reine. On emporte le corps. L'empoisonneur courtise la reine en lui offrant des cadeaux. Elle le repousse d'abord, mais finit par accepter son amour.

OPHÉLIE

Qu'est-ce que cela veut dire, monseigneur?

HAMLET

Action sournoise et mauvaise, par Dieu! Et tout le mal qui s'ensuit.

OPHÉLIE

Cette pantomime dit sans doute quel est le sujet de la pièce.

Paraît un comédien.

HAMLET

Celui-ci va nous l'apprendre. Les comédiens ne savent pas garder un secret, ils vont tout vous dire.

OPHÉLIE
Va-t-il nous expliquer ce que l'on nous a montré?

HAMLET
Oui, et tout ce que vous lui montrerez. Si vous ne rougissez pas d'en faire montre, il ne rougira pas de vous en dire l'usage.

OPHÉLIE
Oh! vous êtes vilain, vilain. Je vais écouter la pièce.

LE COMÉDIEN
Nous livrons à votre clémence
La tragédie qui commence.
Écoutez-nous s'il vous plaît
Avec un peu de patience.

Il sort.

HAMLET
Est-ce un prologue, ou la devise d'une bague?

OPHÉLIE
Cela est bref, monseigneur.

HAMLET
Comme l'amour d'une femme.

Entrent deux comédiens, un roi et une reine.

LE ROI DE COMÉDIE
Trente fois[38] les coursiers de Phébus ont franchi
Le globe de Tellus et l'onde de Neptune,
D'un éclat emprunté trente fois douze lunes
Douze fois trente fois ont traversé nos nuits,
Depuis qu'Amour lia nos cœurs, depuis qu'Hymen
Dans une sainte union a réuni nos mains.

LA REINE DE COMÉDIE
Puissent Lune et Soleil faire autant d'autres tours
Avant que n'ait cessé de vivre notre amour!
Mais depuis peu, hélas! vous me semblez si las,

Si morose, si loin de votre ancien état
Que je tremble pour vous. Et pourtant, monseigneur,
De mon anxiété n'ayez aucune peur.
Les femmes craignent trop comme aussi elles aiment
Et leur amour et leurs alarmes sont les mêmes,
Ils ne sont rien ou bien se portent aux extrêmes.
Or, ce qu'est mon amour, Sire, vous le savez,
Et tel est mon amour, telle mon anxiété.
Lorsque l'amour est grand, tout est cause de trouble,
Et quand tout inquiète, un grand amour redouble.

LE ROI DE COMÉDIE

Oui, je dois te quitter, mon amour, et bientôt.
La force qui me sert n'aspire qu'au repos.
Honorée, adorée, toi pourtant tu vivras
Dans ce bel univers — où tu accepteras
Peut-être qu'un mari aussi tendre...

LA REINE DE COMÉDIE

Arrêtez!
Qui en prend un second a tué le premier.
Un tel amour serait en mon cœur félonie,
Que maudite je sois si je me remarie!

HAMLET, *à part.*

Absinthe, absinthe amère.

LA REINE DE COMÉDIE

Le mobile qui porte à de secondes noces
Est moins une passion qu'un sordide négoce.
Une seconde fois je tue mon feu mari
Quand un second mari m'embrasse dans mon lit.

LE ROI DE COMÉDIE

Je sais que vous pensez ce qu'aujourd'hui vous dites,
Mais ce que nous voulons nous l'abandonnons vite.
Serve de la mémoire est notre intention
Qui naît dans la violence et meurt de consomption.
De même le fruit vert à l'arbre reste pris

Qui sans qu'on le secoue en tombera, mûri.
Inévitablement nous manquons de payer
Ce qui n'est dû qu'à nous comme seuls créanciers,
Et ce que nous voulons quand la passion nous presse,
La fin de la passion en fait notre paresse.
L'allégresse et le deuil, même les plus violents,
S'achèvent, emportant avec eux les serments.
Où s'ébattait la joie le chagrin se lamente,
La gaieté pour un rien s'attriste et le deuil chante.
Ce monde périra. Faut-il donc s'étonner
Qu'avec notre destin notre amour soit changé?
Si l'amour en effet mène la destinée
Ou l'inverse, c'est là question toujours posée.
D'un puissant abattu la clientèle fuit,
Un gueux s'élève-t-il, il n'a plus d'ennemi.
Et l'Amour n'est-il pas le serf de Destinée,
Puisqu'on voit la grandeur d'amis environnée
Tandis que le besoin, cherche-t-il un appui,
Voit de ses faux amis surgir des ennemis.
Mais pour en revenir à ma première idée,
Nos vœux s'opposent tant à notre destinée
Que tous nos plans toujours seront jetés à bas.
Nos pensées sont à nous, les faits ne le sont pas.
Crois donc que tu n'auras pas de second mari :
A la mort du premier tu changeras d'avis!

LA REINE DE COMÉDIE

Terre et ciel, privez-moi de fruits et de lumière,
Nuit et jour, privez-moi de liesse et de repos,
Mon espoir et ma foi, décevez mes prières,
Vie frugale d'ermite en prison, sois mon lot,
Et vous, maux dont pâlit la face de la joie,
Que mes plus chers projets deviennent votre proie
— Oui, qu'un malheur sans fin me chasse d'ici-bas,
Si je puis être veuve et ne le rester pas!

HAMLET

Si elle allait se parjurer!

LE ROI DE COMÉDIE

C'est un grave serment... Laissez-moi, mon amour,
Mon esprit s'affaiblit et je voudrais du jour
Tromper par le sommeil l'ennui...

Il dort.

LA REINE DE COMÉDIE

Puisse le doux sommeil ton esprit reposer,
Puisse le mauvais sort ne pas nous séparer!

Elle sort.

HAMLET

Madame, que pensez-vous de cette pièce?

LA REINE

La dame fait trop de serments, me semble-t-il.

HAMLET

Oh! mais elle tiendra parole.

LE ROI

Connaissez-vous le sujet? N'a-t-il rien qui puisse offenser?

HAMLET

Offenser? Absolument pas; ce n'est qu'un jeu, ils s'empoisonnent pour rire.

LE ROI

Quel est le titre de la pièce?

HAMLET

Le Piège de la Souris. Et pourquoi diable? Eh bien, au figuré. Cette pièce a pour sujet un meurtre commis à Vienne. Gonzague est le nom du duc, Baptista celui de sa femme, et vous allez voir qu'il s'agit d'un joli tour de coquin, mais n'est-ce pas, peu importe! Votre Majesté et nous qui avons la conscience pure, cela ne nous émeut pas. Que bronche le cheval blessé, notre garrot est indemne...

Entre Lucianus avec une fiole de poison. Il se dirige vers le dormeur.

Celui-ci, un certain Lucianus, le neveu du roi[39].

OPHÉLIE

Vous êtes un vrai coryphée, monseigneur.

HAMLET

Oh! je saurais bien expliquer ce qui se passe entre vous et votre amoureux, pour peu que je puisse voir le trémoussement des marionnettes.

OPHÉLIE

Quelle pointe, quelle pointe, monseigneur!

HAMLET

Ne tentez pas de l'ébrécher, cela vous ferait gémir.

OPHÉLIE

Meilleur encore, mais pire.

HAMLET

C'est bien ainsi que vous prenez vos maris : pour le meilleur et le pire... Allons, meurtrier! Par la vérole, finis-en avec tes maudites grimaces et commence! Au fait, au fait! « Le corbeau croassant beugle : Vengeance! »

LUCIANUS

Pensée noire, main prompte, drogue sûre,
Convenance de l'heure, absence des témoins!
O toi faite à minuit, ô fétide mixture
Qu'Hécate a infectée de ses funestes soins,
Par l'affreuse magie de tes propriétés
Dévaste sans retard la vie et la santé.

Il verse le poison dans les oreilles du dormeur.

HAMLET

Il l'empoisonne dans son jardin pour lui ravir ses États. Son nom est Gonzague, on peut en lire l'histoire, elle est écrite dans l'italien le plus pur. Et maintenant vous allez voir comment le meurtrier se fait aimer de la femme de Gonzague.

OPHÉLIE

Le roi se lève!

HAMLET

Quoi, effrayé par un tir à blanc?

LA REINE

Êtes-vous souffrant, monseigneur?

POLONIUS

Qu'on interrompe la pièce!

LE ROI

Donnez-moi un flambeau! Partons!

POLONIUS

Des flambeaux, des flambeaux, des flambeaux!

Tous sortent, sauf Hamlet et Horatio.

HAMLET

Que gémisse le cerf blessé
Quand le chevreuil vagabonde.
L'un doit dormir, l'autre veiller,
C'est la loi de ce monde.

Avec cela, monsieur, et une forêt de plumes[40], et deux roses de Provins sur mes souliers à crevés, n'est-ce pas qu'on me recevra chez les comédiens, monsieur, si tout le reste me manque?

HORATIO

A demi-part.

HAMLET

A part entière, j'en suis sûr.
Car, mon cher Damon, tu le vois,
Ce royaume qu'on a privé
De son Jupiter a pour roi
Un pauvre, un pauvre... dindon.

HORATIO

Vous auriez pu trouver une rime[41].

HAMLET

O mon cher Horatio, je gagerais mille livres sur la parole du spectre... Tu as vu?

HORATIO

Parfaitement, monseigneur.

HAMLET

Dès qu'on a parlé de poison?

HORATIO

Je l'ai parfaitement observé.

Rentrent Rosencrantz et Guildenstern.

HAMLET

Ah! ah! Allons, de la musique! Allons, des flageolets!
Si le Roi n'aime pas la comédie,
C'est qu'elle lui déplaît, pardi!
Allons, de la musique.

GUILDENSTERN

Mon cher seigneur, permettez-moi de vous dire un mot.

HAMLET

Toute une histoire, monsieur.

GUILDENSTERN

Le roi, monsieur...

HAMLET

Ah oui, monsieur, que fait-il?

GUILDENSTERN

Est parti prodigieusement échauffé.

HAMLET

Le vin, monsieur?

GUILDENSTERN

Non, plutôt la bile, monseigneur.

HAMLET

Ce serait plus sage de votre part d'aller dire cela à son médecin. Car, si c'est moi qui le saigne, peut-être en sera-t-il encore plus échauffé?

GUILDENSTERN

Mon cher seigneur, mettez un peu d'ordre dans vos propos, ne faites pas le cheval furieux, écoutez-moi.

HAMLET

Je suis maîtrisé, monsieur... Votre arrêt?

GUILDENSTERN

La reine votre mère, dans sa profonde affliction, m'envoie vers vous.

HAMLET

Vous êtes le bienvenu.

GUILDENSTERN

Non, mon cher seigneur, cette politesse n'est pas de bon aloi. Si vous voulez bien me faire une réponse sensée, j'accomplirai l'ordre de votre mère. Sinon, permettez-moi de partir, et mon rôle est terminé.

HAMLET

Monsieur, je ne saurais...

ROSENCRANTZ

Quoi, monseigneur?

HAMLET

Vous faire une réponse sensée, car j'ai l'esprit dérangé. Mais pour une réponse comme je puis vous en faire, monsieur, eh bien, je suis à vos ordres, ou plutôt, comme vous disiez, à ceux de ma mère. Donc, sans plus, venons-en au fait. Ma mère, dites-vous...

ROSENCRANTZ

Déclare que votre conduite l'a frappée d'étonnement, de stupeur.

HAMLET

O l'admirable fils qui peut ainsi stupéfier sa mère! Mais qu'y a-t-il aux talons de cette stupeur d'une mère? Allons, dites-le.

ROSENCRANTZ

Elle voudrait vous parler dans sa chambre avant que vous n'alliez vous coucher.

HAMLET

Nous lui obéirons, serait-elle dix fois notre mère. Avez-vous autre chose à dire?

ROSENCRANTZ

Vous m'aimiez jadis, monseigneur.

HAMLET

Et je le fais encore, par ces doigts voleurs et filous.

ROSENCRANTZ

Mon cher seigneur, quelle est la cause de votre trouble? Vous barrez la porte à votre délivrance quand vous cachez vos peines à un ami.

HAMLET

Monsieur, je voudrais de l'avancement.

ROSENCRANTZ

Est-ce possible? Quand le roi lui-même vous donne sa voix pour lui succéder en Danemark?

HAMLET

Eh oui, monsieur, mais « le temps que l'herbe pousse »... C'est un vieux proverbe un peu moisi.

Les comédiens apportent les flageolets.

Ah! les flageolets! Donnez-m'en un. *(A Guildenstern.)* Un mot, entre nous. Pourquoi cherchez-vous toujours à me tenir sous le vent, comme pour me pousser dans quelque nasse?

GUILDENSTERN

O monseigneur, si mon zèle est trop hardi, c'est que mon affection ne connaît pas de manières.

HAMLET

Je ne vous entends pas très bien... Voulez-vous jouer de ce flageolet?

GUILDENSTERN

Je ne saurais, monseigneur.

HAMLET

Je vous en prie.

GUILDENSTERN

Je ne saurais, croyez-moi.

HAMLET

Je vous en supplie.

GUILDENSTERN

Je ne sais pas du tout comment on en joue, monseigneur.

HAMLET

C'est aussi facile que de mentir. Contrôlez ces trous avec les doigts et le pouce, appliquez votre bouche, soufflez, et l'instrument rendra la plus éloquente musique. Tenez, ce sont là les trous.

GUILDENSTERN

Mais je ne pourrais en tirer la moindre harmonie, je n'ai pas appris!

HAMLET

Voyez donc dans quel mépris vous me tenez! Vous voudriez jouer de moi, vous donner l'air de connaître mes touches, arracher le cœur même de mon secret, faire chanter la plus basse et la plus aiguë de mes notes — mais ce petit instrument, qui contient tant de musique et dont la voix est si belle, vous ne savez pas le faire parler. Croyez-vous, par Dieu, que je sois plus simple qu'une flûte? Prenez-moi pour l'instrument qu'il vous plaît, vous aurez beau tracasser toutes mes cordes, vous ne tirerez pas un son de moi.

Entre Polonius.

Dieu vous bénisse, monsieur!

POLONIUS

Monseigneur, la reine voudrait tout de suite vous parler.

HAMLET

Voyez-vous ce nuage là-bas, qui a presque la forme d'un chameau?

POLONIUS

Par la Messe, on croirait un chameau, c'est vrai.

HAMLET

Il me semble pareil à une belette.

POLONIUS

Il a bien le dos de la belette.

HAMLET

Ou d'une baleine?

POLONIUS

Oui, tout à fait la baleine.

HAMLET

Bien, je vais à l'instant trouver ma mère. *(A part.)* Ces pitreries obligées sont à la limite de mes forces... *(Haut.)* Je viens à l'instant.

POLONIUS

Je vais le lui dire.

Sortent Polonius, Rosencrantz et Guildenstern.

HAMLET

« A l'instant », c'est vite dit.
Laissez-moi, mes amis.

Tous les autres s'en vont.

Voici l'heure la plus sinistre de la nuit,
L'heure des tombes qui s'ouvrent, celle où l'enfer
Souffle au-dehors sa peste sur le monde.
Maintenant je pourrais boire le sang chaud
Et faire ce travail funeste que le jour
Frissonnerait de voir... Mais, paix! D'abord ma mère.
Oh, n'oublie pas, mon cœur, qui elle est. Que jamais
Une âme de Néron ne hante ta vigueur!
Sois féroce mais non dénaturé.
Mes mots seuls la poignarderont; c'est en cela
Que mon âme et ma voix seront hypocrites;
Si cinglantes soient mes paroles, ô mon âme,
Ne consens pas à les marquer du sceau des actes!

Il sort.

SCÈNE III

L'antichambre de la salle d'audience.

Le roi, Rosencrantz et Guildenstern.

LE ROI
Je n'aime pas ses façons. Et il est dangereux
De laisser le champ libre à sa folie.
Tenez-vous prêts. Je vais faire copier vos instructions
Et avec vous il partira pour l'Angleterre.
L'intérêt de notre pays ne saurait admettre
Le péril qui si près de nous s'accroît d'heure en heure
Sous ce front arrogant.

GUILDENSTERN
Nous nous préparerons.
C'est une sainte et pieuse précaution
Que de veiller au bien des milliers d'êtres
Dont Votre Majesté entretient la vie.

ROSENCRANTZ

Déjà l'individu est-il tenu
De fonder sur la force et le fer de son âme
Pour se garder du malheur. A plus forte raison,
L'être dont la fortune est le soutien
De si nombreuses vies! Un roi qui meurt
N'est pas seul à mourir. Il est un gouffre
Qui emporte tout avec lui. Oh, il est cette roue
Énorme qui, fixée au mont le plus haut,
Porte dans ses rayons dix mille moindres êtres
Ajustés, mortaisés. Et quand elle s'écroule,
Ces pauvres additions, ces chétives annexes
Accompagnent sa vaste chute. Un roi soupire-t-il,
C'est tout un peuple aussitôt qui gémit.

LE ROI

Équipez-vous pour ce prompt départ, je vous prie.
Il faut charger de chaînes ce danger
Qui marche pour l'instant d'un pied trop libre.

ROSENCRANTZ

Nous allons faire hâte.

Ils sortent.
Entre Polonius.

POLONIUS

Il se rend chez sa mère, monseigneur.
Derrière la tapisserie je vais prendre place
Pour écouter... Elle va l'accabler, je vous le garantis,
Mais, comme vous disiez, et fort sagement,
Mieux vaut que quelqu'un d'autre qu'une mère,
Si naturellement partiale, et bien placé,
Puisse entendre ce qu'il dira. Adieu, mon suzerain,
Avant votre coucher, je viendrai vous voir
Et vous dirai ce que j'aurai appris.

LE ROI

Merci, mon cher seigneur.

Polonius sort.

Oh, mon crime est fétide, il empeste le ciel,
La plus vieille malédiction, celle du premier fratricide,
Pèse sur lui! Et je ne peux prier!
Si grands soient mon désir et ma volonté,
La grandeur de ma faute les accable
Et comme un homme astreint à deux travaux
Je demeure hésitant au lieu d'entreprendre
Et ne fais rien. Pourtant, cette main maudite,
Serait-elle doublée dans son épaisseur
Par le sang fraternel, n'y a-t-il pas
Assez de pluie aux cieux cléments pour la laver
Et la faire aussi blanche que la neige? La merci,
C'est de considérer le péché en face,
Et la prière, n'est-ce pas la vertu double
Qui peut nous retenir au bord de la faute
Ou nous en vaut le pardon? Je pourrais relever la tête,
Mon péché serait aboli... Hélas! quelle prière
Me conviendra? « Pardonne-moi mon horrible meurtre »?
Certes non s'il est vrai que je jouis encore
De ce gain dont l'appât me fit meurtrier,
Ma couronne, ma reine et l'éclat du pouvoir.
Peut-on trouver le pardon sans se détacher du crime?
De par les voies corrompues de ce monde
La main du crime pleine d'or peut bien
Écarter la justice, et souvent l'on voit
Le gain même de l'acte réprouvé
Permettre d'acheter le pardon de la loi,
Mais il en va là-haut tout autrement.
Là, plus de faux-fuyants, là nous sommes astreints,
Devant la face grimaçante de nos fautes,
A nous justifier... Alors, que reste-t-il?
Essaierai-je du repentir? Oui, que ne peut-il pas?
Mais aussi que peut-il quand on ne peut se repentir?
O situation misérable! O conscience
Noire comme la mort! Ame engluée
Qui, en se débattant pour se libérer,
S'enlise de plus en plus! Anges, secourez-moi!

Essayez, mes genoux rétifs, de vous plier,
Et vous, fibres d'acier de mon cœur, devenez
Les tendres nerfs de l'enfant nouveau-né...
Tout va changer, peut-être.

Il se met à genoux.
Entre Hamlet.

HAMLET

Ce serait l'occasion, maintenant qu'il prie...
Et je vais en finir! *(Il tire son épée.)* Mais il ira au ciel,
Est-ce là me venger? Cela vaut l'examen.
Un misérable tue mon père et, en retour,
Moi son unique fils j'envoie ce misérable
Au paradis...
Ah! c'est là un viatique, une récompense,
Ce n'est pas me venger. Il a surpris mon père
Quand il était impur et rassasié,
Tous ses péchés en fleur, dans la pleine sève de mai,
Et, hormis Dieu, qui sait quel compte il devait rendre?
Pour celui-là, selon toute apparence et jugement,
Certes sa dette est lourde. Alors, suis-je vengé
Si je le tue quand il se purifie,
Quand il s'est préparé pour le grand voyage?
Non, mon épée! Non, ne le frappe pas,
Réserve-toi pour un coup plus horrible,
Et quand il sera ivre, ou fou de colère
Ou dans l'incestueux plaisir de son lit,
Ou au jeu, en train de jurer, ou occupé
A quelque action dont nul salut ne peut venir,
Alors, renverse-le! Que ses talons
Aillent ruer sur la face du ciel,
Et que son âme soit aussi noire et maudite
Que l'enfer où il entrera... Ma mère attend.
Ce remède ajoute bien peu à tes faibles jours.

Il sort.

LE ROI, *se relevant.*

Mes mots prennent leur vol, ma pensée se traîne.
Les mots sans la pensée n'atteignent pas le ciel.

Il sort.

SCÈNE IV

La chambre de la reine.

La reine et Polonius.

POLONIUS

Il vient. Surtout ne le ménagez pas.
Dites-lui que ses incartades ont passé toute mesure
Et qu'entre lui et un grand courroux Votre Grâce
A dû s'interposer. — Moi, dans ce coin,
Je fais le mort... S'il vous plaît, rudoyez-le.

HAMLET, *au-dehors.*

Mère, mère, mère!

LA REINE

Vous avez ma parole, n'ayez crainte.
Retirez-vous, je l'entends qui vient.

Polonius se cache derrière la tapisserie.
Entre Hamlet.

HAMLET

Eh bien, mère, qu'y a-t-il?

LA REINE

Hamlet, tu as gravement offensé ton père.

HAMLET

Mère, vous avez gravement offensé mon père.

LA REINE

Allons, allons, vous répondez comme un fou.

HAMLET

Allez, allez, vous questionnez comme une dévergondée.

LA REINE

Comment! Que dis-tu, Hamlet?

HAMLET

Eh bien, que me voulez-vous?

LA REINE

Oubliez-vous qui je suis?

HAMLET

Oh! non, par la sainte croix!
Vous êtes la reine; du frère de votre mari vous êtes la femme
Et, à mon grand regret, vous êtes ma mère.

LA REINE

Ah! je vais t'opposer quelqu'un
Qui saura bien te parler!

HAMLET, *la retenant.*

Non, non, asseyez-vous, vous ne bougerez pas
Que je n'aie présenté à vos yeux un miroir
Où vous pourrez plonger jusqu'au fond de vous.

LA REINE

Que fais-tu? Tu ne vas pas me tuer? Ah!
Au secours, au secours!

POLONIUS, *derrière la tapisserie.*

Eh quoi, holà! Au secours, au secours!

HAMLET

Tiens, un rat? Mort, un ducat qu'il est mort!

Il donne un coup d'épée à travers la tapisserie.

POLONIUS

Oh! il m'a tué!

LA REINE

Malheur à moi, qu'as-tu fait?

HAMLET

Eh, je ne sais. Est-ce le roi?

Il soulève la tapisserie.

LA REINE

Oh! quel acte de fou, quel acte sanglant!

HAMLET

Sanglant, ma chère mère. Presque aussi noir
Que de tuer un roi et d'épouser son frère.

LA REINE

Que de tuer un roi!

HAMLET

Oui, madame, c'est bien ce que j'ai dit.
(A Polonius.) Adieu, pauvre imbécile, étourdi, indiscret.
Je t'ai pris pour ton maître, subis ton sort.
Tu vois qu'il est dangereux d'être trop zélé.

Il laisse retomber la tapisserie.

Cessez de vous tordre les mains, asseyez-vous, taisez-vous
Que je vous torde le cœur; car j'y parviendrai
S'il est d'une matière un peu malléable,
Et s'il n'est pas devenu, dans la pratique du crime,
Du bronze cuirassé contre tout émoi.

LA REINE

Qu'ai-je fait, pour que tu oses darder ta langue
Si durement contre moi?

HAMLET

Un acte tel
Qu'il souille de la pudeur la rougeur aimable,
Taxe d'hypocrisie la vertu, arrache la rose
Du tendre front d'un innocent amour
Et y imprime son fer! Oh, une action
Qui fait du vœu nuptial le même mensonge
Qu'un serment de joueur, et qui retire
De tout contrat son âme, et de la douce religion
Fait un vain bruit de mots! En rougit la face du ciel,
Et la compacte et l'impassible Lune,
Le visage enflammé comme à la veille
Du Jugement, en est malade de dégoût.

LA REINE

Dieu, quelle est cette action
Qui tonne et qui rugit dans ce prologue?

HAMLET

Regardez ce tableau, puis celui-ci!
Ce sont les portraits de deux frères,
Et voyez quelle grâce était sur ce front!
Les boucles d'Hypérion! de Jupiter
Le front, de Mars cet œil qui commande et menace,
Et la prestance de Mercure, le messager,
Quand il se pose sur un faîte auprès du ciel.
En vérité ce fut une alliance, une forme
Où chaque dieu semblait apposer son sceau
Pour faire à l'univers la promesse d'un homme.
Il fut votre mari... Maintenant, voyez l'autre,
Votre nouveau mari, la nielle noire
Qui a détruit le bon grain. Êtes-vous aveugle,
Avez-vous pu quitter la superbe montagne
Pour paître dans ce marais? Ah! êtes-vous aveugle?
Ne dites pas que c'est par amour : à votre âge
L'ardeur du sang se calme et, maîtrisée,
Se fie à la raison. Et quelle raison
Choisirait celui-ci après celui-là? Vous avez des sens,
Sinon vous seriez inerte, mais vos sens
Sont paralysés, sûrement. Car la folie
Ne délire jamais ni ne trouble les sens
Au point de ne savoir même plus distinguer
Êtres si dissemblables. Quel démon
Vous a ainsi dupée à colin-maillard?
Les yeux sans le toucher, le toucher sans la vue,
Les oreilles sans yeux ni mains, l'odorat seul,
La plus faible partie d'un unique vrai sens
Ne serait pas si stupide. Honte, rougiras-tu?
Et toi, enfer rebelle,
Si tu peux secouer les os d'une matrone,
Que la vertu ne soit pour l'ardente jeunesse

Qu'une cire, qui fonde dans son feu! Plus de vergogne
Quand bondira la passion dévorante,
Puisque le gel lui-même est un feu si vif
Et la raison l'entremetteuse du désir!

LA REINE

Hamlet, tais-toi!
Tu tournes mon regard vers le fond de mon âme
Et j'y vois de si noires taches, dont la teinte
Ne disparaîtra plus!

HAMLET

Oui, et cela pour vivre
Dans la rance sueur d'un lit graisseux,
Et croupir dans le stupre, et b tifier, forniquer
Dans une bauge ordurière!

LA REINE

Tais-toi, tais-toi! Comme autant de poignards
Tes mots entrent dans mes oreilles.
Tais-toi, mon tendre Hamlet.

HAMLET

Un assassin, un rustre,
Un pantin! Le vingtième du dixième,
Et même pas, de votre maître ancien.
Un singe de nos rois; un aigrefin
Du trône et du pouvoir, qui a saisi
La précieuse couronne sur sa planche
Et qui l'a empochée!

LA REINE

Tais-toi!

HAMLET

Un roi de carnaval...

Entre le spectre, dans son vêtement de nuit.

Couvrez-moi de vos ailes, sauvez-moi,
O célestes gardiens!... Que me veut Votre Grâce?

LA REINE

Hélas! il est fou!

HAMLET

Venez-vous pour châtier votre fils paresseux
Qui, esclave des circonstances et de son trouble,
Tarde à exécuter votre ordre terrible?
Oh, dites-moi!

LE SPECTRE

Ne l'oublie pas! Ma venue n'a pour but
Qu'aiguiser ton dessein presque émoussé.
Mais, vois, le désarroi accable ta mère,
Oh, entre elle et son âme en combat dresse-toi!
C'est sur les êtres frêles que la pensée
Agit le plus fortement. Parle-lui, Hamlet.

HAMLET

Madame, qu'avez-vous?

LA REINE

Hélas! qu'avez-vous, vous-même,
A tenir fixés vos yeux sur le vide
Et à parler à l'air immatériel?
Votre esprit égaré se trahit dans vos yeux
Et, comme des soldats réveillés par l'alarme,
Vos cheveux qui étaient couchés s'animent, se soulèvent
Et demeurent dressés. Mon noble fils,
Sur la flamme et le feu de ta fureur,
Jette la froide patience. Que vois-tu?

HAMLET

Mais lui, lui! Regardez sa pâleur, ses yeux!
Même des pierres seraient sensibles
A son aspect leur prêchant cette cause... Ne me regardez pas,
De peur que ce regard pitoyable[42] n'altère
Mon sévère projet, et que mon devoir perde
Dans les larmes sa vraie couleur de sang.

LA REINE

A qui dis-tu cela?

HAMLET

Ne voyez-vous rien, là!

LA REINE

Rien. Et pourtant je vois tout ce qui est.

HAMLET

Et n'entendez-vous rien?

LA REINE

Non, rien, sauf nos deux voix.

HAMLET

Mais regardez, ici! Et voyez, il s'enfuit!
Mon père, dans l'habit qu'il portait, vivant,
Regardez, le voilà qui sort, par cette porte.

Le spectre disparaît.

LA REINE

Voilà bien ce que forge votre cerveau!
A inventer ces images sans corps
Le délire est habile.

HAMLET

Le délire!
Mon pouls est régulier autant que le vôtre,
Il fait le bruit de la santé — ce n'est pas la folie
Qui hantait ma parole, en voici pour preuve
Que je puis tout redire, quand la folie
Ne sait que divaguer. O mère, oh, pour l'amour de Dieu,
Sur votre âme n'étendez pas l'onguent flatteur
De croire que ma folie parle, et non votre faute.
Ce ne serait que recouvrir l'ulcère
Quand la putride corruption minerait tout
D'un invisible abcès. Confessez-vous à Dieu,
Regrettez ce qui fut, amendez l'avenir,

N'étendez pas l'engrais sur la mauvaise herbe
Pour la faire plus foisonnante. Et pardonnez-moi ma vertu
Puisque, dans la mollesse infirme de ce temps,
La vertu doit mendier le pardon du vice
Et à genoux le supplier de lui permettre
De lui faire du bien.

LA REINE

Hamlet, tu m'as brisé le cœur.

HAMLET

Oh! jetez-en la plus mauvaise part
Et vivez plus pure avec l'autre.
Bonne nuit! N'allez pas au lit de mon oncle,
Affectez la vertu que vous n'avez pas.
Ce monstre, l'habitude, qui dévore tout sentiment
De notre iniquité, est un ange en ceci
Qu'il nous procure une livrée, un froc
Facile à revêtir pour la pratique
De la justice et du bien. Abstenez-vous ce soir,
Et cela vous rendra un peu plus aisée
L'abstinence suivante. Et plus aisée encore
Celle qui la suivra. Car l'habitude
Parvient presque à changer la marque de nature,
Et à dompter le diable ou à l'exorciser
Avec une admirable force. Une fois encore, bonne nuit.
Et quand vous aurez faim que Dieu vous bénisse,
Moi je vous supplierai de me bénir. Pour ce seigneur,

Il montre Polonius.

Je regrette. Ce sont les cieux qui ont voulu,
Pour que je sois son châtiment et lui le mien,
Faire de moi leur foudre et leur ministre.
Je me charge de lui, et je veux répondre
De sa mort. Bonne nuit encore, bonne nuit.
Je dois être cruel pour être juste,
Et ce début est dur, mais pire viendra...
Encore un mot, madame.

LA REINE

Que dois-je faire?

HAMLET

Oh! surtout pas ce que je vous ai dit!
Que ce bouffi encor vous attire à sa couche,
Qu'il vous pince la joue lascivement, qu'il vous appelle
Sa souris, et qu'avec deux baisers fétides
Ou le feu de ses doigts maudits dans votre cou,
Il vous fasse tout avouer : que je ne suis
Pas vraiment fou, que ma folie n'est qu'une ruse.
Il serait bon que vous le lui disiez,
Car vous qui n'êtes qu'une reine, belle, chaste, prudente,
Iriez-vous dérober de si précieux secrets
A ce crapaud, ce chat, cette chauve-souris? Qui le ferait?
Non, contre la raison, contre votre parole,
Ouvrez la cage[43] sur le toit de la maison,
Laissez les oiseaux fuir et, telle que le singe
Illustre, glissez-vous dans la cage, pour voir,
Et rompez-vous le cou.

LA REINE

N'en doute pas : si les mots sont le souffle
Et le souffle la vie, jamais ma vie
Ne soufflera un mot de ce que tu m'as dit.

HAMLET

Je dois partir pour l'Angleterre, le savez-vous?

LA REINE

Hélas!
Je l'avais oublié. La décision est prise.

HAMLET

Les lettres sont scellées et mes deux condisciples,
Auxquels je me fierai comme aux crocs des vipères,
Sont chargés de porter les ordres. Ils me fraient le chemin,
Ils ont à me conduire au piège... Qu'ils essaient,
C'est un plaisir de voir l'artificier

Sauter avec sa mine. Et ce serait le diable
Si je ne puis creuser au-dessous de leur sape
Et les catapulter jusque dans la lune.
Deux ruses qui se heurtent, quelle joie!
Celui-ci me contraint de faire mes malles,
Je vais traîner sa tripe jusqu'à côté.
Ma mère, bonne nuit, et pour de bon. Ce conseiller,
Le voici bien tranquille et discret, bien grave,
Lui qui fut un coquin stupide et bavard.
Allons, monsieur, allons faire une fin.
Ma mère, bonne nuit.

Il sort, emportant le corps.

ACTE IV

SCÈNE PREMIÈRE

Entre le roi avec Rosencrantz et Guildenstern.

LE ROI

Larmes, soupirs profonds! Quelle est leur cause?
Il faut que nous la connaissions, dites-la-nous.
Où se tient votre fils?

LA REINE

Laissez-nous un instant.

Sortent Rosencrantz et Guildenstern.

Ah, mon tendre seigneur, qu'ai-je vu ce soir!

LE ROI

Quoi, Gertrude? Et Hamlet? Comment va-t-il?

LA REINE

Fou comme vent et mer quand ils se heurtent
Pour décider du plus fort! Dans sa frénésie,
Derrière la tenture il entend bouger,
Tire aussitôt l'épée, crie : « Un rat! un rat! »
Et, dans l'emportement de cette idée, il tue
Le bon vieillard qui était caché.

LE ROI

Oh, quel acte funeste! Eussions-nous été là,
Nous aurions eu le même sort. Le laisser libre
Est un danger pour tous. Oui, pour vous-même
Et pour nous et pour tout le monde. Hélas!
Comment répondre de ce sang? Il retombera
Sur nous qui n'avions pris aucune mesure

Pour contenir ce jeune être dément,
Pour l'isoler. Tel était notre amour
Que nous ne voulions pas du meilleur remède,
Tout comme un homme atteint d'un mal honteux
Le laisse dévorer la moelle de sa vie
Plutôt que d'avouer... Où est-il parti?

LA REINE

Mettre à l'écart le corps de sa victime.
Et, comme il est resté dans sa folie même
Pur comme l'or parmi de vils métaux,
Il déplore ce qu'il a fait.

LE ROI

Oh, Gertrude, venez!
Dès que le jour paraîtra sur les crêtes,
Le navire l'emportera. Quant à cet acte odieux,
Il faudra tout notre art et notre prestige
Pour le couvrir et pour l'excuser. Ho! Guildenstern!

Rentrent Rosencrantz et Guildenstern.

Mes amis, demandez quelque renfort.
Hamlet dans sa folie a tué Polonius
Et l'a traîné loin de la chambre de sa mère.
Rejoignez-le, parlez-lui doucement, transportez le corps
A la chapelle. Hâtez-vous, je vous prie.

Ils sortent.

Venez, Gertrude. Appelons nos amis les plus judicieux,
Informons-les, tant de nos intentions
Que de ce contretemps : ainsi la calomnie,
Dont le murmure lance à travers le monde,
Aussi droit qu'un boulet de canon vers sa cible,
Son dard empoisonné, pourra-t-elle sans doute
Épargner notre nom, et ne frapper
Que l'air invulnérable. Oh! venez vite!
Mon âme est pleine de tumulte et de stupeur.

Ils sortent.

SCÈNE II

Une autre salle du château.

Entre Hamlet.

HAMLET

Je l'ai casé en lieu sûr.

DES VOIX *dans la coulisse.*

Hamlet! Monseigneur Hamlet!

HAMLET

Mais, chut! Quel est ce bruit, qui appelle Hamlet?
Oh! les voici!

Entrent Rosencrantz et Guildenstern.

ROSENCRANTZ

Qu'avez-vous fait du cadavre, monseigneur?

HAMLET

Je l'ai rendu à sa parente, la poussière.

ROSENCRANTZ

Dites-nous où il est, qu'on puisse le prendre
Et le porter jusqu'à la chapelle.

HAMLET

Gardez-vous de le croire.

ROSENCRANTZ

De croire quoi?

HAMLET

Que je puisse garder votre secret et trahir le mien. Et puis, à la question d'une éponge, quelle réponse peut faire le fils d'un roi?

ROSENCRANTZ

Me prenez-vous pour une éponge, monseigneur?

HAMLET

Oui, monsieur, une éponge qui absorbe les faveurs du roi, et ses récompenses, et son pouvoir. Du reste, cette sorte de serviteurs finit par rendre au roi les plus grands services, car il les garde comme un quartier de pomme dans quelque coin de sa bouche et, cette chose qu'il remâche, tôt ou tard, il l'avalera. S'il a besoin de ce que vous avez récolté, il suffira qu'il vous presse, éponge, et de nouveau vous serez à sec.

ROSENCRANTZ

Je ne vous comprends pas, monseigneur.

HAMLET

J'en suis bien aise. Les propos empoisonnés dorment dans les oreilles stupides.

ROSENCRANTZ

Monseigneur, il faut nous dire où est ce cadavre et venir avec nous auprès du roi.

HAMLET

Le cadavre est auprès du roi, mais le roi n'est pas avec le cadavre. Le roi est une chose...

GUILDENSTERN

Une chose, monseigneur!

HAMLET

Une chose de rien. Menez-moi auprès de lui. Au renard! Au renard! Dénichez le renard!

Ils sortent.

SCÈNE III

La grande salle du château.

Le roi et deux ou trois conseillers d'État.

LE ROI

J'ai envoyé à sa recherche ainsi qu'à celle du corps.
Quel péril que cet homme erre en liberté!
Et pourtant on ne peut le soumettre à la rigueur de la loi,
Il est l'idole de la foule inconséquente
Qui n'a d'autre raison que l'engouement des yeux,
Et c'est le châtiment que toujours elle juge
Et jamais le délit. Pour que tout aille bien,
Il faut que ce départ soudain puisse paraître
Un sursis calculé! Aux maux désespérés
Les remèdes du désespoir, ou rien du tout.

Entrent Rosencrantz, Guildenstern et d'autres.

Eh bien, quoi de nouveau?

ROSENCRANTZ

Où est caché le cadavre, monseigneur,
On ne peut le lui faire dire.

LE ROI

Mais lui-même, où est-il?

ROSENCRANTZ

Dehors, monseigneur, et sous bonne garde,
Dans l'attente de vos ordres.

LE ROI

Amenez-le devant nous.

ROSENCRANTZ

Holà! que l'on fasse entrer le prince.

Entre Hamlet.

LE ROI

Eh bien, Hamlet, où est Polonius?

HAMLET

A souper.

LE ROI

A souper? où donc?

HAMLET

Non pas là où l'on mange, mais là où l'on est mangé. Un certain congrès de vers politiques[44] l'a pris en charge. Pour les plaisirs de la table, le seul vrai souverain, c'est votre ver. Nous engraissons toutes les créatures pour nous engraisser, et nous nous engraissons pour le ver. Un roi gros et un mendiant maigre, ce n'est plus qu'un menu varié : deux plats pour la même table, et voilà tout.

LE ROI

Hélas, hélas!

HAMLET

N'importe qui peut pêcher avec le ver qui a mangé un roi et manger le poisson qui a mangé le ver.

LE ROI

Que veux-tu dire par là?

HAMLET

Rien, rien. Sauf vous montrer comment un roi peut processionner dans les boyaux d'un mendiant.

LE ROI

Où est Polonius?

HAMLET

Au ciel. Vous pouvez y envoyer voir et, si votre messager ne l'y trouve pas, allez le chercher vous-même dans l'autre endroit. Mais si vous ne l'avez pas trouvé d'ici un mois, il faudra bien que vous le sentiez quand vous monterez dans la galerie.

LE ROI, *aux gardes.*

Qu'on aille le chercher là!

HAMLET

Je suis sûr qu'il vous attendra.

LE ROI

Pour ta sécurité, Hamlet, qui nous est aussi chère
Que ce que tu as fait nous est douloureux,
Il convient que tu partes loin d'ici,
Aussi promptement que l'éclair. Prépare-toi,
Le vaisseau est frété, le vent favorable,
Tes compagnons t'attendent, tout est prêt
Pour ton voyage en Angleterre.

HAMLET

Angleterre.

LE ROI

Oui, Hamlet.

HAMLET

Parfait.

LE ROI

Certes, si tu savais mes intentions.

HAMLET

Je vois un ange qui les voit. Allons, en Angleterre! Ma chère mère, au revoir.

LE ROI

Ton tendre père, Hamlet.

HAMLET

Ma mère, je dis bien. Car père et mère, c'est mari et femme, et mari et femme, c'est même chair, vous êtes donc ma mère. Allons, en Angleterre!

Ils sortent.

LE ROI, *à Rosencrantz et Guildenstern.*

Suivez-le pas à pas, menez-le vite à bord,
Ne traînez pas. Je veux qu'il soit parti ce soir.

Allez! Tout ce qui touche à cette affaire
Est préparé et scellé. Je vous prie, hâtez-vous.

Tous sortent, à l'exception du roi.

Et toi, Angleterre, si tu tiens tant soit peu à mon amitié
— Ce que mon grand pouvoir doit t'enseigner à faire,
Puisque tu portes encor du glaive danois
La marque brûlante et rouge, et qu'en tremblant
Tu nous paies un libre tribut — ne néglige pas
Nos ordres souverains dont la teneur,
Pleinement spécifiée dans nos pressantes lettres,
Est qu'il faut tuer Hamlet, sur-le-champ. Obéis,
Angleterre! Car il brûle mon sang comme une fièvre
Et tu dois me guérir. Oui, tant que j'attendrai,
Je ne goûterai pas de joie, quoi qu'il m'arrive.

Il sort.

SCÈNE IV

Une plaine près d'un port au Danemark.

Le prince Fortinbras et son armée.

FORTINBRAS

Capitaine, allez saluer le roi danois
Et lui dire que Fortinbras, fort de sa promesse,
Le supplie de lui accorder libre passage
A travers ses États. Vous savez où nous joindre
Et, si Sa Majesté voulait nous parler,
Nous irions en personne lui rendre hommage.
Faites-le-lui savoir.

LE CAPITAINE

Oui, monseigneur.

Il sort.

FORTINBRAS, *à ses troupes.*

Avancez doucement.

Fortinbras sort avec son armée.
Le capitaine rencontre Hamlet, Rosencrantz et Guildenstern qui font route vers le port.

HAMLET

A qui sont ces troupes, mon cher monsieur?

LE CAPITAINE

Au roi de Norvège, monsieur.

HAMLET

Et où vont-elles, monsieur, je vous prie?

LE CAPITAINE

Attaquer un certain endroit de la Pologne.

HAMLET

Qui les commande, monsieur?

LE CAPITAINE

Fortinbras, le neveu du vieux Norvège.

HAMLET

S'attaque-t-il au cœur de la Pologne, monsieur,
Ou à quelque région frontière?

LE CAPITAINE

Pour être franc, et sans exagérer,
Nous allons conquérir un lopin de terre
Dont on ne pourra rien tirer que la gloire.
Pour cinq ducats, pour cinq, je ne voudrais pas le louer,
Et la Norvège ni la Pologne n'en trouveraient meilleur prix,
Le vendraient-elles en toute propriété.

HAMLET

Eh bien, les Polonais ne le défendront jamais.

LE CAPITAINE

Que si! Il y a déjà une garnison.

HAMLET

Deux mille âmes, vingt mille ducats
Pour trancher la question de ce fétu!
Voilà bien l'abcès de trop de richesse et de trop de paix,
Il crève à l'intérieur, et rien ne trahit
Pourquoi cet homme est mort... Merci humblement, monsieur.

LE CAPITAINE

Que Dieu vous garde, monsieur.

Il sort.

ROSENCRANTZ

Venez-vous, monseigneur?

HAMLET

Je vous rejoins tout de suite, passez devant.

Rosencrantz, Guildenstern et leur suite sortent.

Comme tous ces hasards m'accusent! Éperonnant
Ma trop lente vengeance! Qu'est un homme
Si tout son bien, si l'emploi de son temps
N'est que manger et dormir? Une bête, rien plus.
Oh, celui-là qui nous dota de ce vaste esprit
Qui voit si loin dans le passé et l'avenir,
Ne nous a pas donné cette raison divine
Pour qu'inactive elle moisisse en nous! Pourtant,
Soit par oubli bestial, soit qu'un lâche scrupule
Me fasse trop peser les suites de l'acte
— Et cette hésitation, coupée en quatre,
N'a qu'un quart de sagesse et trois de frayeur —
Je ne sais pas pourquoi j'en suis encore
A me dire : voici ce qu'il faut faire,
Quand tout, motifs et volonté, force et moyens,
Me pousse à l'accomplir... Vastes comme la terre,
Des exemples m'exhortent. Et ainsi cette armée
Si nombreuse et coûteuse que conduit
Un jeune prince raffiné, dont le courage
Gonflé d'une ambition divine fait la nique
A l'avenir imprévisible, et qui expose

A tout ce qu'oseront hasards, mort et périls
Son être même, et précaire et mortel,
Pour la coquille d'un œuf. La grandeur vraie
N'est pas de s'émouvoir sans un grand motif,
C'est d'en découvrir un dans la moindre querelle
Quand l'honneur est en jeu. Et moi? Que suis-je?
Moi dont le père tué, la mère salie
Devraient bouleverser la raison et le sang,
Et qui ne fais que dormir? Quand à ma honte
Je vois la proche mort de ces vingt mille hommes
Qui pour une gloriole, pour un rien,
Vont au tombeau comme ils iraient au lit,
Et combattent pour quelque arpent où ils seront
En trop grand nombre pour se heurter tous, un peu de terre
Où ne tiendrait pas même un sépulcre assez grand
Pour loger tous les morts... Oh, désormais,
Que ma pensée se voue au sang, ou qu'elle avoue son néant!

Il sort.
Quelques semaines s'écoulent.

SCÈNE V

A Elseneur, une salle du château.

La reine et sa suite. Horatio et un gentilhomme.

LA REINE
Je ne veux pas lui parler.

LE GENTILHOMME
Elle insiste. En vérité, elle a perdu la raison.
Elle est dans un état qui fait pitié.

LA REINE
Que veut-elle?

LE GENTILHOMME

Elle parle beaucoup de son père. Elle a appris, dit-elle,
Que le monde est méchant. Elle balbutie, se frappe le cœur,
S'irrite pour des riens, et dit des choses
Ambiguës et à demi folles. Ses discours
N'ont aucun sens. Pourtant ceux qui l'écoutent
Sont enclins à chercher dans ses mots décousus
Une logique, et s'y efforcent, et les adaptent
Tant bien que mal à leur propre pensée.
Elle cligne des yeux, d'ailleurs, hoche la tête
Et ces gestes font croire à un sens caché
Qui, bien qu'il reste vague, est déjà très fâcheux.

HORATIO

Il faut lui parler. Elle peut répandre
De dangereuses pensées dans les esprits malveillants.

LA REINE

Qu'elle entre.

Le gentilhomme sort.

(A part.) A mon âme malade, et c'est la loi du péché,
Le moindre rien semble l'annonce de grands troubles.
Le crime est si inquiet, et si gauchement,
Qu'il fait de son effroi l'artisan de sa perte.

Le gentilhomme revient avec Ophélie.

OPHÉLIE

Où est la belle reine du Danemark?

LA REINE

Que me voulez-vous, Ophélie?

OPHÉLIE, *chantant.*

Votre amoureux très fidèle,
A quoi le reconnaît-on?
A son chapeau de coquilles,
Ses sandales et son bourdon.

LA REINE

Hélas! douce Ophélie, à quoi rime cette chanson?

OPHÉLIE

Vous dites? Oh, non, écoutez-moi s'il vous plaît.

Chantant.

Il est mort, il est mort, madame,
Il est mort, il est enterré,
A sa tête est l'herbe fraîche,
Une pierre est à ses pieds.

Oh! oh!

LA REINE

Voyons, voyons, Ophélie...

OPHÉLIE

Je vous prie, écoutez!

Chantant.

Son linceul est comme la neige...

Entre le roi.

LA REINE

Hélas! voyez cela, monseigneur!

OPHÉLIE, *chantant.*

...Des montagnes, semées de fleurs,
Sur sa tombe... hélas, hélas! manque
Le fidèle amour en pleurs.

LE ROI

Comment allez-vous, gracieuse Dame?

OPHÉLIE

Très bien, que Dieu vous le rende. On dit que la chouette était fille de boulanger[45]. O Seigneur, nous savons ce que nous sommes, mais ce que nous deviendrons, qui le sait? Que Dieu soit à votre table!

LE ROI

Elle pense à son père.

OPHÉLIE

N'en soufflez mot, je vous prie, mais si l'on vous demande ce que ça veut dire, vous répondrez :

Chantant.

C'était la Saint-Valentin
Et j'étais sa Valentine
— Pour être sa Valentine
Tu l'éveillas tôt matin.

Il se leva, s'habilla,
Pucelle je suis entrée
— Pucelle tu es entrée
Qui jamais n'en reviendras.

LE ROI

Charmante Ophélie!

OPHÉLIE

Là, pour de vrai, mais sans jurer, je termine.

Chantant.

O Jésus, sainte Charité,
Hélas, hélas! quelle honte!
Ce fut mal, Dieu fasse honte
Au garçon qui le voulait.
Avant, vous me promettiez,
Dit-elle, le mariage...

Et il répond :

Eussiez-vous été plus sage,
Je vous aurais épousée.

LE ROI

Depuis quand est-elle comme cela?

OPHÉLIE

J'espère que tout ira bien. Il faut être patient, mais je ne puis m'empêcher de pleurer quand je pense qu'on l'a couché dans la terre froide. Mon frère va le savoir. Et puis, merci pour vos bons conseils. Allons, ma voiture! Bonsoir, mesdames, bonsoir, ô charmantes dames, bonsoir, bonsoir.

Elle sort

LE ROI

Suivez-la et veillez sur elle, je vous prie.

Sortent Horatio et le gentilhomme.

Voilà bien le poison des grandes douleurs! Tout provient
De la mort de son père... Et maintenant, voyez!
O Gertrude, Gertrude,
Quand viennent les malheurs ils ne sont jamais
De solitaires éclaireurs, mais des bataillons.
D'abord son père mort, puis l'éloignement
De votre fils, dont l'extrême violence
Causa le juste exil. Et le peuple troublé
Par la mort du bon Polonius : idées confuses
Et malsaines rumeurs — ah! nous avons agi
Comme des étourneaux, en l'enterrant
Hâtivement, en cachette! Et voici la pauvre Ophélie
Séparée d'elle-même et du haut jugement
Sans quoi nous sommes des reflets sinon des bêtes.
Enfin, et cela seul grave autant que le reste,
Son frère est en secret revenu de France,
Il rumine stupeur et doute, il s'enveloppe
De nuées, et les voix bourdonnantes ne manquent pas
Pour l'infecter de propos venimeux
Sur la mort de son père — où, à court d'arguments,
Le besoin de prouver n'hésite pas
A porter d'oreille en oreille
Des accusations contre nous!... O ma chère Gertrude,
Toute cette mitraille me transperce
Et m'accable de mille morts.

Bruit au-dehors.

LA REINE

Dieu, qu'est-ce que ce bruit?

LE ROI

Holà!

Entre un officier.

Où sont mes Suisses? Qu'ils gardent les portes!
Que se passe-t-il?

L'OFFICIER

Gardez-vous, monseigneur!
L'océan qui déborde ses limites
Ne dévore pas les plaines avec une hâte plus implacable
Que le jeune Laërte et ses insurgés
Ne renversent vos officiers. La populace l'acclame roi,
Et comme si le monde ne faisait que commencer,
Dans l'ignorance ou l'oubli de l'Antiquité, de l'usage
Qui étayent et qui soutiennent tous les titres,
« C'est à nous de choisir! » crient-ils, « que Laërte soit roi! »
Et les bonnets, les mains, les voix portent aux nues :
« Laërte sera roi, Laërte roi! »

Les cris se rapprochent.

LA REINE

Avec quel entrain ils aboient sur la fausse piste!
Vous allez à rebours, traîtres chiens danois!

LE ROI

Les portes sont enfoncées.

Entre Laërte en armes, suivi d'une foule de Danois.

LAERTE

Où est ce roi? Vous tous, restez dehors.

LES DANOIS

Non, laissez-nous entrer!

LAERTE

Je vous prie de me laisser faire.

LES DANOIS

Oui, oui!

Ils refluent au-dehors.

LAERTE

Merci. Gardez la porte. O méprisable roi,
Rends-moi mon père!

LA REINE

Du calme, mon bon Laërte.

LAERTE

Si une goutte de mon sang reste calme
Elle me proclame un bâtard!
Elle crie cocu! à mon père, elle imprime le mot putain
Ici, sur le front chaste et immaculé
De ma vertueuse mère!

Il se jette en avant et la reine s'interpose.

LE ROI

Pourquoi, Laërte,
Donnes-tu cette ampleur géante à ta rébellion?
Lâchez-le, Gertrude, ne craignez rien pour nous.
Une haie si sacrée protège les rois
Que la trahison ne peut qu'entrevoir ce qu'elle projette
Et en réalise bien peu. Dis-moi, Laërte,
Pourquoi tu es si furieux... Lâchez-le, Gertrude...
Explique-toi, mon ami.

LAERTE

Où est mon père?

LE ROI

Mort.

LA REINE

Non par la faute du roi!

LE ROI

Qu'il me questionne à son gré.

LAERTE

Comment, comment est-il mort? On ne me trompera pas!
Au diable mon serment d'allégeance, à l'enfer le plus noir
Mes vœux de fidélité! Conscience, religion,
Je les jette à son cercle le plus bas
Sans crainte d'être damné! Car au point où j'en suis,
Ni ce monde ni l'autre ne m'importent!
Advienne que pourra! Je n'ai d'autre souci
Que de venger totalement mon père.

LE ROI

Qui donc t'arrêtera?

LAERTE

Ma volonté, et non celle du monde!
Et quant à mes moyens, je les ménagerai,
Avec peu j'irai loin!

LE ROI

Mon cher Laërte,
Parce que vous cherchez la vérité
Sur la mort de votre cher père,
Faut-il qu'il soit écrit dans votre vengeance
Que vous raflerez tout l'enjeu, et ruinerez
Gagnants comme perdants, amis comme ennemis?

LAERTE

Je n'en veux qu'à ses ennemis.

LE ROI

Voulez-vous donc les connaître?

LAERTE

A ses vrais amis j'ouvrirai grand mes bras, comme ceci,
Et tel le pélican généreux de sa vie
Je les repaîtrai de mon sang.

LE ROI

Ah, vous parlez maintenant
En bon fils et en digne gentilhomme!
Que je sois innocent de la mort de votre père
Et que j'en souffre cruellement,
Cela va s'imposer à votre raison
Comme le jour à vos yeux.

DES VOIX, *dehors.*

Laissez-la entrer.

LAERTE

Qu'y a-t-il? Qu'est-ce que ce bruit?

Rentre Ophélie, avec des fleurs dans les mains.

Fièvre, dessèche mon cerveau! Larmes sept fois salées
Consumez le pouvoir et la vie de mes yeux!
Par le Ciel, ta folie sera payée cher. Sur la balance
Je ferai pencher le fléau. Rose de Mai,
Chère fille, suave sœur, douce Ophélie!
Est-il possible, ô cieux, que l'esprit d'une jeune fille
Soit aussi périssable que le corps d'un vieillard?
Quel art dans ceux qui aiment! L'être aimant
Sait envoyer un peu du meilleur de lui-même
En gage, à son amour.

OPHÉLIE, *chantant.*

Sans linceul ils l'ont mis en bière,
O lonla, o lonla, lonlaire,
Et tant de pleurs ont coulé...

O ma colombe, au revoir!

LAERTE

Aurais-tu ta raison pour me prêcher vengeance,
Je serais moins ému.

OPHÉLIE

Il faudra chanter « Plus bas, plus bas », si vous le portez si bas. Oh, comme ce refrain est à propos! C'est le perfide intendant qui a volé la fille du maître.

LAERTE

Ce néant vaut plus que toute pensée.

OPHÉLIE, *à Laërte.*

Voilà du romarin, c'est pour le souvenir. Mon amour, souvenez-vous, s'il vous plaît. Et voici des pensées, c'est pour la pensée.

LAERTE

Quel enseignement dans la folie! La pensée et le souvenir sont vraiment de mise.

OPHÉLIE, *au roi.*

Voici pour vous du fenouil[46] et des ancolies. *(A la reine.)* Et voici de la rue pour vous, et j'en garde un peu pour moi. On peut l'appeler l'herbe de grâce quand c'est dimanche. Non, il faut la porter d'une autre façon. Voici une pâquerette. J'aurais voulu vous apporter des violettes, mais elles se sont fanées toutes au moment que mon père est mort. On dit qu'il a fait une bonne fin...

Chantant.

Je n'ai de joie que dans mon doux Robin...

LAERTE

La mélancolie, l'affliction, la souffrance, l'enfer lui-même,
Elle en fait de la grâce et de la beauté.

OPHÉLIE, *chantant.*

Va-t-il plus ne revenir,
Va-t-il plus ne revenir?
Non, non, il est mort,
Va-t'en à ton lit de mort,
Il ne va plus revenir.

Sa barbe était comme neige,
Comme chanvre ses cheveux,
Et il est parti, parti,
Pourquoi donc pleurer sur lui,
De son âme Dieu ait merci...
Et de toute âme chrétienne, fasse Dieu! Au revoir.

Elle sort.

LAERTE

Voyez-vous ceci, ô mon Dieu?

LE ROI

Laissez-moi partager votre douleur, Laërte,
Sinon vous me déniez ce qui m'est dû. Retirez-vous,
Choisissez les plus sages de vos amis,
Ils nous écouteront et seront nos juges.
Si, de façon directe ou par entremise,
Ils nous découvrent coupable, nous vous laissons
Notre royaume, notre sceptre et notre vie,

Oui, tout ce qui est nôtre, en réparation.
Sinon, daignez nous accorder votre patience
Et nous travaillerons, votre âme consentante,
A vous donner tout apaisement.

LAERTE

Soit! Son étrange mort, ses obsèques furtives
Sans trophée ni épées, sans écusson,
Sans rite nobiliaire sur sa dépouille,
Sans la solennité qui est d'usage,
Me crient, comme un tonnerre dans le ciel,
Que je dois chercher à savoir.

LE ROI

Vous le ferez,
Et que tombe la grande hache où fut le crime.
Je vous en prie, venez.

Ils sortent.

SCÈNE VI

Entrent Horatio et d'autres.

HORATIO

Quels sont ces gens qui veulent me parler?

UN GENTILHOMME

Des marins, monsieur. Ils ont des lettres pour vous, prétendent-ils.

HORATIO

Faites-les entrer.
(A part.) Je ne vois pas de quelle région du monde
Je puis attendre un message,
S'il n'est de monseigneur Hamlet.

On introduit les marins.

LE PREMIER MARIN

Dieu vous bénisse, monsieur.

HORATIO

Qu'il te bénisse toi aussi.

LE PREMIER MARIN

Il le fera si ça lui chante, monsieur. Voici une lettre pour vous, monsieur. Elle vient de l'ambassadeur qui allait en Angleterre, si toutefois votre nom est bien Horatio, comme je me le suis laissé dire.

HORATIO, *lisant.*

« Horatio, quand tu m'auras lu, introduis ces gens auprès du roi, ils ont des lettres pour lui... Nous n'avions pas fait deux jours de mer que des pirates armés jusqu'aux dents nous prenaient en chasse. Comme nous ne pouvions les gagner à la voile, nous fîmes preuve de ce courage auquel ils nous obligeaient et, au moment de l'abordage, je me suis jeté sur leur pont. A l'instant même ils se dégagèrent et je suis resté leur seul prisonnier. Ils m'ont traité en charitables fripouilles, mais ils savent bien ce qu'ils font et je suis destiné à leur être utile. Fais parvenir au roi les lettres que je lui adresse, et viens me rejoindre aussi vite que si tu fuyais la mort. J'ai des mots à te dire, à l'oreille, qui te rendront muet et pourtant ils sont trop légers encore pour le calibre de cette affaire. Ces braves gens vont te conduire où je suis. Rosencrantz et Guildenstern poursuivent leur course vers l'Angleterre, et sur eux aussi j'aurai beaucoup à t'apprendre. Au revoir. Ton ami, tu n'en doutes pas,

« HAMLET. »

Venez, je vais vous introduire avec vos lettres.
Faites vite et ensuite menez-moi
Vers celui qui les a écrites.

Ils sortent.

SCÈNE VII

Le roi revient avec Laërte.

LE ROI

Que maintenant votre conscience m'acquitte,
Et que j'entre en ami dans votre cœur!
Vous avez appris, vous avez compris
Que celui qui a tué votre noble père
En voulait aussi à ma vie.

LAERTE

Il semble bien. Mais dites-moi
Pourquoi vous n'avez pas sévi contre des actes
Si criminels et de tant de portée,
Quand votre sûreté, votre grandeur, quand votre sagesse,
Quand tout enfin vous portait à le faire?

LE ROI

Pour deux précises raisons
Qui pourront vous sembler plutôt débiles,
Mais qui sont fortes pour moi. La reine sa mère
Ne vit que de le voir et quant à moi,
Que ce soit là ma force ou mon malheur,
Je la sens si intime à ma vie et mon âme
Que, tel que la planète à son cercle attachée,
Je ne me meus que par elle. L'autre motif
Pour lequel je n'ai pu rendre un compte public
Est la grande affection que le peuple lui porte.
On eût dans cet amour plongé toutes ses fautes
Et, comme une fontaine où le bois devient pierre,
Il eût fait de ses liens une parure, à tel point que mes flèches,
Trop faiblement lestées pour un vent si fort,
Eussent été rabattues sur mon arc
Sans pouvoir atteindre leur but.

LAERTE

Et c'est ainsi que j'ai perdu mon noble père
Et que je vois ma sœur dans cet affreux état,
Elle dont la valeur, si l'éloge peut se pencher sur le passé,
Défiait de si haut par sa perfection
Tout notre temps... Mais je me vengerai!

LE ROI

N'y perdez pas le sommeil! Et n'allez croire
Que je sois d'un ressort si usé ou faible
Que je puisse tenir pour plaisanterie
Le danger qui me tire par la barbe! Avant longtemps
Vous saurez autre chose. Nous aimions
Votre père; et nous nous aimons nous-même. Je suppose
Que cela vous permet d'imaginer...

Entre un messager avec des lettres.

Eh bien, quelles nouvelles?

LE MESSAGER

Des lettres, monseigneur, des lettres d'Hamlet.
Celle-ci pour Votre Majesté et celle-là pour la reine.

LE ROI

D'Hamlet? Qui les a apportées?

LE MESSAGER

Des marins, dit-on, monseigneur. Je ne les ai pas vus,
Je les tiens de Claudio, qui les a reçues
De celui qui les a portées.

LE ROI

Vous connaîtrez ceci, Laërte...
Laissez-nous.

Le messager sort.

(Lisant :) « Sachez, haut et puissant, qu'on m'a déposé nu sur le sol de votre royaume. Demain je mendierai la faveur de voir vos yeux royaux, et avec votre congé je vous rendrai compte de ce retour soudain et plus encore étrange.

« HAMLET. »

Qu'est-ce que cela signifie? Sont-ils tous revenus?
Ou n'est-ce là qu'une supercherie?

LAERTE

Reconnaissez-vous l'écriture?

LE ROI

C'est bien celle d'Hamlet... « Nu »...
Et dans un post-scriptum il ajoute : « Seul. »
Pouvez-vous m'expliquer cela?

LAERTE

Je m'y perds, monseigneur. Mais qu'il arrive!
Mon cœur malade se réchauffe
A l'idée que je vis pour lui dire en face :
« Voilà ce que tu fis! »

LE ROI

S'il en est ainsi, Laërte,
(Comment est-ce possible? Comment en douter, pourtant?)
Voulez-vous vous laisser guider par moi?

LAERTE

Oui, monseigneur,
Pourvu que vous ne m'imposiez pas de faire la paix.

LE ROI

Mais si, la paix en toi. S'il est vrai qu'il soit de retour
Et se dérobe au voyage et ne veuille plus le reprendre,
Je veux l'inciter à un exploit dont la pensée
Vient de mûrir en moi, et dans lequel
Il ne pourra que périr, sans que sa mort
Soulève un souffle de blâme. Et sa mère elle-même
N'aura aucun soupçon de cette ruse
Et n'y verra qu'accident.

LAERTE

O monseigneur, je vous obéirais
Combien plus volontiers si vous faisiez en sorte
Que je sois l'instrument!

LE ROI

Voilà qui tombe bien.
Depuis votre départ on a beaucoup vanté
En présence d'Hamlet un certain talent
Où l'on dit que vous excellez. Toutes vos qualités
Ne lui arrachent pas autant de désir
Que celle-là qui pourtant à mes yeux
Est tout à fait secondaire.

LAERTE

Quelle est cette qualité, monseigneur?

LE ROI

Rien qu'un ruban sur le chapeau de la jeunesse.
Bien qu'il ait son utilité. Car un costume
Frivole et négligé sied au jeune âge
Tout autant qu'aux mûres années les robes et les fourrures,
Signes de l'opulence et du sérieux... Il y a deux mois
Nous avions ici un seigneur normand...
Je connais les Français, j'ai servi contre eux,
Je sais qu'ils sont bons cavaliers, mais celui-là,
C'était la magie même. Enraciné en selle,
Il faisait accomplir à son cheval
De si étonnantes prouesses
Qu'il semblait faire corps et presque se confondre
Avec le noble animal. Il excédait
A tel point ma pensée des tours et des figures
Que je n'inventais rien qu'il ne surpassât.

LAERTE

Un Normand, n'est-ce pas?

LE ROI

Un Normand.

LAERTE

Sur ma vie, c'est Lamord!

LE ROI

Lui-même.

LAERTE

Je le connais, il est le joyau,
La vraie perle de son pays.

LE ROI

Il vous rendait hommage
Et saluait en vous tant de maîtrise
Dans l'art et la pratique de l'escrime
Et surtout de l'épée, qu'il s'écriait
Que ce serait un merveilleux spectacle
Si l'on trouvait votre égal. Devant vous, jurait-il,
Les escrimeurs français n'avaient plus d'attaque,
De parade ni de coup d'œil. Mon ami, ce rapport
A enflammé Hamlet d'une telle envie
Qu'il n'a plus fait que désirer, que réclamer
Pour lutter avec vous, votre prompt retour.
Eh bien, ce qui s'ensuit...

LAERTE

Que s'ensuit-il, monseigneur?

LE ROI

Laërte, aimiez-vous votre père,
Ou n'êtes-vous qu'une image de la souffrance,
Le visage, mais non le cœur?

LAERTE

Pourquoi cette question?

LE ROI

Ce n'est pas que je pense que vous l'avez peu aimé,
Mais je sais que l'amour commence dans le temps,
Et je vois sur des cas qui sont des preuves
Le temps en amoindrir l'étincelle et le feu.
Il y a dans la flamme même de l'amour
La mèche qui charbonne et qui l'abattra.
Rien ne garde à jamais sa vertu première,

Puisque cette vertu devenant pléthorique
Meurt de son propre excès. Ce que nous voulons faire,
Faisons-le sur-le-champ. Car notre vouloir change,
Il connaît autant de déclins et de délais
Qu'il y a de mains et de bouches, et de hasards,
Et bientôt l'intention n'est plus qu'un soupir prodigue
Qui ne soulage qu'en épuisant. Allons, crevons l'abcès!
Hamlet revient. Qu'êtes-vous décidé à faire
Pour vous montrer le fils de Polonius
Autrement qu'en paroles?

LAERTE

Lui couper la gorge en pleine église.

LE ROI

Nul sanctuaire en effet pour sauver le meurtre,
Nulle barrière pour la vengeance! Et pourtant, cher Laërte,
Faites ceci : enfermez-vous dans votre chambre.
Hamlet à son retour apprendra le vôtre;
Nous pousserons certains à lui vanter
Votre mérite, à vernir à nouveau la renommée
Que le Français vous a faite... Bref, nous vous opposons,
Et nous parions sur vous. Lui, sans méfiance
Et généreux, exempt de toute ruse,
N'examinera pas les fleurets. Aisément
Ou en trichant un peu, vous pourrez donc
Faire choix d'une épée non rabattue
Et venger, d'une adroite feinte, votre père.

LAERTE

Entendu!
Et pour cela j'oindrai mon épée. J'ai acquis
Un poison si mortel chez un saltimbanque
Qu'il suffit d'y plonger une lame... Aussitôt
Que le sang est atteint, l'emplâtre le plus rare
Et toute la vertu des herbes de lune
Ne peuvent rien pour sauver de la mort

Ceux qui ne sont même qu'égratignés.
Dans ce venin je tremperai ma pointe,
Et Hamlet ne fût-il qu'écorché, il mourra.

LE ROI

Il faut y réfléchir, il faut peser
Quels moments, quels moyens peuvent le mieux
Servir notre dessein. S'il venait à échouer,
Et que notre intention se trahisse en nos fautes,
Mieux vaudrait n'avoir rien tenté. Notre projet
Doit donc avoir un suppléant qui nous secoure
Si l'autre fait long feu. Voyons, voyons,
Nous ferons un pari sur vos talents,
Un pari solennel... Ah, j'ai trouvé!
Quand le combat vous aura échauffés
(Et poussez dans ce but vos bottes les plus rudes!)
Il voudra boire. Et j'aurai préparé
A cette fin une coupe... Une gorgée,
Et s'il a échappé à votre poison
Notre but est encore atteint. Mais, chut!
Quel est ce bruit?

Entre la reine.

LA REINE

Un malheur vient sur les talons de l'autre
Tant ils se suivent de près. Votre sœur s'est noyée,
Laërte.

LAERTE

Noyée? Où s'est-elle noyée?

LA REINE

Au-dessus du ruisseau penche un saule, qui mire
Dans le cristal de l'eau ses feuilles d'argent,
Et c'est là qu'elle vint[47], avec des guirlandes
Fantastiques, d'orties et de boutons d'or,
De marguerites et des longues fleurs pourpres
Que les hardis bergers nomment d'un mot plus libre

Mais que nos chastes vierges appellent doigt des morts.
Là, voulut-elle, aux rameaux qui pendaient,
Grimper pour accrocher sa couronne florale?
Une branche, perfide, se rompit
Et elle et ses trophées agrestes sont tombés
Dans le ruisseau en pleurs. Sa robe s'étendit
Et telle une sirène un moment la soutint,
Tandis qu'elle chantait des bribes de vieux airs[48],
Insensible peut-être à sa propre détresse
Ou comme un être fait pour cette vie de l'eau.
Mais que pouvait durer cet instant? Alourdis
Par ce qu'ils avaient bu, ses vêtements
Prirent l'infortunée à son chant mélodieux,
Et l'ont conduite à sa fangeuse mort.

LAERTE

Hélas! elle est donc noyée?

LA REINE

Noyée, noyée.

LAERTE

Tu n'as eu que trop d'eau déjà, pauvre Ophélie,
Et c'est pourquoi je retiens mes pleurs... Vois, cependant,
C'est notre loi, c'est la coutume de nature,
Et peu m'importe la honte! Avec ces pleurs,
La femme en moi aura disparu... Monseigneur, adieu.
Ma parole de feu voudrait brûler
Mais ces sottes larmes l'éteignent.

Il sort.

LE ROI

Gertrude, suivons-le.
Quelle peine j'ai eue à calmer sa rage!
Et je crains que ceci ne l'excite encore.
Suivons-le donc.

Ils sortent.

ACTE V

SCÈNE PREMIÈRE

Un cimetière.

Entrent un fossoyeur et son compagnon

LE PREMIER FOSSOYEUR

Va-t-on l'ensevelir en terre chrétienne, celle qui s'en-sauve sans crier gare?

LE SECOND FOSSOYEUR

Oui, je te dis, et tu vas creuser tout de suite. Le coroner a fait son enquête et il a conclu la terre chrétienne.

LE PREMIER FOSSOYEUR

Comment est-ce que c'est possible, si elle ne s'est pas noyée en légitime défense?

LE SECOND FOSSOYEUR

Eh, c'est pourtant ce qu'il a conclu.

LE PREMIER FOSSOYEUR

Sûr que c'est *se offendendo* [49], autrement ça n'est pas possible. Car voici le point : si je me noie exprès, ça veut dire il y a un acte, et un acte ça a trois branches, à savoir agir, faire et accomplir. Ergo donc qu'elle s'est noyée exprès.

LE SECOND FOSSOYEUR

Oui, mais écoute un peu, mon compère fossoyeur.

LE PREMIER FOSSOYEUR

Un moment, tu permets? Voici l'eau — bon. Voici l'homme — bon. Si cet homme va dans cette eau, et s'y noie, c'est lui qui y est allé, qu'il le veuille ou non, tu retiens? Mais si c'est l'eau qui vient à lui, et le noie, il ne se noie pas lui-même. Ergo donc que celui qui n'est pas coupable de sa mort n'a pas abrégé sa vie.

LE SECOND FOSSOYEUR

C'est ça la loi?

LE PREMIER FOSSOYEUR

Eh oui, parbleu. La loi des enquêtes du coroner.

LE SECOND FOSSOYEUR

Veux-tu que je te dise le vrai? Si ç'avait pas été une dame de la haute, on ne la mettrait pas en terre chrétienne.

LE PREMIER FOSSOYEUR

Ah! tu l'as dit! Et c'est grand dommage que les grosses huiles aient le droit dans ce monde de se noyer ou de se pendre plus que leurs chrétiens de frères. Allons, ma bonne bêche. Il n'y a de vieille noblesse que chez les jardiniers, les terrassiers et les fossoyeurs : ils continuent le métier d'Adam.

LE SECOND FOSSOYEUR

Est-ce qu'il était gentilhomme?

LE PREMIER FOSSOYEUR

Il fut le premier à porter des armes.

LE SECOND FOSSOYEUR

Allons donc, il n'en avait pas.

LE PREMIER FOSSOYEUR

Comment, t'es donc un païen? Comment donc que tu comprends l'Écriture? L'Écriture dit Adam bêchait. Et pouvait-il bêcher sans avoir une arme[50]?... Je m'en vais te poser une autre question. Si tu réponds à côté, fais ta prière et...

LE SECOND FOSSOYEUR

Dis toujours.

LE PREMIER FOSSOYEUR

Qui est-ce qui bâtit plus solidement que le maçon, le charpentier ou le constructeur de navires?

LE SECOND FOSSOYEUR

Le fabricant de potences. Cette charpente-là, ça survit à mille occupants.

LE PREMIER FOSSOYEUR

Pas trop mal répondu, ma foi, la potence, c'est plutôt bien. Mais pour qui donc que c'est bien? C'est bien pour ceux qui font mal. Et toi tu fais mal de dire que la potence est plus solide que l'église, ergo donc la potence, c'est bien pour toi. Allons, cherche encore.

LE SECOND FOSSOYEUR

Qui bâtit plus solidement que le maçon, le charpentier, le constructeur de navires?

LE PREMIER FOSSOYEUR

Oui, dis-le, et tu pourras dételer.

LE SECOND FOSSOYEUR

Ah, je crois que j'ai trouvé.

LE PREMIER FOSSOYEUR

Vas-y.

LE SECOND FOSSOYEUR

Par la Messe, je ne sais plus.

LE PREMIER FOSSOYEUR

Ne te creuse pas la cervelle, ce n'est pas quand il est fouetté que l'âne flemmard va plus vite. Et la prochaine fois, tu réponds : « C'est le fossoyeur. » Car les maisons qu'il bâtit dureront jusqu'au Jugement. Allons, va-t'en chez Yaughan me chercher un pot de bière.

Sort le second fossoyeur.
Hamlet et Horatio entrent dans le cimetière.

LE PREMIER FOSSOYEUR, *chantant.*

Quand j'aimais dans mon jeune temps,
Je trouvais qu'c'était ben plaisant.
Raccourcir la durée du jour... han!
J'en avais jamais mon content... han!

HAMLET

Celui-ci n'a-t-il aucun sens de ce qu'il fait, qu'il chante en creusant des tombes?

HORATIO

L'habitude lui a rendu la chose indifférente.

HAMLET

C'est juste. La main qui travaille peu a le bout des doigts plus sensible.

LE PREMIER FOSSOYEUR, *chantant.*

Mais l'âge est v'nu, à pas d'loup,
Il m'a pris par la peau du cou,
Me v'là embarqué pour l'aut'monde
Et déjà j'ne suis plus dans l'coup.

Il ramasse et jette un crâne.

HAMLET

Ce crâne avait une langue, et pouvait chanter jadis! Et voici que ce coquin le jette contre la terre, comme s'il était la mâchoire d'âne de Caïn, celle qui servit au premier meurtre. C'est peut-être la caboche d'un politicien qu'il envoie promener, cet âne. D'un qui se croyait plus fin que Dieu, ne se peut-il pas?

HORATIO

Il se pourrait, monseigneur.

HAMLET

Ou encore d'un courtisan, un qui savait dire : « Ah, mon cher seigneur, bonjour, ah, mon bon seigneur, comment allez-vous? » Qui sait si ce n'est pas monseigneur Untel, qui disait tant de bien du cheval de monseigneur Untel, avec l'idée qu'il se le ferait offrir? Oui, pourquoi pas?

HORATIO

Oui, pourquoi pas, monseigneur.

HAMLET

Eh bien, c'est donc lui, et ce crâne-là sans mâchoire, abîmé au couvercle par la bêche d'un fossoyeur, c'est Noble Dame du Ver. Un beau retour des choses, pour qui sait voir! La croissance de ces os n'a-t-elle coûté si cher que pour qu'ils servent au jeu de quilles? Les miens me font mal, rien que d'y penser.

LE PREMIER FOSSOYEUR, *chantant.*

Une pioche et deux coups d'bêche,
Un drap pour le met' dedans,
Avec un trou dans la glaise,
Pour c'copain c'est suffisant... han!

Il envoie rouler un second crâne.

HAMLET

En voici un autre. Et pourquoi ne serait-ce pas celui d'un homme de loi? Où sont-ils, maintenant, ses distinguos et ses arguties, ses procès et ses baux, ses finasseries? Comment peut-il supporter que ce rustre grossier lui tape sur l'occiput avec sa pelle fangeuse? Pourquoi ne le menace-t-il pas d'une action en justice, pour voies de fait? *(Il prend le crâne.)* Hum! Ce gaillard-là a peut-être été en son temps un grand acquéreurs de terre, et tout affairé d'hypothèques, de reçus, de levées, de doubles garanties, de recours. Mais n'est-ce pas la fin de ses garanties, la levée de tous ses recours, que d'avoir sa fine caboche toute pleine de fine ordure? Et tous ses garants simples ou doubles ne lui garantiront-ils rien de plus, de tous ses achats, que la longueur et la largeur d'une couple de contrats? A peine si ses titres d'achats eussent pu tenir dans cette boîte... Faut-il donc que leur possesseur n'ait pas plus de place, dis-moi?

HORATIO

Pas un pouce de plus, monseigneur.

HAMLET

Ne fait-on pas le parchemin avec la peau du mouton?

HORATIO

Oui, monseigneur, et avec celle du veau.

HAMLET

Moutons et veaux ceux qui cherchent la garantie des parchemins. Je vais parler à ce gaillard-là... A qui est cette tombe, mon ami?

LE PREMIER FOSSOYEUR

A moi, monsieur...

Chantant.

Avec un trou dans la glaise,
Pour c'copain c'est suffisant.

HAMLET

Sûrement qu'elle est la tienne : tu es dedans.

LE PREMIER FOSSOYEUR

Vous n'y êtes pas, monsieur... et c'est pourquoi ce n'est pas la vôtre. Pour ma part je n'y suis pas non plus et cependant c'est la mienne.

HAMLET

Tu veux me mettre dedans quand tu dis que c'est la tienne. Car les tombes sont pour les morts, elles ne sont pas pour les vifs, ainsi donc tu mens.

LE PREMIER FOSSOYEUR

Un mensonge pris sur le vif, monsieur. Il vous reviendra vivement.

HAMLET

Pour quel homme creuses-tu cette fosse?

LE PREMIER FOSSOYEUR

Ce n'est pas un homme, monsieur.

HAMLET

Pour quelle femme, alors?

LE PREMIER FOSSOYEUR

Ce n'est pas non plus une femme.

HAMLET

Qui va-t-on y enterrer?

LE PREMIER FOSSOYEUR

Une qui fut une femme, monsieur. Mais, paix à son âme! qui est morte.

HAMLET

Quel puriste que ce rustre! Parlez comme un dictionnaire, sinon vos à-peu-près vous perdront. Par le Ciel, Horatio, je l'ai bien vu au cours de ces trois années, notre époque est devenue si raffinée que l'orteil du manant touche le talon de l'homme de cour et lui écorche les engelures... Depuis combien de temps es-tu fossoyeur?

LA PREMIER FOSSOYEUR

Exactement depuis le jour où notre feu roi Hamlet triompha de Fortinbras.

HAMLET

Cela fait combien d'années?

LE PREMIER FOSSOYEUR

Vous ne le savez pas? Le premier imbécile venu vous le dirait. C'était le jour que naquit le jeune Hamlet, celui-là qui est fou et qu'on a envoyé en Angleterre.

HAMLET

Et pourquoi diable l'a-t-on envoyé en Angleterre?

LE PREMIER FOSSOYEUR

Eh bien, parce qu'il est fou. Il y retrouvera la raison et, s'il n'y arrive pas, ça n'y aura pas grande importance.

HAMLET

Pourquoi?

LE PREMIER FOSSOYEUR

On ne le remarquera pas. Tous les gens là-bas sont fous comme lui.

HAMLET

Comment est-il devenu fou?

LE PREMIER FOSSOYEUR

Très bizarrement, à ce qu'on dit.

HAMLET

Comment ça, bizarrement?

LE PREMIER FOSSOYEUR

Ma foi, il a perdu ses esprits.

HAMLET

Et pour quelle raison?

LE PREMIER FOSSOYEUR

Parbleu! la raison d'État[51]. Voici trente ans que je suis fossoyeur ici et j'ai commencé jeunot.

HAMLET

Combien de temps un homme peut-il rester dans la terre, avant de pourrir?

LE PREMIER FOSSOYEUR

Ma foi, s'il n'est pas pourri avant de mourir — et ça ne manque pas au jour d'aujourd'hui les vérolés qui supportent tout juste l'inhumation — il vous durera bien huit ans, neuf ans. Un tanneur durera neuf ans.

HAMLET

Pourquoi le tanneur plutôt qu'un autre?

LE PREMIER FOSSOYEUR

Eh, monsieur, c'est que sa peau est si boucanée, par son travail, qu'il ne prend pas l'eau avant longtemps. Il n'y a pas pire que l'eau pour votre fils de pute de cadavre. Tenez, voici un crâne. Ça fait vingt-trois ans qu'il était en terre.

HAMLET

Qui est-ce donc?

LE PREMIER FOSSOYEUR

Un sacré bougre de farceur. Qui pensez-vous que ce fût?

HAMLET

Ah, je ne sais pas.

LE PREMIER FOSSOYEUR

La peste soit de cet enragé plaisantin! Un jour il m'a versé un flacon de vin du Rhin sur la tête! Ce crâne que voici, monsieur, eh bien, monsieur, ce fut le crâne de Yorick, le bouffon du roi.

HAMLET

Ce crâne-ci?

LE PREMIER FOSSOYEUR

Exactement celui-là.

HAMLET

Donne. *(Il prend le crâne.)* Hélas! pauvre Yorick! Je l'ai connu, Horatio, c'était un garçon d'une verve prodigieuse, d'une fantaisie infinie. Mille fois il m'a porté sur son dos; et maintenant, quelle horrible chose que d'y songer! J'en ai la nausée. Voici la place des lèvres que j'ai baisées tant de fois. Où sont tes railleries, maintenant? Tes gambades, tes chansons, tes explosions de drôleries dont s'esclaffait toute la table? Plus un sarcasme aujourd'hui pour te moquer de cette grimace? Rien que ce lugubre bâillement? Va donc trouver Madame dans sa chambre et lui dire qu'elle a beau se mettre un pouce de fard, il faudra bien qu'elle en vienne à cette figure. Fais-la rire avec cette idée... Je t'en prie, Horatio, dis-moi.

HORATIO

Que dois-je vous dire, monseigneur?

HAMLET

Crois-tu qu'Alexandre a eu cette mine-là, dans la terre?

HORATIO

Exactement celle-là.

HAMLET

Et cette odeur aussi? Pouah! *(Il jette le crâne.)*

HORATIO

Exactement, monseigneur.

HAMLET

A quels vils usages pouvons-nous être rendus, Horatio! Ne peut-on suivre par l'imagination le destin de la noble poussière d'Alexandre, jusqu'à la retrouver bouchant une bonde de tonneau?

HORATIO

Ce serait trop de subtilité, monseigneur.

HAMLET

Non, en vérité, pas du tout. Il suffit de l'accompagner jusque-là sans passer les bornes de la vraisemblance — comme ceci, par exemple : Alexandre est mort, Alexandre est enterré, Alexandre retourne à la poussière, la poussière devient la terre, de la terre on tire la glaise et pourquoi cette glaise que le voici devenu ne

pourrait-elle fermer un tonneau de bière?
L'impérial César, mort et changé en glaise,
Bouchera quelque trou pour arrêter le vent.
Dire que cette terre, effroi jadis du monde,
Va rapiécer le mur où passait l'ouragan!
Mais, chut! éloignons-nous. Voici le roi,
La reine, les courtisans.

Un cortège entre dans le cimetière. Laërte, le roi, la reine, des courtisans et un officiant accompagnent le corps d'Ophélie.

Qui accompagnent-ils?
Et pourquoi ce rite incomplet? Il signifie
Que celui que l'on mène a dans son désespoir
Attenté à sa vie... Il était de haut rang.
Cachons-nous un instant et observons.

Ils se retirent.

LAERTE,

Est-ce là toute la cérémonie?

HAMLET, *bas*

Laërte!
Un bien noble jeune homme... Écoutons-le.

LAERTE

Est-ce là toute la cérémonie?

L'OFFICIANT

Nous avons donné à ses funérailles
Autant d'ampleur qu'il nous était permis.
Sa mort était suspecte,
Et si un ordre souverain n'avait prévalu sur l'usage,
Elle aurait reposé dans la terre profane
Jusqu'aux trompettes du dernier jour.
Au lieu des bonnes prières,
Des tessons, des éclats de silex, des cailloux
Eussent été jetés sur elle.

Mais on lui a donné les guirlandes des vierges,
On a jeté des fleurs sur son corps, et les cloches
L'auront accompagnée à son dernier séjour.

LAERTE

Il n'y aura donc rien d'autre?

L'OFFICIANT

Non, rien de plus!
Ce serait profaner le service des morts
Que de chanter un grave requiem
Et d'implorer pour elle un même repos
Que pour les âmes parties en paix.

LAERTE

Mettez-la dans la terre,
Et de sa belle chair immaculée
Que naissent les violettes! O prêtre hargneux,
Ma sœur officiera parmi les anges
Quand toi tu hurleras.

HAMLET

Quoi, la belle Ophélie!

LA REINE, *répandant des fleurs.*

Que les fleurs aillent aux fleurs. Oh! au revoir!
J'avais l'espoir que tu épouserais mon cher Hamlet,
Je pensais décorer ton lit nuptial, ma charmante fille,
Et non pas fleurir ton tombeau.

LAERTE

Oh! qu'un triple malheur
Tombe dix fois triplé sur la tête maudite
Dont la perverse action t'a séparée
De ton esprit délicat! Retenez un moment la terre,
Que je la prenne encore dans mes bras.

Il saute dans la fosse.

Et maintenant jetez votre poussière
Sur le vif et la morte, et tant et tant

Que de ce creux vous fassiez une crête
Plus haute que le vieux Pélion ou que la cime
De l'Olympe bleu dans le ciel!

HAMLET, *s'avançant.*

Quel est-il celui-là, dont le chagrin
S'exprime avec autant de force? Dont le cri
Conjure l'astre errant et fait qu'il s'arrête
Comme un homme frappé d'effroi? Mais me voici,
Moi, Hamlet le Danois!

Il saute dans la fosse à la suite de Laërte.

LAERTE, *le saisissant.*

Le diable emporte ton âme!

HAMLET

C'est mal prié.
Et, s'il te plaît, ôte tes doigts de ma gorge,
Car bien que je ne sois bilieux ni impulsif,
Pourtant je sens en moi quelque chose de dangereux
Qu'il sera sage que tu craignes. Ote ta main!

LE ROI

Séparez-les.

LA REINE

Hamlet, Hamlet!

TOUS

Messieurs!

HORATIO

Mon cher seigneur, calmez-vous.

On les sépare et ils sortent de la tombe.

HAMLET

Eh bien, je veux me battre avec lui sur ce thème
Jusqu'à ce que mes yeux accablés se ferment.

LA REINE

Sur quel thème, mon fils?

HAMLET

J'aimais Ophélie. Quarante mille frères
Ne pourraient pas avec tout leur amour
Atteindre au chiffre du mien... Que feras-tu pour elle?

LE ROI

Oh! il est fou, Laërte.

LA REINE

Pour l'amour de Dieu, laissez-le.

HAMLET

Morbleu, explique-moi ce que tu vas faire.
Pleurer? Te battre? Jeûner? Te déchirer la poitrine?
Ou avaler du vinaigre? Ou manger un crocodile?
Je le ferai! Viens-tu ici pour pleurnicher,
Pour me braver en sautant dans sa tombe?
Fais-toi enterrer vif avec elle et je le ferai,
Et puisque tu as tant à dire sur les montagnes,
Qu'on les jette sur nous par millions d'acres, et que notre
tertre,
S'étant roussi le crâne aux demeures du feu,
Fasse d'Ossa une simple verrue! Oui, fais le matamore,
Et je déclamerai aussi bien que toi.

LA REINE

C'est de la pure folie:
Et ainsi un moment l'accès va l'accabler,
Puis, aussi patiemment que la colombe
Quand ses petits dorés viennent d'éclore,
Il s'assiéra, silencieux et prostré.

HAMLET

M'entendez-vous, monsieur?
Et pour quelle raison me traitez-vous ainsi?
Toujours je vous ai bien aimé; mais peu importe.
Hercule[52] même aurait beau s'employer,
Le chat peut bien miauler, le chien gagnera.

Il sort.

LE ROI

Je te prie, mon cher Horatio, accompagne-le.

Horatio suit Hamlet.

(Bas, à Laërte.) Soyez patient, songez à nos propos d'hier,
Nous allons en venir au dénouement...
Ma chère Gertrude, faites que l'on veille sur votre fils.
Je veux sur cette tombe un monument durable...
Bientôt nous connaîtrons des heures paisibles,
En attendant, agissons patiemment.

Ils sortent.

SCÈNE II

La grande salle du château.

Entrent Hamlet et Horatio.

HAMLET

Bien, venons-en maintenant à l'autre affaire.
Te souviens-tu de la situation?

HORATIO

Si je m'en souviens, monseigneur!

HAMLET

Mon cher, il y avait dans mon cœur un combat
Qui me privait de sommeil. Je me sentais
Plus mal que des mutins aux fers. Mais je fus audacieux,
Et que bénie soit cette audace! Il faut bien voir
Que la témérité quelquefois nous sert
Quand nos calculs les plus profonds achoppent,
Et cela nous enseigne qu'il est un Dieu
Pour donner forme à nos pauvres ébauches.

HORATIO

Cela n'est pas douteux.

HAMLET

Je sors de ma cabine, mon caban
Jeté sur les épaules. Dans le noir
Je tâtonne pour les trouver. J'y réussis,
Je subtilise leur paquet, et je rentre enfin
Dans mon appartement, où je m'enhardis,
Mes craintes l'emportant sur tout, à décacheter
La missive royale. Et j'y trouve, Horatio,
— O félonie du roi! — l'ordre formel,
Truffé de réflexions de diverses sortes
Sur l'intérêt du Danemark, de l'Angleterre
Et l'affreux loup-garou qui vit en moi,
Qu'au vu de cette lettre et sans tarder,
Non, pas même du temps d'affûter la hache,
On me tranche la tête.

HORATIO

Est-ce possible?

HAMLET

Voici l'ordre, que tu liras plus à loisir.
Mais comment j'ai agi, veux-tu le savoir?

HORATIO

Je vous en prie.

HAMLET

Ainsi pris au filet de leurs infamies
— Avant que je n'aie pu rédiger le prologue
Mon cerveau commençait la pièce! — je m'assieds,
Je forge une autre lettre et j'en fais la copie...
Jadis je méprisais, comme nos ministres,
L'art de calligraphier, et je me suis donné
Beaucoup de mal pour l'oublier, mais cette fois
Il m'a rendu grand service. Mon ami,
Ce que j'ai écrit là, veux-tu le savoir?

HORATIO

Certes, mon cher seigneur.

HAMLET

Une pressante adjuration signée du roi :
Vu que l'Anglais est son vassal fidèle,
Vu que leur affection doit fleurir comme le palmier[53],
Vu que la paix doit porter sans cesse sa couronne d'épis de blé
Et rester comme un trait d'union entre leurs deux cœurs
— Et combien d'autres « vus[54] » tout aussi pesants! —
Qu'il veuille donc, au vu et su de cette lettre,
Sans balancer un instant et sans même
Leur accorder le temps de se confesser,
Faire égorger les porteurs.

HORATIO

Comment avez-vous scellé?

HAMLET

Eh bien, le Ciel aussi a réglé cela.
J'avais sur moi le cachet de mon père
Qui reste le modèle du sceau danois.
J'ai donc plié la lettre comme était l'autre,
Écrit l'adresse, imprimé le sceau, replacé le tout
Sans encombre; et jamais la substitution
N'aura été soupçonnée. Le lendemain
Vit ce combat naval. Et ce qui s'ensuivit,
Tu le sais.

HORATIO

Et ainsi Rosencrantz et Guildenstern...

HAMLET

Ah! mon ami, c'est eux qui ont courtisé l'emploi,
Ils n'encombrent pas ma conscience! Leur catastrophe
Est la suite de leurs intrigues. C'est dangereux,
Pour les hommes de peu, de s'introduire
Dans un assaut féroce où flamboient les épées
De puissants adversaires.

HORATIO

Mais quel roi est-ce là?

HAMLET

Ne te semble-t-il pas qu'un devoir m'incombe?
Celui qui a tué mon roi, prostitué ma mère,
Qui a surgi entre la couronne et mes droits,
Qui a jeté sa nasse sur ma vie,
Et avec quelle fourbe! n'est-il pas
Payable en bonne règle avec ce bras?
Et n'est-ce pas risquer d'être damné
Que de laisser ce chancre de nos natures
Progresser dans le mal?

HORATIO

Il sera sûrement informé bientôt
Du dénouement des choses d'Angleterre.

HAMLET

Il le sera. Mais l'intervalle est mien,
Et l'on prend une vie dans le temps de dire : Un.
Ce qui me fâche, cher Horatio,
C'est de m'être oublié devant Laërte;
Car je vois dans l'aspect de ma propre cause
Un reflet de la sienne. J'essaierai
De gagner sa faveur. Mais vrai, il m'a jeté,
Par l'emphase de sa douleur, dans une rage
Haute comme une tour!

HORATIO

Attention! Qui vient là?

Entre Osric, courtisan vêtu à la dernière mode.

OSRIC

Que Votre Seigneurie soit la bienvenue, à son retour sur le sol danois!

HAMLET

Je vous remercie humblement, monsieur. *(Bas.)* Connais-tu ce moucheron?

HORATIO, *bas.*

Non, mon cher seigneur.

HAMLET, *bas.*

Tu n'en es que plus près du Ciel, c'est un vice que le connaître. Il a beaucoup de terres, qui sont fertiles. Qu'une bête règne sur d'autres bêtes, et elle aura sa mangeoire à la table même du roi. C'est un choucas, mais, comme je te l'ai dit, possesseur de vastes boues.

OSRIC

Mon aimable seigneur, si Votre Seigneurie avait loisir de m'écouter, je lui ferais part d'un message de Sa Majesté.

HAMLET

Je le recevrai, monsieur, avec toute l'attention dont mon esprit est capable... Rendez votre chapeau à son vrai usage : c'est pour la tête.

OSRIC

Je remercie Votre Seigneurie, il fait très chaud.

HAMLET

Mais non, très froid, croyez-moi; le vent est au nord.

OSRIC

En effet, monseigneur, il fait passablement froid.

HAMLET

Et pourtant cette chaleur me paraît absolument étouffante.

OSRIC

Une chaleur excessive, monseigneur! Absolument étouffante, je ne saurais dire à quel point. Mais, mon cher seigneur, Sa Majesté m'a chargé de vous apprendre qu'elle a fait un grave pari sur votre tête. Monsieur, voici de quoi il s'agit...

HAMLET, *l'engageant de nouveau à se couvrir.*

Je vous en supplie, n'oubliez pas...

OSRIC

Non, non, mon cher seigneur, c'est pour être plus à mon aise, je vous assure. Monsieur, la cour a vu récemment arriver Laërte, un parfait gentilhomme, croyez-moi, que distinguent les plus hautes qualités, un très agréable commerce et la plus belle prestance. En vérité, pour achever d'en faire l'article, je dirai qu'il est la carte et le portulan de la courtoisie, car vous trouveriez en lui, comme un continent, toutes ces régions que veut visiter un gentilhomme.

HAMLET

Monsieur, son portrait ne perd rien de votre fait, et pourtant je sais bien que l'inventaire détaillé de ses vertus étourdirait l'arithmétique de la mémoire. Elle ne ferait qu'y louvoyer loin de cette voile rapide. Mais pour allier la vérité à l'éloge, je dirai que je le tiens pour une âme de très haut prix; et que le suc de ses qualités est d'une telle valeur et d'une rareté si grande que, pour le peindre au vrai, il n'a de semblable qu'en son miroir. Oui, qui pourrait l'imiter? Son reflet, son reflet seul.

OSRIC

Votre Seigneurie en parle à la perfection.

HAMLET

Mais qu'allons-nous en dire, monsieur! Pourquoi affublons-nous ce gentilhomme des rudesses de notre souffle?

OSRIC

Comment, monsieur?

HORATIO

Ne comprenez-vous pas votre parler chez un autre? Vous y viendrez, monsieur, je n'en doute pas.

HAMLET

Pourquoi évoquiez-vous ce gentilhomme?

OSRIC

Laërte?

HORATIO, *bas.*

Sa bourse est déjà vide, il a dépensé tout son bel or de paroles.

HAMLET

Oui, monsieur.

OSRIC

Je sais que vous n'êtes pas ignorant...

HAMLET

Tant mieux si vous le pensez, monsieur; bien qu'en vérité cela ne prouve guère en ma faveur. Eh bien, monsieur?

OSRIC

Que vous n'êtes pas ignorant de la valeur de Laërte...

HAMLET

Je n'oserais l'avouer, de peur de sembler rivaliser avec lui. Pour bien connaître un homme il faut d'abord se connaître.

OSRIC

Je ne parle, monsieur, que de sa valeur aux armes. Si l'on en croit seulement ce qu'on dit de lui dans sa suite, il y serait sans rival.

HAMLET

Quelle est son arme?

OSRIC

La rapière et la dague.

HAMLET

Cela fait deux armes. Bien. Ensuite?

OSRIC

Le roi, monsieur, a fait avec lui le pari de six chevaux de Barbarie, contre lesquels il a gagé, à ce que je crois, six rapières et six poignards de France, avec leurs accessoires, ceinturons, pendants, etc. Trois de ces affûts sont d'un goût très rare, vraiment, très bien appariés aux gardes; de bien délicats affûts, d'un travail plein de finesse.

HAMLET

Qu'appelez-vous les affûts?

HORATIO, *bas.*

Je savais bien qu'il faudrait recourir aux notes avant la fin.

OSRIC

Les affûts, monsieur, ce sont les pendants.

HAMLET

Le mot conviendrait mieux à la chose, si c'était un canon que nous portions au côté... En attendant je préférerais que l'on en reste aux pendants. Mais poursuivons! Six chevaux de Barbarie contre six épées françaises, leurs accessoires, et trois affûts d'un travail plein de finesse. L'enjeu français contre le danois. Pourquoi tout cela est-il gagé, comme vous dites?

OSRIC

Le roi, monsieur, a parié, il a parié, monsieur, qu'en douze reprises entre Laërte et vous-même, il ne marquerait pas trois touches de plus que vous. Il a parié douze contre neuf[55]. Et le combat aurait lieu sur-le-champ, si Votre Seigneurie daignait répondre.

HAMLET

Et si je répondais non?

OSRIC

C'est répondre au défi que je voulais dire, monseigneur.

HAMLET

Monsieur, je vais faire quelques pas dans cette salle, n'en déplaise à Sa Majesté. C'est l'heure de ma récréation. Et si l'on apporte les épées[56], si ce gentilhomme est d'accord et si le roi maintient son pari, je le rendrai vainqueur si je le peux. Autrement j'en serai quitte pour la honte et pour les points concédés.

OSRIC

Rapporterai-je votre réponse dans ces termes?

HAMLET

Pour le sens, oui. Mais parez-la, monsieur, de toutes les fleurs qui vous plairont.

OSRIC

Mon dévouement se recommande à Votre Seigneurie.

HAMLET

Merci, merci.

Osric sort.

Il fait bien de se recommander lui-même, qui trouverait-on d'autre pour s'en charger?

HORATIO

Voyez l'étourneau qui s'envole avec sa coquille sur la tête!

HAMLET

Que de politesses devait-il faire au sein de sa nourrice avant de commencer à téter! Comme tant d'autres de la même volée, dont je sais que raffole ce temps futile, il n'a fait qu'adopter le ton du jour et, sous les dehors des bonnes manières, une sorte d'écume, un ramassis d'opinions qui leur permet de prétendre aux idées les plus fortes et subtiles; mais soufflez seulement dessus pour les mettre un peu à l'épreuve : toutes ces bulles vont éclater.

Entre un seigneur

LE SEIGNEUR

Monseigneur, Sa Majesté vous a fait mander ses compliments par le jeune Osric qui lui a rapporté que vous l'attendiez dans cette salle. Elle m'envoie vous demander s'il est à votre gré de combattre avec Laërte, ou si vous préférez différer l'assaut.

HAMLET

Je suis constant dans mes résolutions et elles se conforment au gré du roi. S'il me dit ce qui lui convient, je m'y prépare. Maintenant ou n'importe quand. Il suffit que je sois en forme, comme à présent.

LE SEIGNEUR

Le roi descend avec la reine et toute la cour.

HAMLET

A la bonne heure!

LE SEIGNEUR

La reine voudrait qu'avant de combattre vous fassiez à Laërte un accueil courtois.

HAMLET

Elle me donne là un bon conseil.

Le seigneur sort.

HORATIO

Vous allez perdre ce pari, monseigneur.

HAMLET

Je ne le pense pas. Depuis son départ pour la France, je n'ai pas cessé de m'exercer. Je gagnerai grâce à l'avantage qu'il me concède. Pourtant tu ne saurais croire combien tout cela me pèse ici, du côté du cœur... Mais peu importe!

HORATIO

Certes, non, mon cher seigneur...

HAMLET

C'est de la pure sottise. La sorte de pressentiment qui troublerait une femme.

HORATIO

Si votre esprit a quelque répugnance, écoutez-le. Je préviendrai leur venue en disant que vous n'êtes pas en forme.

HAMLET

Pas du tout! Défions le présage! Même la chute d'un moineau est réglée par la Providence. Si ce doit être pour maintenant, ce ne sera plus à venir. Si ce n'est plus à venir, c'est pour maintenant. Et si ce n'est pas pour maintenant, pourtant mon heure viendra. Le tout est d'y être prêt. Puisque aucun homme ne peut apprendre, de ce qu'il va laisser, quand il faudra qu'il le laisse, résignons-nous.

Entrent le roi, la reine, les courtisans; Osric et un seigneur qui seront les juges; et enfin Laërte.

LE ROI

Venez, Hamlet, venez prendre cette main
Que vous présente la mienne.

Il met la main de Laërte dans celle d'Hamlet.

HAMLET

J'ai des torts envers vous, monsieur, pardonnez-moi
Comme il sied à un gentilhomme. Cette cour
N'ignore pas, et vous ne pouvez pas ne pas savoir
Que je suis affligé d'un triste égarement.

Si j'ai fait quelque chose qui ait pu
Blesser vos sentiments ou votre honneur,
J'affirme ici que ce n'est que folie.
Est-ce Hamlet qui a offensé Laërte? Non, jamais.
Si Hamlet est arraché à ce qu'est Hamlet,
Et si dans cette absence il offense Laërte,
Alors ce n'est pas Hamlet qui agit, Hamlet l'affirme,
Et la seule coupable est sa folie : Hamlet
Est au nombre des offensés; et sa folie
S'est faite l'ennemie du pauvre Hamlet.
Monsieur, devant cette assemblée,
Je désavoue toute intention mauvaise.
Soyez donc assez généreux pour m'acquitter
Comme si, en tirant par-dessus ma maison,
J'avais blessé d'une flèche mon frère.

LAERTE

Mon sentiment filial est satisfait,
Dont les raisons étaient dans cette affaire
L'aiguillon le plus vif de ma vengeance.
Sur le point de l'honneur je suis plus réservé
Et je ne consens pas à l'apaisement
Tant que certains de nos anciens, experts en cette matière,
N'auront pas de leur voix autorisée
Rendu le jugement qui protège mon nom.
Mais sans attendre j'accepte votre amitié
Et je ne ferai rien qui puisse lui nuire.

HAMLET

Je me plie volontiers à ces conditions, et loyalement
Je soutiendrai ce pari fraternel.
Allons, nos épées! En garde!

LAERTE

Allons, une pour moi.

HAMLET

Je ne serai pour vous qu'un repoussoir[57], Laërte,
Votre art comme une étoile dans la nuit
Resplendira de mon inexpérience.

LAERTE

Vous voulez rire, monsieur.

HAMLET

Je vous jure que non.

LE ROI

Donnez-leur les épées, jeune Osric. Mon cousin,
Connaissez-vous les clauses du pari?

HAMLET

Très bien, monseigneur.
Votre Grâce a favorisé le camp le plus faible.

LE ROI

Je ne crains rien, je vous ai vus tous deux.
Mais il a fait des progrès, c'est pourquoi
Il nous donne des points.

LAERTE

Celle-ci est trop lourde, voyons une autre.

Il prend l'épée dont la pointe est empoisonnée.

HAMLET

Celle-ci me convient. Ont-elles toutes même longueur?

OSRIC

Certes, mon cher seigneur.

LE ROI

Placez les cruches de vin sur cette table.
Si Hamlet porte la première botte ou la seconde,
Ou s'il est à égalité au troisième échange,

Que fassent feu tous nos canons! Le roi
Boira au souffle d'Hamlet. Et dans la coupe
Il jettera une perle[58] de plus haut prix
Que celle qu'ont portée sur leur couronne
Quatre consécutifs souverains danois.
Donnez-moi les coupes,
Et que les timbaliers disent aux trompettes,
Les trompettes aux canonniers dehors,
Et les canons au ciel et le ciel à la terre,
Que « le roi boit à la santé d'Hamlet »! Allons, en place,
Et vous, ouvrez vos yeux, les juges.

HAMLET

En garde, monsieur.

LAERTE

En garde, monseigneur.

Ils combattent.

HAMLET

Une!

LAERTE

Non.

HAMLET

Arbitre?

OSRIC

Touché, très visiblement touché.

LAERTE

Soit! Reprenons.

LE ROI

Un moment. Qu'on me donne à boire. Hamlet,
Cette perle est à toi, je bois à ta santé.
Donnez-lui cette coupe.

HAMLET

D'abord cette reprise. Posez-la.

La coupe empoisonnée est posée sur une table.

En garde!

Ils combattent.

Une autre touche! Qu'en dites-vous?

LAERTE

Touché, touché, je l'avoue.

LE ROI

Notre fils va gagner.

LA REINE

Il est tout en sueur et hors d'haleine.
Tiens, Hamlet, prends mon mouchoir, essuie-toi le front.

Elle le lui donne et, s'approchant de la table, elle prend la coupe d'Hamlet.

La reine boit à ton succès, Hamlet.

HAMLET

Ma chère dame!

LE ROI

Gertrude, ne buvez pas.

LA REINE

Si, monseigneur, je vous prie de m'excuser.

Elle boit et tend la coupe à Hamlet.

LE ROI, *à part.*

La coupe empoisonnée! Il est trop tard!

HAMLET

Je n'ose pas boire encore, madame... Tout à l'heure.

LA REINE

Viens que j'essuie ton visage.

LAERTE, *au roi.*

Cette fois, monseigneur, je vais le toucher.

LE ROI

J'en doute.

LAERTE, *à part.*

Et pourtant ma conscience est au point de s'y refuser.

HAMLET

En garde pour la troisième passe, Laërte! Vous plaisantez!
Je vous prie, donnez-vous à fond dans cette reprise.
Vous me traitez en enfant, je le crains.

LAERTE

Vous le dites? Bien, gardez-vous!

Ils combattent

OSRIC

Coup nul.

On les sépare.

LAERTE, *soudain.*

Gardez-vous!

Il prend Hamlet au dépourvu et le blesse légèrement. Corps à corps au cours duquel ils échangent leurs rapières.

LE ROI

Séparez-les, ils sont comme fous.

HAMLET, *attaquant.*

Non, reprenons!

La reine tombe.

OSRIC

Oh! voyez la reine, la reine!

Hamlet blesse Laërte.

HORATIO

Du sang de part et d'autre! Comment vous sentez-vous, monseigneur?

Laërte tombe

OSRIC

Laërte! Qu'y a-t-il?

LAERTE, *bas.*

Oh! Osric, je me suis pris à mon propre piège
Comme une bécasse. Je meurs
Très justement de ma propre traîtrise.

HAMLET

Comment va la reine?

LE ROI

Elle s'est évanouie en voyant le sang.

LA REINE

Non, non, c'est ce vin, ce vin! O mon cher Hamlet,
Le vin! le vin! Je meurs empoisonnée!

Elle meurt.

HAMLET

Infamie. Que l'on ferme les portes!
Trahison! Que l'on démasque le traître!

LAERTE

O Hamlet, le voici. Hamlet, tu vas mourir,
Aucun remède au monde ne te sauvera,
Il n'y a plus en toi une demi-heure de vie.
Et l'arme de la trahison est dans ta main,
Démouchetée et empoisonnée. La hideuse ruse
S'est retournée contre moi; vois, je m'écroule
Pour ne me relever jamais... Ta mère est empoisonnée...
Je n'en puis plus... Le roi, le roi est coupable.

HAMLET

La pointe aussi est empoisonnée? Alors, venin,
Parachève ton œuvre!

Il frappe le roi.

TOUS

Trahison! Trahison!

LE ROI

Oh! défendez-moi, mes amis, je suis seulement blessé!

HAMLET

Tiens, roi maudit, incestueux, assassin!

Il l'oblige à boire.

Achève cette boisson. Est-ce là ta perle?
Va retrouver ma mère.

Le roi meurt.

LAERTE

Il a eu ce qu'il méritait.
C'est un poison qu'il avait préparé.
Noble Hamlet, échangeons notre pardon.
Que ma mort ni celle de mon père ne retombe sur toi,
Non plus que sur moi la tienne!

Il meurt.

HAMLET

Que le Ciel te pardonne! Je te suis...

Il tombe.

Je me meurs, Horatio. O reine infortunée, adieu!
Et vous qui pâlissez à ce coup du sort,
Spectateurs silencieux de cette scène,
Si j'en avais le temps (mais ce cruel exempt, la Mort,
Est inflexible) oh, je pourrais vous dire...
Soit! Laissons... Horatio, je meurs; mais toi qui vis,
Justifie-moi et explique ma cause
A ceux qui douteront.

HORATIO

N'espérez pas cela.
Je suis moins un Danois qu'un antique Romain...
Il reste un peu de ce vin.

Il prend la coupe.

HAMLET

Si tu es un homme,
Donne-moi cette coupe, donne... Par le Ciel

Il se dresse, arrache la coupe et retombe.

Je l'aurai... Oh! par Dieu, Horatio, quel nom terni
Me survivrait si rien n'était connu!
Si jamais j'ai eu place dans ton cœur,
Prive-toi un moment des joies du ciel,
Et respire à regret dans cet âpre monde
Pour dire ce que je fus.

On entend le bruit d'une troupe de soldats, et une salve.

Quel est ce bruit guerrier?

OSRIC

Le jeune Fortinbras rentre vainqueur de Pologne
Et salue les ambassadeurs anglais
De cette salve martiale.

HAMLET

Oh, je meurs, Horatio.
La force du poison l'emporte sur ma vie,
Je ne puis vivre assez pour rien savoir
Des nouvelles de l'Angleterre.
Mais je prédis que Fortinbras sera élu
Et je lui donne ma voix qui meurt. Dis-lui cela,
Avec tous les hasards grands ou minimes
Qui m'ont incité à... Mais le reste est silence.

Il meurt.

HORATIO

Un noble cœur se rompt. Bonne nuit, cher prince,
Que les chants des anges te portent à ton suprême repos.
Pourquoi ces tambours se rapprochent-ils?

Entre le prince Fortinbras, les ambassadeurs anglais et d'autres.

FORTINBRAS

Où donc est ce spectacle?

HORATIO

Que désirez-vous voir? Arrêtez-vous ici
Si vous cherchez le deuil et le prodige.

FORTINBRAS

Cette curée
Proclame le carnage. O orgueilleuse Mort,
Quel festin se prépare en ton antre éternel,
Pour que tu aies ainsi frappé tant de princes
D'un seul coup si sanglant?

LE PREMIER AMBASSADEUR

Ce spectacle est lugubre,
Et nos nouvelles d'Angleterre arrivent trop tard.
Il est sourd maintenant celui qui aurait dû nous entendre
Et tenir de nous que ses ordres ont tous été accomplis,
Que Rosencrantz et Guildenstern sont morts.
Qui nous remerciera?

HORATIO

Ce n'est certes pas lui,
Quand bien même il aurait le pouvoir de le faire.
Il n'a jamais ordonné leur mort.
Mais puisqu'au moment même où ce sang fut versé,
Vous d'Angleterre et vous des guerres de Pologne,
Vous êtes arrivés — ordonnez que ces corps
Soient hissés à la vue de tous sur une estrade,
Et laissez-moi apprendre au monde ignorant
Comment ceci s'est produit. Je parlerai
D'actes lascifs, sanglants, contre nature,
De jugements et meurtres de hasard,
Des morts que provoqua une ruse obligée,

Et, dans ce dénouement, d'intrigues maladroites
Retombées sur leurs inventeurs. Oui, je puis tout vous
dire,
Toute la vérité.

FORTINBRAS

Hâtons-nous de l'entendre,
Et appelons à la partager les plus nobles.
Pour moi, avec chagrin j'embrasse ma fortune :
J'ai des droits jamais oubliés sur ce royaume,
Cette occasion m'incite à les faire valoir.

HORATIO

De cela aussi j'aurai à parler, au nom
D'un homme dont la voix en entraînera d'autres.
Mais profitons du désarroi et faisons vite,
De peur que des complots ou des méprises
Ne viennent ajouter à nos malheurs.
Que quatre capitaines
Portent comme un soldat Hamlet sur l'estrade,
Car sûrement il se fût à l'épreuve
Avéré un grand roi. Sur son passage,
Que la musique et le rite des armes
Témoignent hautement de sa valeur.
Qu'on enlève ces corps. Un pareil spectacle
Sied au champ de bataille et non à ce lieu.
Allons, ordonnez aux soldats de tirer les salves.

Les soldats emportent les corps, on entend une marche, après quoi est tirée une salve d'artillerie.

FIN DE LA TRAGÉDIE D'HAMLET

OTHELLO

Traduction de Armand Robin

La scène : Venise, Chypre.

PERSONNAGES

LE DOGE de Venise.
BRABANTIO, sénateur, père de Desdémone.
D'autres sénateurs.
GRATIANO, frère de Brabantio.
LODOVICO, parent de Brabantio.
OTHELLO, noble More au service de l'État de Venise.
CASSIO, son lieutenant.
IAGO, son enseigne.
RODERIGO, gentilhomme de Venise.
MONTANO, prédécesseur d'Othello comme gouverneur de Chypre.
Un bouffon au service d'Othello.
DESDÉMONE, fille de Brabantio et femme d'Othello.
EMILIA, femme d'Iago.
BIANCA, maîtresse de Cassio.
Marin, messager, héraut, officiers, gentilshommes, musiciens, et gens faisant suite.

ACTE PREMIER

SCÈNE PREMIÈRE

Une rue à Venise.

Entrent Roderigo et Iago.

RODERIGO

Fi! ne m'en parle jamais; je trouve cela très mal
Que toi, Iago, qui eus ma bourse comme si les cordons
T'appartenaient, tu aies eu connaissance de l'affaire.

IAGO

Sambleu! mais vous ne voulez pas m'écouter!
Si jamais j'ai rêvé d'une pareille chose,
Exécrez-moi.

RODERIGO

Tu m'as dit que tu l'avais en haine.

IAGO

Méprisez-moi si ce n'est pas vrai. Trois grands de la cité,
En vue de faire que je sois son lieutenant sont allés en
personne
Lui tirer leur bonnet; et, foi d'homme,
Je connais ma valeur; je ne mérite pas un poste moindre.
Mais lui, en homme affectionnant son orgueil et ses points
de vue,
Les éluda avec des circonlocutions ampoulées
Horriblement farcies d'épithètes guerrières;
Et, en conclusion,
Déboute mes médiateurs : « car, c'est sûr, dit-il,
J'ai choisi déjà mon officier! »

Et qu'était-il?
Ma foi, un grand arithméticien,
Un certain Michel Cassio, un Florentin,
Un gaillard presque maudit sous forme de jolie femme,
Qui jamais ne rangea en bataille un escadron
Et ne connaît pas les manœuvres tactiques
Mieux qu'une damoiselle, mise à part la théorie livresque
Où les consuls en toge peuvent disserter
Aussi magistralement que lui : pur verbiage sans pratique
Est tout son métier de soldat. Mais lui, monsieur, on l'a
 préféré;
Et moi, qu'il a de ses yeux vu à l'œuvre
A Rhodes, à Chypre et en d'autres contrées
Païennes et chrétiennes, il faut que je sois mis en panne
 et au calme
Par Sire Doit et Avoir; ce comptable-calculateur,
Celui-là, en temps voulu, sera forcément son lieutenant
Et moi — Dieu bénisse cette distinction — le vétéran de
 Sa mauresque Seigneurie!

RODERIGO

Par le Ciel, j'eusse préféré être l'homme qui l'aurait pendu.

IAGO

Mais quoi, il n'y a rien à faire; c'est la malédiction du
 service;
L'avancement vient par recommandation et par faveur
Et non par ancienneté, qui ferait chaque fois du second
L'héritier du premier. Or donc, monsieur, jugez vous-
 même
Si en quelque chose je suis justement engagé
A aimer le More.

RODERIGO

En ce cas je ne resterais pas sous ses ordres.

IAGO

Oh! monsieur, rassurez-vous.
Je le sers afin de lui servir un de mes tours.

Nous ne pouvons tous être des maîtres et tous les maîtres
Ne peuvent être servis avec loyauté. Vous en remarquerez beaucoup
De ces faquins soumis, aux genoux courbés,
Qui, s'éprenant de leur obséquieux esclavage,
Usent leurs jours, tout comme l'âne de leur maître,
Pour leur seule pitance; quand ils sont vieux, on les congédie.
Fouettez-moi ces honnêtes coquins. Il en est d'autres
Qui, parés des formes et des visages du dévouement,
Gardent leurs cœurs attentifs à eux-mêmes
Et, ne jetant à leur seigneur que des semblants de service,
Prospèrent sur son dos; une fois bien doublée leur jaquette,
Ils se rendent hommage à eux-mêmes. Ces gaillards-là ont quelque esprit
Et je fais profession d'être des leurs.
Car, monsieur,
Aussi sûr que vous êtes Roderigo,
Si j'étais le More je ne serais pas Iago,
Le servant, je ne sers que moi-même;
Le Ciel en est mon juge, je ne le sers ni par amour ni par devoir,
Mais, avec ces semblants, pour ma fin particulière;
Le jour où mes actes extérieurs montreront
L'acte et la figure intérieure de mon cœur
En guise de visible offrande, il ne se passera pas longtemps
Avant que je porte mon cœur sur ma manche
Pour que les corneilles le becquettent[1]. Je ne suis pas ce que je suis.

RODERIGO

Quelle totale chance il a, le gros-lippu,
De pouvoir réussir ainsi!

IAGO

Va réveiller le père de sa belle.
Fais-le se lever, assaille-le, empoisonne sa félicité,

Crie son nom dans les rues, ameute ses parents;
Même s'il habite un climat de fécondité,
Qu'il y ait sur lui peste de mouches; quand sa joie serait
la joie même,
N'importe! jette sur elle tant de troubles et de variations
Qu'elle perde de son éclat!

RODERIGO

Voici la maison de son père; je vais l'appeler tout haut.

IAGO

Fais-le; avec un accent de terreur et d'affreux hurlements
Comme lorsque, dans la nuit et l'insouciance, le feu
Est perçu de quelqu'un dans les cités populeuses.

RODERIGO

Holà, Brabantio! Signor Brabantio, hop!

IAGO

Réveille-toi! Holà, Brabantio! Aux voleurs!
Aux voleurs! aux voleurs!
Gare à votre maison, à votre fille, à vos sacs d'or!
Aux voleurs! aux voleurs!

Brabantio apparaît en haut, à la fenêtre

BRABANTIO

Quelle est la raison de ces terribles appels?
De quoi s'agit-il là?

RODERIGO

Seigneur, toute votre famille est-elle au logis?

IAGO

Vos portes sont-elles fermées?

BRABANTIO

Quoi? pourquoi ces questions?

IAGO

Sambleu! monsieur, on vous vole; par pudeur, passez votre robe;
On vous a déchiré le cœur, vous avez perdu la moitié de votre âme;
Juste à l'instant, oui, tout à fait à l'instant, un vieux bélier noir
Est en train de couvrir votre blanche brebis. Levez-vous, levez-vous!
Réveillez à sons de cloche les citoyens qui ronflent,
Sinon le diable va vous faire grand-père.
Levez-vous, dis-je!

BRABANTIO

Quoi, avez-vous perdu l'esprit?

RODERIGO

Très révérend signor, reconnaissez-vous ma voix?

BRABANTIO

Non. Qui êtes-vous?

RODERIGO

Mon nom est Roderigo.

BRABANTIO

Le pire accueil pour toi!
Je t'ai sommé de ne pas rôder autour de mes portes;
Tu m'as entendu dire en honnête franchise
Que ma fille n'est pas pour toi; et voici que démentiellement,
Plein de mangeaille et de boissons qui te dérangent,
Tu viens par méchante bravade
Alarmer mon repos.

RODERIGO

Monsieur, monsieur, monsieur...

BRABANTIO

Mais il faut absolument que tu sois sûr

Que mon cœur et mon rang ont le pouvoir
De te rendre l'affaire amère.

RODERIGO

Patience, bon monsieur.

BRABANTIO

Que me parles-tu de vol? Nous sommes ici à Venise;
Ma maison n'est pas une grange.

RODERIGO

Très sévère Brabantio,
C'est avec âme pure et simple que je viens à vous.

IAGO

Sambleu, monsieur, vous êtes de ceux qui ne veulent pas servir Dieu, si c'est le diable qui vous l'ordonne. Parce que nous venons pour vous rendre service et que vous nous prenez pour des rufians, vous aurez votre fille couverte par un étalon de Barbarie; vous aurez des petits-fils qui vous henniront aux oreilles; vous aurez des roussins pour cousins, des genets pour germains.

BRABANTIO

Quelle canaille païenne es-tu?

IAGO

Je suis une, monsieur, qui vient vous dire que votre fille et le More sont en train de faire en ce moment la bête à deux dos.

BRABANTIO

Tu es un salaud.

IAGO

Et vous un sénateur.

BRABANTIO

Tu m'en répondras; je te connais, Roderigo.

RODERIGO

Monsieur, je répondrai de tout. Mais je vous supplie,
Est-ce pour votre contentement, par votre très sage consentement.
Comme en partie je crois que c'est, que votre belle jeune fille
A cette heure étrange et sourde de la nuit
Est menée par un garde qui n'est ni moins ni plus
Qu'un faquin de louage public, un gondolier,
Vers les grossières étreintes d'un More plein de lascivetés.
Si cela vous est connu et qu'il y ait votre consentement,
Alors nous avons fait une insolente, impudente injure;
Mais si vous l'ignorez, mon savoir-vivre me dit
Que vous nous avez blâmés à tort. Ne croyez pas
Que, m'écartant du sens de toute civilité,
Je jouerais et plaisanterais ainsi avec Votre Grâce.
Votre fille, si vous ne lui avez donné permission,
Je vous répète, a commis une grossière rébellion
En liant ses soins, sa beauté, son esprit, ses biens
A un nomade, vagabond étranger
Qui n'est ni d'ici ni d'ailleurs. Ayez-en tout de suite les preuves :
Si elle est dans sa chambre ou dans votre maison,
Déchaînez sur moi la justice de l'État
Pour vous avoir ainsi abusé...

BRABANTIO

Holà, qu'on batte le briquet!
Donnez-moi un flambeau! Réveillez tous mes gens!
Cette aventure n'est pas sans ressembler à mon rêve;
Y croire est déjà pour moi un accablement;
De la lumière, dis-je! de la lumière!

Il rentre à l'intérieur.

IAGO

Adieu, il faut que maintenant je te laisse.
Il ne me semble ni séant ni sain en ma situation
D'être cité en témoin — comme je le serais, si je restais —

Contre le More, car je sais fort bien que l'État,
Bien que ceci puisse lui attirer quelque contrariété,
Ne peut sans danger s'en débarrasser; il est embarqué,
Pour des raisons si impérieuses, dans la guerre de Chypre
Toujours en cours, que, sur leur âme,
Ils n'ont personne de son étoffe
Pour conduire leur affaire; en conséquence,
Bien que je le haïsse à l'égal des peines de l'enfer,
Il me faut hisser le pavillon et l'enseigne de l'amitié,
Simple signe en vérité. Pour le découvrir à coup sûr,
Dirigez vers le Sagittaire[2] la recherche entreprise;
J'y serai avec lui. Donc adieu.

Il sort.

Entrent, en bas, Brabantio en robe de chambre et des serviteurs portant des torches.

BRABANTIO

C'est un trop vrai malheur; elle est partie;
Et ce qui me reste de ma vie que je méprise
N'est plus rien qu'amertume. Eh bien, Roderigo,
Où l'as-tu vue? O malheureuse fille!
Avec le More, dis-tu? Qui voudrait être père!
Comment as-tu su que c'était elle? Oh, elle me trompe
Au-delà de toute pensée! Que t'a-t-elle dit? Apportez d'autres flambeaux.
Réveillez toute ma parenté. Sont-ils mariés, à ton avis?

RODERIGO

En vérité, je crois que oui.

BRABANTIO

O Ciel! Comment s'est-elle enfuie? O trahison du sang!
Pères, désormais ne vous fiez pas aux sentiments de vos filles
D'après ce qu'elles semblent faire! N'y a-t-il point des charmes
Par lesquels l'intégrité de la jeunesse et de la virginité

Peut être corrompue? N'as-tu pas dans les livres, Roderigo,
Ouï parler de quelque chose de tel?

RODERIGO

Oui, seigneur, c'est vrai.

BRABANTIO

Faites lever mon frère. Oh que n'est-elle devenue tienne!
Les uns par ici, les autres par là! Sais-tu
Où nous pourrions les surprendre, elle et le More?

RODERIGO

Je pense pouvoir le découvrir, s'il vous plaisait
De me donner une bonne garde et de m'accompagner.

BRABANTIO

Je t'en prie, conduis-nous. A chaque maison j'appellerai;
Je puis parler en maître au besoin. Holà, prenez vos armes!
Et rassemblez quelques officiers spéciaux du guet nocturne.
En avant, bon Roderigo; je récompenserai tes peines.

Ils partent.

SCÈNE II

Une autre rue.

Entrent Othello, Iago et des serviteurs portant des torches.

IAGO

Bien que dans les affaires de guerre j'aie tué des hommes,
Je tiens fermement que l'étoffe même de la conscience
Est de ne pas commettre de meurtre concerté. Je ne sais pas être injuste,

Mainte fois, pour me rendre service. Neuf ou dix fois
J'ai pensé à le percer de coups de poignard sous les côtes.

OTHELLO

C'est mieux comme c'est.

IAGO

Ouais! mais il jasait,
Et proférait des mots si vils et si provocants
Contre Votre Honneur
Que, avec le peu de sainteté que j'ai,
J'ai eu rude peine à le supporter. Mais je vous prie, seigneur,
Êtes-vous solidement marié? Car soyez sûr de ceci :
Le magnifique[3] est très aimé
Et en efficacité il a une voix qui vaut
Deux fois celle du duc. Il vous fera divorcer
Ou jettera sur vous autant d'entrave, autant d'ennui
Que la loi, avec ce qu'il peut pour la renforcer,
Lui donnera de corde.

OTHELLO

Qu'il fasse selon son dépit!
Les services que j'ai rendus au corps seigneurial
Parleront plus haut que ses plaintes. Il reste ceci à connaître —
Le jour où je saurai que s'en vanter est un honneur,
Je le publierai — je tiens la vie et l'être
D'une lignée de rois; et mes mérites
Peuvent, chapeau sur la tête, parler à une fortune aussi fière
Que celle que j'ai conquise. Car sache-le, Iago,
Si je n'aimais la douce Desdémone,
Ma libre condition sans logis je refuserais
De la mettre en geôle en des limites
Pour tous les trésors de la mer. Mais voici, quelles sont ces lumières là-bas?

IAGO

C'est le père en alarme et ses amis.
Vous feriez mieux de rentrer.

OTHELLO

Non; il faut qu'on me trouve.
Mes talents, mon titre et mon cœur sans tache
Me montreront comme je suis. Est-ce eux?

IAGO

Par Janus[4], je pense que non.

Entrent, avec des torches, Cassio et quelques officiers.

OTHELLO

Les serviteurs du duc et mon lieutenant.
Les douceurs de la nuit sur vous, mes amis.
Quelles nouvelles?

CASSIO

Le duc vous salue, mon général,
Et requiert d'extrême urgence votre présence
Dans l'instant même.

OTHELLO

De quoi s'agit-il, selon vous?

CASSIO

Quelque nouvelle de Chypre, autant que je puisse deviner.
C'est une affaire qui presse : les galères
Ont dépêché l'un après l'autre une douzaine de messagers
Cette nuit même, sur les talons l'un de l'autre :
Et beaucoup de nos consuls, levés et rassemblés,
Sont déjà chez le duc. On vous a réclamé avec ardeur;
Puis, comme on ne vous a pas trouvé au logis,
Le Sénat a envoyé trois escouades différentes
Pour vous découvrir.

OTHELLO

Il est bien que ce soit vous qui m'ayez trouvé.
Le temps seulement de dire un mot en cette maison
Et je vous suis.

Il entre.

CASSIO

Enseigne, que fait-il là?

IAGO

Ma foi, il a cette nuit pris à l'abordage une caraque terrienne;
Si la prise est dite légitime, il a fortune pour toujours.

CASSIO

Je ne comprends pas.

IAGO

Il est marié.

CASSIO

A qui?

Rentre Othello.

IAGO

Marié à... Allons, capitaine, partons-nous?

OTHELLO

Je suis à vous.

CASSIO

Voici venir une autre troupe qui vous cherche.

IAGO

C'est Brabantio. Général, sur vos gardes!
Il vient avec mauvais desseins.

Entrent Brabantio, Roderigo, et des officiers avec des torches et des armes.

OTHELLO

Halte! Restez là!

RODERIGO

Seigneur, c'est le More.

BRABANTIO

Tombez sur lui, le voleur!

Ils dégainent des deux côtés.

IAGO

Vous, Roderigo! Allons, monsieur, je suis votre homme.

OTHELLO

Rengainez vos luisantes épées, l'humide nuit les rouillerait.
Bon seigneur, vous aurez plus d'autorité
Avec vos années qu'avec vos armes.

BRABANTIO

O vil voleur, où as-tu recelé ma fille?
Damné que tu es, tu l'as ensorcelée[5].
Car, je le demande à tous les êtres sensés :
Si elle n'était liée en des chaînes magiques,
Une jeune fille si tendre, si belle, si heureuse,
Si hostile au mariage qu'elle fuyait
Les opulents et bouclés galants de notre pays,
Aurait-elle jamais, pour encourir une risée générale,
Couru de chez son père vers la poitrine couleur de suie
De quelqu'un comme toi — vers l'horreur, non vers le plaisir?
Que l'univers me condamne s'il ne tombe pas sous le sens
Que tu as sur elle pratiqué des charmes hideux,
Abusé sa tendre jeunesse par des drogues ou des talismans
Qui engourdissent les mouvements; je ferai discuter l'affaire;
Elle est probable et palpable si on y pense.
C'est pourquoi je t'appréhende et t'arrête
Comme suborneur public, comme pratiquant
Des arts prohibés et comme hors la loi.

Mettez la main sur lui. S'il résiste,
Maîtrisez-le au péril de sa vie.

OTHELLO

Bas les mains!
Vous, ceux de mon parti, vous autres aussi.
Si ma réplique était de me battre, je l'aurais connue
Sans un souffleur. Où désirez-vous que j'aille
Pour répondre à cette accusation de vous?

BRABANTIO

En prison, jusqu'à l'heure prescrite
Par la loi et le cours régulier du tribunal
Pour t'appeler à répondre.

OTHELLO

Qu'arrive-t-il si j'obéis?
Comment avec cela satisfaire le Doge
Dont les messagers, ici rangés à mes côtés,
Pour quelque affaire urgente de l'État,
M'emmènent vers lui?

PREMIER OFFICIER

C'est vrai, très noble seigneur;
Le Doge est au Conseil et Votre Excellence même
Est, j'en suis sûr, mandée.

BRABANTIO

Quoi? le Doge au Conseil?
En cette heure de la nuit? Emmenez-le.
Ma cause n'est pas frivole; le Doge même,
Et chacun de mes confrères dans l'État,
Ne pourront que ressentir cet affront comme leur;
Car si de tels actes pouvaient avoir libre cours,
Des esclaves, des païens seraient nos gouvernants.

Ils sortent.

SCÈNE III

Salle du Conseil.

Le Doge et les Sénateurs assis à une table; des Officiers de service.

LE DOGE

Il n'y a dans ces nouvelles aucun accord
Qui leur donne crédit.

PREMIER SÉNATEUR

C'est vrai, elles sont contradictoires;
Ma lettre dit cent sept galères.

LE DOGE

Et la mienne, cent quarante.

DEUXIÈME SÉNATEUR

Et la mienne, deux cents.
Mais bien qu'elles ne s'accordent pas sur le chiffre exact —
Comme il arrive pour les rapports faits au jugé
Qui présentent souvent des différences — pourtant toutes confirment
Qu'une flotte turque cingle vers Chypre.

LE DOGE

Oui, c'est assez vraisemblable pour que nous l'acceptions;
Je ne fonde pas de certitude sur des contradictions
Mais pour le point principal, oui, je lui attribue
Un sens alarmant.

UN MATELOT, *du dehors,*

Hola ho! hola ho! hola ho!

PREMIER OFFICIER
Un messager des galères!

Entre le matelot.

LE DOGE
Eh bien, qu'y a-t-il?

LE MATELOT
L'expédition turque est en route vers Rhodes;
Ainsi m'a-t-il été ordonné de le rapporter ici à l'État
Par le signor Angelo.

LE DOGE
Que dites-vous de ce changement?

PREMIER SÉNATEUR
Cela ne peut être,
De quelque façon que l'examine la raison; c'est une mise en scène
Pour tenir égarés nos yeux. Si nous considérons
L'importance de Chypre pour la Turquie,
Et si seulement nous voulons comprendre
Que, pour le Turc, elle offre plus d'intérêt que Rhodes,
Qu'il peut d'un effort plus facile l'emporter,
Car elle n'a pas cette enceinte guerrière
Et manque complètement de ces moyens puissants
Dont Rhodes est revêtue — si nous nous en formons une idée,
Il nous faut refuser de penser que le Turc soit malhabile au point
De laisser en dernier lieu ce qui le touche en premier lieu,
Négligeant une entreprise profitable et facile
Pour provoquer et risquer un danger stérile.

LE DOGE
Non, à coup sûr, le Turc ne va pas vers Rhodes.

PREMIER OFFICIER

Voici d'autres nouvelles.

Entre un messager.

LE MESSAGER

Les Ottomans, Révérences et Grâces,
Cinglant tout droit vers l'île de Rhodes,
Y ont fait leur jonction avec une flotte de renfort.

PREMIER SÉNATEUR

Oui, je pensais ainsi... Leur nombre, selon vous?

LE MESSAGER

Trente voiles; et maintenant ils reviennent sur leur route
A rebours, dirigeant ouvertement
Leur but vers Chypre. Seigneur Montano,
Votre loyal et très vaillant serviteur,
Avec ses hommages vous mande cet avis
Et vous prie de le secourir.

LE DOGE

Alors certain qu'ils voguent vers Chypre!
Marcus Luccicos n'est-il pas à Venise?

PREMIER SÉNATEUR

Il est maintenant à Florence.

LE DOGE

Écrivez-lui de notre part; en toute diligence dépêchez l'affaire.

PREMIER SÉNATEUR

Voici venir Brabantio et le vaillant More.

Entrent Brabantio, Othello, Iago, Roderigo, et des officiers.

LE DOGE

Vaillant Othello, il nous faut sur-le-champ vous employer
Contre l'ennemi commun, l'Ottoman.

A Brabantio.

Je ne vous voyais pas; salut, noble seigneur;
Votre avis et votre aide nous manquaient cette nuit.

BRABANTIO

Et à moi les vôtres. Qu'en sa bonté Votre Grâce me pardonne;
Ni mon rang ni rien de ce que j'ai appris des affaires publiques
Ne m'ont levé du lit; l'intérêt général, lui non plus,
N'a prise sur moi; ma douleur personnelle
Est d'une si torrentielle et submergeante nature
Qu'elle engloutit et absorbe les autres chagrins
Et cependant reste elle-même.

LE DOGE

Quoi, qu'y a-t-il?

BRABANTIO

Ma fille! ô ma fille!

TOUS

Morte?

BRABANTIO

Oui, pour moi;
Elle a été abusée, elle m'a été volée, elle a été corrompue
Par des charmes et des drogues achetés à des charlatans;
Car la nature tellement à rebours s'égarer!...
Alors qu'elle n'est pas défectueuse, aveugle, ou infirme en raison,
Sans sorcellerie elle ne le peut.

LE DOGE

Quel que soit celui qui par cet infâme procédé
A ainsi ravi votre fille à elle-même,
Et vous l'a ravie, le livre sanglant des lois,
Vous-même le lirez en son sens littéral le plus dur
Selon votre sentiment, oui, notre propre fils
Serait-il en cause.

BRABANTIO

Humblement je remercie Votre Grâce.
Voici l'homme : ce More que, semble-t-il,
Votre mandat spécial a fait venir ici
Pour les affaires de l'État.

TOUS

Nous en sommes consternés.

LE DOGE *à Othello.*

Qu'avez-vous, pour votre part, à répondre à cela?

BRABANTIO

Rien, sinon que c'est ainsi.

OTHELLO

Très puissants, très graves et très révérends seigneurs,
Mes nobles maîtres dont j'ai éprouvé la bonté,
J'ai enlevé la fille de ce vieillard,
C'est très vrai; c'est vrai que je l'ai épousée;
Le chef, le front de mon offense, voilà son étendue,
Et rien de plus. Je suis rude en mon langage
Et peu doué pour les douces phrases de la paix :
Car, ces bras, depuis qu'ils eurent la moelle de la septième
année
Jusqu'à ces dernières neuf lunes, ont déployé
Leur plus chère vigueur dans les camps couverts de tentes
Et de ce vaste monde je ne sais guère parler

Sauf en ce qui concerne les exploits et les batailles
Et c'est pourquoi je servirai peu ma cause
En parlant pour moi-même. Pourtant, avec votre gracieuse patience,
Je vais vous faire un récit simple et sans fard
De tout le cours de mon amour; vous conter par quelles drogues, quels charmes,
Quelles conjurations et quelles puissantes magies
(Car ce sont les pratiques dont on m'accuse)
J'ai conquis sa fille.

BRABANTIO

Une jeune fille toujours si timide!
D'un tempérament si chaste et si paisible que ses mouvements
Avaient pudeur d'être eux-mêmes; et c'est elle, allant contre sa nature,
Son âge, son pays, sa renommée, contre tout,
Qui tomberait éprise de ce qu'elle eût craint de regarder!
Seul un jugement estropié, tout imparfait,
Pourrait admettre que la perfection puisse à ce point faillir
Contre les lois de la nature; par force on est conduit
A chercher dans les machinations d'un astucieux enfer
L'explication de la chose. C'est pourquoi de nouveau j'atteste :
C'est aidé de mixtures puissantes sur le sang
Ou d'un philtre par conjurations préparé à cet effet,
Qu'il a agi sur elle.

LE DOGE

L'attester n'est pas le prouver;
Il manque un témoignage plus évident, plus avéré
Que ce mince tissu et ces pauvres vraisemblances,
D'apparence banale, choisis par vous contre lui.

PREMIER SÉNATEUR

Mais vous, Othello, parlez :
Avez-vous par des moyens obliques, violents,

Soumis, empoisonné les affections de cette jeune fille?
Ou bien vous vinrent-elles par les requêtes et loyales supplications
Qu'une âme à l'âme adresse?

OTHELLO

Je vous supplie,
Envoyez chercher la dame au Sagittaire—
Et laissez-la parler de moi devant son père;
Si d'après son récit vous me trouvez impur,
Votre confiance et la charge que je tiens de vous
Non seulement ôtez-les-moi, mais que votre sentence
Sur ma vie même tombe.

LE DOGE

Amenez ici Desdémone.

OTHELLO

Enseigne, conduisez-les; vous connaissez le mieux l'endroit.

Iago sort avec quelques officiers.

Et, en attendant qu'elle vienne, aussi sincèrement qu'au ciel
Je confesse les vices de mon sang,
Aussi exactement je vais exposer à vos graves oreilles
Comment j'obtins l'amour de cette belle dame
Et elle le mien.

LE DOGE

Dites-le, Othello.

OTHELLO

Son père m'aimait; il m'invitait souvent,
Ne cessait de me questionner sur l'histoire de ma vie
Année par année : les batailles, les sièges, les hasards
Par où j'ai passé.
Je parcourus le tout, depuis mes jours d'enfant

Jusqu'à ce même instant où il me questionnait :
Tantôt je parlai de très funestes vicissitudes,
D'aventures émouvantes sur terre et sur mer,
Comment d'un cheveu j'évitai l'imminente mort sur la brèche meurtrière,
Ma capture par l'insolent ennemi,
Ma vente comme esclave, ensuite mon rachat,
Et ma conduite durant l'histoire de mes voyages;
Tantôt de vastes antres, de désertes solitudes,
D'âpres fondrières, des rocs, des monts de leur tête touchant le ciel,
Eurent apparitions en mon récit : tel fut mon procédé.
Et il y eut les Cannibales qui l'un l'autre se dévorent,
Les Anthropophages, et les hommes dont la tête
Pousse sous les épaules. Pour l'entendre
Desdémone chaque fois sérieusement se penchait;
Mais toujours les travaux de la maison l'éloignaient,
Travaux qu'aussi vite qu'elle pouvait elle dépêchait
Pour revenir d'une oreille affamée
Dévorer mon récit; ce qu'observant,
Je pris un jour une heure favorable et trouvai les bons moyens
De tirer d'elle une prière née d'un cœur fervent,
Prière de conter tout au long tout mon pèlerinage
Dont par fragments elle avait entendu quelque chose
Mais sans rien de suivi. J'y consentis
Et souvent je lui dérobais des larmes
En lui parlant de quelque coup d'infortune
Que subit ma jeunesse. Mon récit fini,
Elle me donna pour ma peine un monde de soupirs,
Protesta qu'en vérité c'était étrange, plus qu'étrange,
Que c'était émouvant, que c'était merveilleusement émouvant,
Souhaita : « Je voudrais ne l'avoir pas entendu », pourtant souhaita
Que le Ciel l'eût faite un pareil homme; puis me remerciant

Elle me recommanda : « Si vous avez quelque ami qui m'aime,
Apprenez-lui à conter votre histoire
Et ainsi il m'aura conquise. » Sur cette invite j'ai parlé;
Elle m'aima pour les dangers que j'avais courus,
Et je l'aimai parce qu'elle en avait pitié.
Voilà la seule sorcellerie dont j'aie usé.
Voici venir la dame; laissez-la le confirmer.

Entrent Desdémone, Iago et des officiers.

LE DOGE

Je pense que ce récit séduirait ma fille aussi.
Bon Brabantio,
Prenez au mieux cette affaire éclopée;
On aime mieux utiliser des épées mutilées
Que des mains nues.

BRABANTIO

Je vous en prie, écoutez-la parler.
Si elle avoue qu'elle fut pour une moitié dans cet amour,
La ruine tombe sur ma tête si mon injuste blâme
S'abat sur cet homme... Venez ici, gentille fille :
Percevez-vous en toute cette compagnie
A qui vous devez le plus obéissance?

DESDÉMONE

Mon noble père,
Je perçois ici un devoir divisé;
Je vous suis obligée pour la vie et l'éducation;
Ma vie et mon éducation toutes deux m'apprennent
Comment vous respecter; vous êtes le maître de mon devoir;
Jusque-là je suis votre fille. Mais voici mon mari :
Et la même soumission que montra ma mère
En votre faveur, vous préférant à son père,
Je revendique d'avoir droit de déclarer
Que je la dois au More, mon seigneur.

BRABANTIO

Dieu soit avec vous! j'ai fini.
S'il plaît à votre Grâce, passons aux affaires de l'État.
J'eusse mieux fait d'adopter un enfant que d'en faire un.
Viens ici, More :
Voici ce que je te donne de tout mon cœur,
Ce que, si tu ne l'avais déjà, de tout mon cœur
J'eusse défendu contre toi... Quant à toi, ma précieuse pierre,
J'ai joie au cœur de n'avoir pas d'autre fille,
Car ton incartade m'eût appris à la tyranniser,
A lui mettre des fers aux pieds. J'ai fini, monseigneur.

LE DOGE

Que je parle comme vous-même et que je place une phrase
Qui, comme marche ou degré, puisse aider ces amants
A gravir vos faveurs.
Quand les remèdes sont du passé, les chagrins sont terminés
A la vue du pire qu'à l'heure encore on tenait en suspens.
Déplorer un malheur qui est passé, qui s'en est allé,
Est le plus sûr moyen de s'attirer un nouveau malheur.
Ce qui ne peut être gardé quand le sort est voleur,
La patience fait de son injure une moquerie.
Le volé qui sourit vole quelque chose au voleur;
Il se vole celui qui dépense des plaintes inutiles.

BRABANTIO

Donc vienne le Turc nous voler l'île de Chypre;
Nous ne la perdrons pas tant que nous pourrons sourire.
Il reçoit bien la sentence celui qui n'y reçoit
Que le libre soulagement qu'il y entend;
Mais il porte à la fois la sentence et le chagrin celui qui
Pour payer la peine doit emprunter à la patience.
Ces sentences, miel ou fiel,
Puissantes dans les deux sens, ont double effet.

Mais les mots sont des mots; je n'ai jamais entendu dire
Que dans le cœur meurtri on pénétrait par l'oreille.
Je vous prie humblement, procédons aux affaires de l'État.

LE DOGE

Le Turc avec une très puissante préparation se dirige sur Chypre. Othello, la puissance de défense de la place est connue de vous mieux que de personne; et bien que nous ayons là-bas un lieutenant d'une capacité bien prouvée, cependant l'opinion, souveraine maîtresse des décisions, jette sur vous un suffrage plus assuré; il vous faut donc vous résoudre à assombrir l'éclat de votre nouvelle fortune en affrontant cette expédition plus rude et plus impétueuse.

OTHELLO

La tyrannique routine, très graves sénateurs,
A fait que le pierreux, aciéreux lit de guerre
Soit, trois fois aéré, mon lit de duvet. Oui, je reconnais
La naturelle et prompte alacrité
Que je trouve dans la difficulté; oui, je prends sur moi
Ces combats d'à présent contre les Ottomans.
Très humblement, pour cela, me courbant devant votre grandeur,
Je sollicite des mesures appropriées pour ma femme,
Avec pension et résidence bienséantes,
Avec train de vie et train de logis
Au niveau de sa naissance.

LE DOGE

Bien, si cela vous va,
Que ce soit chez son père.

BRABANTIO

Je ne veux pas.

OTHELLO

Ni moi.

DESDÉMONE

Ni moi; je ne veux pas y résider,
Pour mettre mon père en d'impatientes pensées
En étant sous ses yeux. Très gracieux Doge,
Prêtez à mon explication votre oreille propice
Et que je trouve en votre suffrage une garantie
D'aide à ma simplicité.

LE DOGE

Que désirez-vous, Desdémone?

DESDÉMONE

Que j'ai aimé le More jusqu'à vouloir vivre avec lui,
Ma flagrante révolte et mon dédain de ma fortune
Peuvent le proclamer au monde. Mon cœur est soumis
Au point d'aimer même le métier de mon maître.
J'ai vu le visage d'Othello dans son âme
Et c'est à sa gloire, c'est à ses aspects vaillants
Que j'ai voué mon cœur et mon sort.
Aussi, chers seigneurs, si on me laisse derrière lui,
Comme un insecte de paix, tandis que lui part en guerre,
Je serai privée des nobles raisons pour lesquelles je l'aime
Et subirai en une pesante attente
L'absence de qui j'aime. Laissez-moi partir avec lui.

OTHELLO

Qu'elle ait vos suffrages!
Le Ciel m'en soit garant, je ne le demande pas
Pour plaire au palais de mon appétit
Ni pour complaire à la chaleur des passions, aux jeunes élans
Pour ma singulière et personnelle satisfaction,
Mais pour me conformer librement à son gré.
Et que le Ciel garde vos esprits bienveillants de penser
Que je négligerai votre grave et grande affaire

Parce qu'elle sera avec moi. Non, le jour où les jeux aux ailes légères
De l'aérien Cupidon émousseront de lascive torpeur
Mes facultés de penser et d'agir,
Le jour où mes plaisirs corrompront et gâteront mes devoirs,
Que les ménagères fassent un chaudron de mon casque
Et que toute infamante et vile calamité
Se ligue contre mon renom!

LE DOGE

Qu'il en soit comme entre vous vous déciderez
Si elle doit rester ou partir. L'affaire crie diligence
Et la promptitude doit lui répondre.

PREMIER SÉNATEUR

Il vous faut partir cette nuit.

OTHELLO

De tout mon cœur.

LE DOGE

Nous nous retrouverons ici à neuf heures du matin.
Othello, laissez derrière vous un de vos officiers;
Il vous apportera notre ordre de mission
Avec tous les autres documents de fonction et d'autorité
Dont vous avez besoin.

OTHELLO

S'il plaît à Votre Grâce, ce sera mon enseigne;
C'est un homme de probité et de confiance;
Je lui confie le soin de conduire ma femme
Et de m'apporter par ailleurs tout ce que Votre Grâce jugera
Nécessaire de m'envoyer.

LE DOGE

Qu'il en soit ainsi.
Bonne nuit à tous. *(A Brabantio.)* Et vous, noble seigneur,

Si la vertu n'est pas sans une beauté qui charme,
Votre gendre est mille fois plus aimable que noir[6].

PREMIER SÉNATEUR

Adieu, vaillant More; traitez bien Desdémone.

BRABANTIO

Veille sur elle, More, si tu as des yeux pour voir :
Elle a trompé son père, elle peut te tromper.

OTHELLO

Ma vie sur sa foi!

Partent le Doge, les Sénateurs, les Officiers, etc.

Honnête Iago,
Il faut que je te laisse ma Desdémone;
Je t'en prie, donne-lui ta femme comme compagne,
Puis amène-les à la première bonne occasion.
Viens, Desdémone, je n'ai qu'une heure
D'amour, d'arrangements matériels, d'instructions
A passer avec toi : il nous faut obéir aux circonstances.

Othello et Desdémone sortent.

RODERIGO

Iago!

IAGO

Que dis-tu, noble cœur?

RODERIGO

Que ferais-je, selon toi?

IAGO

Eh bien, aller au lit et dormir.

RODERIGO

Je vais incontinent me noyer.

IAGO

Si tu le fais, je ne pourrai plus t'aimer après. O le monsieur niais!

RODERIGO

C'est une niaiserie que de vivre lorsque la vie est un tourment; puis il nous est prescrit de mourir quand la mort est notre médecin.

IAGO

O lâche! Voici quatre fois sept ans que je regarde le monde; et depuis que j'ai su distinguer un bienfait d'une injure, je n'ai jamais trouvé un homme qui sût s'aimer lui-même. Avant de dire que je voudrais me noyer pour l'amour d'une pintade, j'échangerais mon humanité avec un babouin.

RODERIGO

Que devrais-je faire? Je confesse que c'est honteux pour moi d'être si amoureux, mais il n'est pas au pouvoir de ma vertu de m'en corriger.

IAGO

La vertu! une baliverne. C'est par nous-mêmes que nous sommes ainsi ou ainsi. Nos corps sont des jardins, dont nos volontés sont les jardiniers; si nous y plantons des orties ou y semons de la laitue, si nous y mettons de l'hysope et en arrachons l'ivraie, si nous les garnissons d'une seule espèce d'herbe ou les composons d'un choix mêlé, que ce soit pour les rendre stériles par oisiveté ou les féconder par l'industrie! eh bien, le pouvoir, l'autorité directrice en tout cela réside dans nos volontés. Si la balance de notre vie n'avait un plateau de raison pour faire équilibre au plateau de sensualité, le sang et la bassesse de notre nature nous conduiraient aux plus absurdes conclusions. Mais nous avons la raison pour rafraîchir nos émotions furieuses, nos aiguillons charnels, nos désirs effrénés; d'où je conclus que ce que vous appelez amour n'est qu'une bouture, qu'un rejeton.

RODERIGO

Ce ne peut être.

IAGO

C'est seulement une chaleur du sang et un consentement de la volonté. Allons, sois un homme. Te noyer! Noie des chatons et des chiens aveugles. Je me suis déclaré ton ami et je m'avoue lié à ton service par des liens d'une solidité durable. Jamais mieux que maintenant je n'aurais pu t'assister. Mets de l'argent dans ta bourse; suis ces guerres, déguise ton visage par une barbe d'emprunt. Je te répète, mets de l'argent dans ta bourse. Il n'est pas possible que Desdémone conserve longtemps son amour pour le More, mets de l'argent dans ta bourse! ni que lui lui conserve son amour pour elle. Le début fut violent, tu verras une séparation à l'avenant. Ces Mores sont changeants en leurs volontés — remplis ta bourse d'argent. L'aliment qui maintenant lui est aussi doux que des caroubes, en peu de temps lui sera aussi amer que la coloquinte. Il est inévitable qu'elle changera pour quelqu'un de jeune; quand elle sera rassasiée de son corps, elle reconnaîtra l'erreur de son choix. C'est pourquoi mets de l'argent dans ta bourse. Si tu veux à tout prix te damner, trouve un moyen plus délicat que la noyade. Aie donc le plus d'argent que tu peux. Si la religion et un serment fragile entre un nomade de Barbarie et une Vénitienne ultra-subtile ne sont pas choses trop dures pour mon esprit et toute la tribu de l'enfer, tu jouiras de cette femme; donc rassemble de l'argent. Au diable l'idée d'aller te noyer! C'est complètement à côté. Cherche à te faire pendre en obtenant celle qui est ta joie plutôt que de périr noyé sans l'avoir obtenue.

RODERIGO

Veux-tu te dévouer à mes espérances si j'en attends des résultats?

IAGO

Tu peux être sûr de moi. Va, rassemble de l'argent. Je t'ai souvent dit et je te le redis, te le redis de nouveau et de nouveau, je hais le More. La cause en est dans mon cœur; la tienne n'est pas moins fondée. Soyons unis en notre revanche contre lui. Si tu peux le cocufier, tu te donnes un plaisir et à moi tu donnes un divertissement. Il y a dans le ventre du temps bien des événements dont il accouchera. En avant, marche : rassemble ton argent. Nous en reparlerons demain. Adieu.

RODERIGO

Où nous rencontrerons-nous demain matin?

IAGO

A mon logis.

RODERIGO

Je t'y trouverai de bonne heure.

IAGO

Va; adieu. Entends-tu, Roderigo?

RODERIGO

Que dites-vous?

IAGO

Plus de noyade, entendez-vous?

RODERIGO

Je suis changé.

IAGO

Allons, adieu. Mettez assez d'argent dans votre bourse.

RODERIGO

Je vais vendre toutes mes terres.

Il sort.

IAGO

Ainsi de ma dupe je fais ma bourse;
Car ce serait profaner mon savoir bien acquis
Que perdre du temps avec une telle bécasse
Si ce n'était pour mon plaisir et mon profit. Je hais le More;
De par le monde on pense qu'en mon lit, entre mes draps
Il a fait ma besogne. J'ignore si c'est vrai;
Mais, pour un simple soupçon de ce genre,
J'agirai comme pour une certitude. Il m'a en estime;
D'autant mieux réussiront contre lui mes opérations.
Cassio est l'homme qu'il me faut; voyons un peu maintenant!
Obtenir sa place, puis empanacher mon désir
D'une double scélératesse. Comment? comment? Examinons :
Au bout de quelque temps faussement insinuer aux oreilles d'Othello
Que Cassio est trop familier avec sa femme;
Il a une personne et des manières aimables
Qui prêtent au soupçon. Il est bâti pour rendre les femmes infidèles.
Le More est d'une nature ouverte et loyale.
Il croit honnêtes ceux qui seulement le semblent.
Il se laissera mener aussi doucement par le nez
Qu'un baudet.
Ça y est. Le plan est conçu. L'enfer et la nuit
Mettront en lumière le monstrueux produit.

Il sort.

ACTE II

SCÈNE PREMIÈRE

Un port de mer à Chypre. Une place près du quai.

Entrent Montano et deux gentilshommes.

MONTANO
Du haut du cap que pouvez-vous discerner au large?

PREMIER GENTILHOMME
Rien du tout; c'est une mer très démontée;
Je ne puis entre le ciel et la pleine mer
Distinguer une voile.

MONTANO
Il me semble que le vent a parlé haut sur terre;
Plus entière rafale jamais n'ébranla nos remparts.
S'il y a eu pareil vacarme au long de la mer,
Quels tenons de chêne, quand ces montagnes sur eux fondirent,
Purent tenir les mortaises? Qu'allons-nous en apprendre?

DEUXIÈME GENTILHOMME
La dispersion de l'escadre turque;
Descendez seulement sur la plage écumante,
Les flots fouettés semblent lapider les nues;
La houle, par les vents secoués, avec haute et monstrueuse crinière,
Semble jeter de l'eau sur la Grande Ourse en feu

Et inonder les gardiens de l'éternellement immuable
Pôle.
Jamais je n'ai vu un spectacle si tourmenté
Sur l'onde en fureur.

MONTANO

Si la flotte turque
N'est pas abritée et ancrée en une baie, ils sont noyés;
Il est impossible de tenir pareil coup.

Entre un troisième gentilhomme.

TROISIÈME GENTILHOMME

Des nouvelles, mes amis! nos guerres sont finies;
La tempête désespérée a tellement étrillé les Turcs
Que leurs projets sont éclopés. Un noble navire, venant
de Venise,
A vu le terrible naufrage et la souffrance
De la plus grande partie de leur flotte.

MONTANO

Quoi? c'est vrai?

TROISIÈME GENTILHOMME

Le navire est mouillé ici,
Un navire de Vérone; Michel Cassio,
Lieutenant d'Othello, le belliqueux More,
A débarqué; le More lui-même est en mer
Et vient avec pleins pouvoirs à Chypre.

MONTANO

J'en suis content; c'est un digne gouverneur.

TROISIÈME GENTILHOMME

Mais ce même Cassio, tout en parlant avec contentement
Du désastre turc, a cependant le regard soucieux

Et prie que le More soit sauf; car tous deux ont été séparés
Par une violente, sauvage tempête.

MONTANO

Le Ciel veuille qu'il le soit;
Car j'ai servi sous lui et cet homme commande
En soldat accompli. Allons sur la plage, en avant!
Aussi bien pour voir le navire qui vient
Que pour chercher des yeux le vaillant Othello
Jusqu'à faire de la pleine mer et de l'azur
Un regard où tout se confond.

TROISIÈME GENTILHOMME

Oui, allons-y.
Chaque minute contient l'espoir
D'une nouvelle arrivée.

Entre Cassio.

CASSIO

Merci, vaillants habitants de cette île guerrière
Qui appréciez si bien le More. O, que les cieux
Lui donnent défense contre les éléments,
Car je l'ai perdu sur une dangereuse mer!

MONTANO

A-t-il un bon vaisseau?

CASSIO

Son navire est solidement charpenté, son pilote
Est réputé pour expert et expérimenté;
Aussi mes espoirs, refusant les idées de mort
Avec confiance intrépide résistent.

On entend crier : « Une voile, une voile, une voile ».

Entre un quatrième gentilhomme.

CASSIO

Quel est ce bruit?

QUATRIÈME GENTILHOMME

La ville est vide; au bord de la mer
Des rangées de peuple; tous crient : « Une voile! »

CASSIO

Mes espoirs me représentent que c'est le gouverneur.

On entend le canon.

DEUXIÈME GENTILHOMME

Ils tirent la salve de courtoisie;
Ce sont des amis au moins.

CASSIO

Je vous prie, monsieur, allez au-devant
Et dites-nous au vrai qui vient d'arriver.

DEUXIÈME GENTILHOMME

J'y vais.

Il sort.

MONTANO

Or çà, cher lieutenant, votre général est-il marié?

CASSIO

Du mariage le plus heureux; il a conquis une jeune fille
Qui parangonne toute description et toute renommée;
Une jeune fille qui surpasse les traits de la plume louangeuse
Et qui revêtue de perfection par la nature
Épuise l'artiste.

Rentre le deuxième gentilhomme.

Eh bien! qui a pris terre?

DEUXIÈME GENTILHOMME

C'est un certain Iago, enseigne du général

CASSIO

Il a eu la plus favorable et heureuse traversée.
Les tempêtes elles-mêmes, les hautes lames, les vents hurlants,
Les rocs dentelés, les bancs de sable,
Ces traîtres submergés pour entraver l'innocente quille,
Tous, comme s'ils avaient le sens de la beauté, oublient
Leurs meurtrières natures, laissant en sûreté s'avancer
La divine Desdémone.

MONTANO

Qui donc est-elle?

CASSIO

Celle dont je parlais, la capitaine de notre grand capitaine,
Confiée au hardi Iago pour la conduire;
Son arrivée ici devance nos pensées
De sept jours. Grand Jupiter, préserve Othello,
Enfle ses voiles de ton propre souffle puissant,
Qu'il puisse avec son superbe navire réjouir cette baie,
Connaître les halètements de l'amour dans les bras de Desdémone,
Porter des feux nouveaux à nos cœurs éteints,
Apporter à tout Chypre la vie confiante.

Entrent Desdémone, Emilia, Iago, Roderigo et leur suite.

Oh! regardez!
Le trésor du navire a débarqué!
Gens de Chypre, à genoux devant elle.
Salut à vous, madame! que la grâce du Ciel,
Vous précédant et vous suivant, vous entourant,
Soit autour de vous un cercle!

DESDÉMONE

Merci, vaillant Cassio.
Quelles nouvelles pouvez-vous me dire de mon seigneur?

CASSIO

Il n'est pas encore arrivé, et je ne sais que ceci :
Il va bien et sera sous peu ici.

DESDÉMONE

Oh! mais j'ai peur. Comment vous êtes-vous perdus tous deux?

CASSIO

Le grand conflit entre la mer et les cieux
A rompu notre compagnonnage... Mais, écoutez, une voile!

On entend crier : « Une voile! une voile! »
Puis, des coups de canon.

DEUXIÈME GENTILHOMME

Ils font leur salut à la citadelle.
Voici, de nouveau, un ami.

CASSIO

Allez aux nouvelles.

Le gentilhomme sort.

Cher enseigne, la bienvenue.
(A Emilia.) La bienvenue, mignonne.
Ne soyez pas blessé en votre patience, cher Iago,
Si j'ai des manières libres; c'est mon éducation
Qui me donne cette franche forme de courtoisie.

Il embrasse Emilia.

IAGO

Monsieur, si elle vous donnait ses lèvres aussi abondamment
Qu'elle m'octroie parfois de sa langue,
Vous en auriez assez.

DESDÉMONE

Hélas! elle ne parle guère.

IAGO

Sur ma foi, beaucoup trop;
Je l'éprouve toujours quand je tends au sommeil.
Pardi, devant Votre Grâce, je l'accorde,
Elle tient sa langue quelque peu dans son cœur
Et ne querelle qu'en pensée.

EMILIA

Vous n'avez guère lieu de parler ainsi.

IAGO

Allons, allons; vous êtes sages comme des images hors du logis, des clochettes dans vos salons, des chattes sauvages dans vos cuisines, des saintes quand vous offensez, des démons quand on vous offense, des poseuses dans votre ménage et des ménagères dans vos lits.

DESDÉMONE

O fi le calomniateur.

IAGO

Non, c'est vrai, ou que je sois un Turc,
Vous vous levez pour bagnenauder et vous vous couchez pour travailler

EMILIA

Vous n'écrirez pas mon éloge.

IAGO

Non, je refuse.

DESDÉMONE

Qu'écririez-vous de moi, si vous aviez à me louer?

IAGO

Gente dame, ne me mettez pas là-dessus;
Je cesse d'être quand je cesse de détruire.

DESDÉMONE

Allons, essaie... Quelqu'un est-il allé au port?

IAGO

Oui, Madame.

DESDÉMONE, *en aparté.*

Je ne suis pas d'humeur gaie; mais je déguise
Ce que je suis en affectant le contraire.
(Haut.) Eh bien, comment ferais-tu mon éloge?

IAGO

Je cherche; mais en vérité mes idées se dégagent de ma caboche comme la glu de la ratine : elles emportent avec elles le cerveau et tout. Mais ma Muse est en travail et voici comme elle accouche :
Si elle est sage et belle... le charme et l'esprit...
Le premier doit être employé, le deuxième doit l'employer.

DESDÉMONE

Bien loué. Et celle qui est laide et sage?

IAGO

Celle qui est noire et a l'esprit qu'il y faut
Trouvera un blanc comme galant pour sa noirceur.

DESDÉMONE

De pis en pis.

EMILIA

Et celle qui est belle et sotte?

IAGO

Jamais ne fut sotte une belle,
Car même sa sottise l'aide à avoir un héritier.

DESDÉMONE

Ce sont là de vieux paradoxes fous dont s'amusent les sots de cabaret. Mais quel méchant éloge as-tu pour celle qui est laide et sotte?

IAGO

Il n'y en a pas de si vilaine et de si sotte avec cela
Qui ne joue autant de vilains tours que les belles et les sages.

DESDÉMONE

O la lourde ignorance! Celle que tu loues le plus est la pire. Mais quel éloge pourrais-tu donner à une femme de vrai mérite — à une femme qui par l'autorité de son mérite pourrait justement invoquer le témoignage de la malveillance elle-même?

IAGO

Celle qui toujours fut belle et jamais fière,
Fut libre de parler et pourtant sut se taire,
Toujours eut de l'argent et jamais n'eut gai train,
Qui refusa son désir en disant : « Je pourrais »,
Celle qui, étant en colère, ayant sa revanche en vue,
Dit à son ire de s'arrêter et à son déplaisir de fuir,
Celle qui en sa sagesse jamais ne fut assez faible
Pour préférer un « tiens » à deux « tu l'auras »,
Celle qui sait bien penser et ne jamais découvrir son secret,
Qui voit qui la suit et jamais ne se retourne,
Un tel être féminin, si jamais un tel être fut, est bon...

DESDÉMONE

Bon à faire quoi?

IAGO

A allaiter des sots et baratter du petit-lait.

DESDÉMONE

O la très boiteuse et impuissante conclusion!
Ne prends pas leçon de lui, Emilia, bien qu'il soit ton mari.
Qu'en dites-vous, Cassio? N'est-il pas un très païen et très libre conseiller?

CASSIO

Il parle carrément, madame. Vous pouvez mieux goûter en lui le soldat que le lettré.

IAGO, *en aparté.*

Il lui prend la main. Oui, c'est bien cela, il lui murmure à l'oreille. Avec une toile aussi mince que celle-ci j'attraperai une grosse mouche comme Cassio. Oui, fais-lui risette, fais-le; je saurai t'emprisonner en ta propre galanterie. Vous dites vrai : c'est bien cela. Si des coups comme ceux-ci vous dépouillent de votre lieutenance, il eût mieux valu pour vous ne pas envoyer des doigts tant de baisers, ce que de nouveau tu es tout prêt à faire pour faire le beau. Très bien : joli baiser! excellente révérence! Encore une fois tes doigts aux lèvres? Que ne sont-elles canules de clystère pour ton bien!

On entend une trompette derrière la scène.

(A haute voix.) Le More. Je reconnais sa trompette.

CASSIO

C'est certainement cela.

DESDÉMONE

Allons à sa rencontre le recevoir.

CASSIO

Tenez, le voici qui arrive.

Entrent Othello et sa suite.

OTHELLO

O ma belle guerrière!

DESDÉMONE

Mon cher Othello!

OTHELLO

Ma surprise est égale à mon ravissement
De vous voir ici avant moi. O la joie de mon âme!
Si après chaque tempête arrivent de tels calmes,
Puissent les vents souffler à réveiller la mort,
Puisse le vaisseau qui lutte gravir des montagnes liquides
Aussi hautes que l'Olympe et replonger aussi bas
Que l'enfer est loin du ciel! Si en ce moment j'avais à
mourir,
Ce serait le bonheur suprême; car j'ai peur,
Tant mon âme connaît sa parfaite félicité,
Que plus jamais un bonheur comme celui-ci
Ne nous attende dans le sort inconnu.

DESDÉMONE

Le Ciel permette
Que nos amours et nos joies aillent en augmentant
Avec le nombre de nos jours.

OTHELLO

Exaucez-la, douces puissances!
Je ne puis assez parler de ce bonheur;
Il m'arrête la voix; c'est trop de joie.
Que ce baiser, encore ce baiser soient les plus grandes
disputes
Que jamais nos cœurs aient entre eux!

IAGO, *en aparté.*

Oh! vous êtes en harmonie maintenant. Mais je saurai faire tomber
Les chevilles de cette musique, honnête comme je suis.

OTHELLO

Allons, partons vers la citadelle.
Des nouvelles, mes amis; nos guerres sont finies; les Turcs sont noyés.
Comment vont mes vieilles connaissances de l'île?
Desdémone, mon miel, vous serez bien accueillie à Chypre;
J'ai trouvé grande affection parmi eux... O ma douce,
Je bavarde sans suite et je déraisonne
Dans mes félicités. Je t'en prie, bon Iago,
Va jusqu'à la baie et débarque mes coffres;
Amenez avec vous le pilote à la citadelle;
C'est un bon pilote et son mérite
Réclame des égards. Venez, Desdémone,
Encore une fois quel bonheur de nous retrouver à Chypre!

Tous sortent, sauf Iago et Roderigo.

IAGO

Rejoins-moi au port tout à l'heure. Viens ici. Si tu as du cœur (on dit que les pleutres, une fois amoureux, ont dans leur caractère une noblesse au-dessus de leur nature), écoute-moi : le lieutenant, cette nuit, est de service au corps de garde. Tout d'abord il faut que je te le dise : Desdémone est franchement amoureuse de lui.

RODERIGO

Avec lui! comment, ce n'est pas possible.

IAGO

Mets le doigt sur ta bouche, ainsi! et laisse ton esprit s'instruire. Remarque-moi avec quelle violence elle a d'abord aimé le More simplement pour ses forfanteries et ses récits faits de mensonges fantastiques. Et l'aimera-t-elle toujours pour son babil? Que ton esprit judicieux ne le croie pas! Elle a des yeux qui doivent avoir leur pâture; quel plaisir aura-t-elle à contempler le diable? Une fois les sens assoupis par l'acte de plaisir, il faudrait — pour l'enflammer à nouveau et donner à la satiété un nouvel appétit — un visage bienséant, un accord en années, en manières, en charmes, tout ce qui manque au More. Or, ne trouvant pas les agréments requis, la tendresse délicate de la dame se trouvera déçue, se mettra à avoir des haut-le-cœur, à prendre le More en dégoût, en horreur. La nature elle-même l'y instruira et la contraindra à quelque second choix. Or, monsieur, une fois ceci accordé (et c'est une thèse très naturelle et inattaquable), qui est placé aussi haut que Cassio sur les degrés de cette bonne fortune? Un garçon beau parleur; juste la conscience qu'il faut pour s'en tenir aux seules formes de la bienséance civile et humaine afin de mieux satisfaire sa passion lascive et fort secrètement lubrique. Eh bien, personne d'autre; eh bien, personne. Un garçon insinuant et subtil, un flaireur de bonnes occasions; et qui a des yeux capables de battre monnaie vraie et fausse avec les bonnes fortunes, même si le bon aloi n'y est pas, un garçon diabolique. En outre, le garçon est bien fait, jeune et a pour lui tout ce qu'exige en ses recherches un regard fol et novice; une peste de godelureau parfait : et la dame l'a déjà repéré.

RODERIGO

Je ne puis croire cela d'elle; elle est tout entière du naturel le plus vertueux.

IAGO

Le vertueux de la figue! Le vin qu'elle boit est fait de grappes. Si elle avait été vertueuse, elle n'aurait pas aimé le More. Vertu de grimace. Ne l'as-tu pas vue gratter Cassio dans la paume de sa main? Ne l'as-tu pas remarqué?

RODERIGO

Si, si; mais ce n'était que courtoisie.

IAGO

De la paillardise, j'en jure par cette main; un sommaire, un mystérieux prologue à l'histoire de la luxure et des pensées obscènes. De leurs lèvres ils s'approchèrent si près que leurs souffles s'embrassèrent; ô pensées abominables, Roderigo! Quand ces familiarités ordonnancent ainsi la route, ils sont à portée de la main le principal et essentiel exercice, la conclusion impliquée. Pouah! Mais, monsieur, laissez-vous conduire par moi. Je vous ai fait venir de Venise. Prenez la garde cette nuit; le commandement, je vous en chargerai. Cassio ne vous connaît pas, je ne serai pas loin. Trouvez quelque occasion d'irriter Cassio, soit en parlant trop fièrement, soit en dépréciant sa façon de commander, ou par tout autre moyen qu'il vous plaira et que les circonstances vous fourniront au mieux.

RODERIGO

Bien.

IAGO

Il est violent, monsieur, et très brusque en ses colères et peut-être portera-t-il la main sur vous. Provoquez-le, qu'il puisse y arriver; aussitôt j'amènerai les gens de Chypre à une émeute dont l'apaisement ne viendra pour de bon que par la disgrâce de Cassio. Ainsi vous aurez abrégé le chemin vers vos désirs en me fournissant un moyen de les seconder et l'obstacle sera très utilement écarté, faute de quoi il n'y aura pour nous aucun espoir de succès.

RODERIGO

Je le ferai, si vous m'en fournissez l'occasion.

IAGO

Je te la garantis. Viens me retrouver dans un moment à la citadelle. Il faut que j'aille mettre à terre ses bagages. Au revoir.

RODERIGO

Adieu.

Il sort.

IAGO

Que Cassio l'aime, je le crois volontiers;
Qu'elle l'aime, c'est naturel et de grande vraisemblance.
Le More, bien qu'il soit vrai que je ne l'endure pas,
Est d'une noble, aimante, constante nature;
Et j'ose penser qu'il se montrera pour Desdémone
Un très tendre mari. Mais moi j'aime aussi la belle,
Pas d'un désir absolu (bien que le cas échéant
Je pourrais être coupable d'un aussi grand péché),
Mais plutôt pour nourrir ma vengeance
Car je soupçonne le More lascif
D'avoir sauté sur ma selle et y penser
Comme une drogue empoisonnée me ronge à l'intérieur;
Et rien ne peut, ne doit satisfaire mon esprit
Avant que je sois quitte avec lui, femme pour femme;
Ou si j'y échoue, que cependant je jette le More
Pour le moins en une jalousie si violente
Que la raison ne la puisse guérir. Pour ce faire,
Si ce pauvre pataud de Venise, que je tiens en laisse
A cause de sa vive impatience, reste bien en arrêt,
Je mettrai notre Michel Cassio sur le flanc,
Le dépeindrai au More comme un fieffé polisson
(C'est que je crains aussi pour mon propre bonnet de nuit),
Amènerai le More à me remercier, à me chérir, à me récompenser

Pour avoir fait de moi exquisément un âne,
Pour avoir manigancé sur sa paix et sa quiétude
Au point de le rendre fou. La chose est là-dedans, mais encore confuse;
Le franc visage de la fourberie ne se voit jamais qu'à l'œuvre.

Il sort.

SCÈNE II

Une rue.

Entre un héraut portant une proclamation; une foule le suit.

LE HÉRAUT

C'est le bon plaisir d'Othello, notre noble et vaillant général, sur les nouvelles certaines, arrivées à l'instant, annonçant la pure et simple perdition de l'escadre turque, que tout le monde fasse fête; que les uns dansent, que d'autres allument des feux de joie, que chacun se livre aux jeux et divertissements auxquels son inclination le conduit, car, outre ces joyeuses nouvelles, c'est la célébration de ses noces. Voilà ce qu'il lui a plu de faire proclamer. Tous les offices du château sont ouverts et il y a pleine licence de festoyer depuis l'heure présente de cinq heures jusqu'à la cloche de onze heures. Le Ciel bénisse l'île de Chypre et notre noble général Othello!

Il va plus loin.

SCÈNE III

Une salle du château.

Entrent Othello, Desdémone, Cassio et leur suite.

OTHELLO

Bon Michel, veillez à la garde cette nuit.
Enseignons à nous-mêmes l'honorable limite
De ne pas en nos plaisirs sortir de la discrétion.

CASSIO

Iago sur ce point a des consignes,
Cependant de mes propres yeux
J'y veillerai.

OTHELLO

Iago est très honnête.
Michel, bonne nuit; demain de très bonne heure
Ayons un entretien. Venez, mon cher amour,
L'achat fait, les fruits doivent s'ensuivre;
Ce bonheur est encore à venir entre vous et moi.
Bonne nuit.

Othello, Desdémone et leur suite partent.
Entre Iago.

CASSIO

La bienvenue, Iago; il nous faut aller prendre la garde.

IAGO

Pas sur l'heure, lieutenant; il n'est pas encore dix heures. Notre général nous a congédiés si tôt pour l'amour de sa Desdémone. N'allons pas l'en blâmer. Il n'a pas encore eu joyeuse nuit avec elle et c'est un morceau pour jeux de Jupiter.

CASSIO

C'est une dame bien exquise.

IAGO

Et, je le garantis... pleine de plaisir.

CASSIO

Vraiment, c'est une créature toute fraîcheur et délicatesse.

IAGO

Quel regard elle a! il me semble qu'il sonne une chamade pour provoquer.

CASSIO

Un œil engageant; et pourtant, me semble-t-il, purement modeste.

IAGO

Et quand elle parle, n'est-ce pas un appel aux armes lancé à l'amour?

CASSIO

Elle est vraiment une perfection.

IAGO

Eh bien, le bonheur pour leur lit! Allons, lieutenant, j'ai là une cruche de vin; et tout près, dehors, il y a un couple de galants Cypriotes qui volontiers boiraient une rasade à la santé du noir Othello.

CASSIO

Pas cette nuit, bon Iago, j'ai une cervelle sans ressource et déplorable pour la boisson. De tout cœur je voudrais que la courtoisie invente quelque autre manière de s'égayer.

IAGO

Oh! ils sont nos amis... rien qu'un verre; je le boirai pour vous.

CASSIO

Je n'ai bu qu'un seul verre cette nuit, et puissamment baptisé, et regardez le changement que cela fait en moi. J'ai le malheur d'être sujet à cette infirmité et n'ose pas mettre ma faiblesse à l'épreuve d'un autre de plus.

IAGO

Allons, mon cher! Cette nuit on s'amuse; ces galants le désirent.

CASSIO

Où sont-ils?

IAGO

Ici à la porte. Je vous en prie, dites-leur d'entrer.

CASSIO

Je vais le faire, mais cela me déplaît.

Il sort.

IAGO

Si je peux lui coller rien qu'un verre de plus,
Avec ce qu'il a déjà bu dans la soirée,
Il sera aussi plein de querelle et de colère
Que le roquet de la damoiselle. Or mon imbécile de Roderigo,
Que l'amour a presque mis à l'envers,
A ce soir à la santé de Desdémone fait une carrousse[7]
De beuveries profondes; et il doit monter la garde.
Ces trois autres de Chypre, nobles cœurs fougueux,
Qui gardent leur honneur à des distances bien arrêtées,
La fleur même de cette île guerrière,

Je les ai cette nuit échauffés avec des flots de coupes;
Eux aussi sont de garde. Donc, parmi ce troupeau d'ivrognes,
Je vais pousser Cassio à quelque acte
Qui puisse offenser l'île. Mais les voici qui viennent.
Si le résultat confirme seulement mon rêve,
Ma barque vogue librement, avec vent et marée.

Rentre Cassio ; avec lui Montano et des gentilshommes; des serviteurs les suivent, avec du vin.

CASSIO

Par Dieu, ils m'en ont versé un coup déjà.

MONTANO

Parole d'honneur, un tout petit coup, pas plus d'une pinte, aussi vrai que je suis soldat.

IAGO

Holà, du vin!

Il chante :

Tinte, tinte le pot d'étain!
Tinte, tinte le pot d'étain!
Le soldat est un humain,
Courts sont les jours d'un humain,
Donc, au soldat du vin, du vin!

Du vin, les enfants!

CASSIO

Dieu m'en soit témoin, une excellente chanson!

IAGO

Je l'ai apprise en Angleterre, où, ma foi, on boit très puissamment; vos Danois, vos Allemands et vos Hollandais pansus — holà, à boire! — ne sont rien devant les Anglais.

CASSIO
Votre Anglais a-t-il tant d'excellence dans le boire?

IAGO
Eh bien, il vous soûle aisément un Danois à l'étendre ivre mort; sans peine aucune il vous renverse l'Allemand; il sert à votre Hollandais un vomitif avant qu'on puisse remplir la deuxième cruche.

CASSIO
A la santé de notre général!

MONTANO
Je m'y joins, lieutenant, et vous fais raison.

IAGO
O douce Angleterre!

Il chante :

Le roi Étienne était quelqu'un, oui, un digne pair;
Sa culotte ne lui coûtait qu'une couronne;
Il trouvait que c'était trois sous trop cher
Et disait du tailleur : « Il me friponne. »

C'était un personnage de haut renom,
Tu n'es que de basse condition;
C'est l'orgueil qui met par terre les nations,
Mets donc sur toi ton manteau en haillons

Holà, du vin!

CASSIO
Eh! voilà une chanson encore plus exquise que l'autre.

IAGO
Voulez-vous l'entendre de nouveau?

CASSIO

Non; je tiens pour indigne de son rang celui qui fait ces choses. Enfin, Dieu est au-dessus de tous; et il y a des âmes qui doivent être sauvées et il y a des âmes qui ne doivent pas être sauvées.

IAGO

C'est la vérité, cher lieutenant.

CASSIO

Pour ma part — sans vouloir offenser le général ni aucun homme de qualité — j'espère être sauvé.

IAGO

Moi aussi, lieutenant.

CASSIO

Oui, mais, avec votre permission, pas avant moi; le lieutenant doit être sauvé avant l'enseigne. Laissons cela; occupons-nous de nos affaires. Dieu nous pardonne nos péchés. Messieurs, allons à notre affaire. Ne croyez pas, Messieurs, que je sois ivre; voici mon enseigne; voici ma main droite et voici ma main gauche. Je ne suis pas ivre, voyez : je tiens fort bien sur mes jambes et je parle fort bien.

TOUS

Tout à fait bien.

CASSIO

Eh bien donc, c'est très bien; alors il ne faut pas que vous pensiez que je suis ivre.

Il sort.

MONTANO

A l'esplanade, messieurs; allons poster la garde.

IAGO

Vous voyez ce garçon qui est sorti avant nous :
C'est un soldat digne d'être auprès de César
Pour diriger des combats; mais voyez son vice...
C'est de ses qualités le parfait équinoxe.
Dans les deux sens même ampleur. Misère de lui!
Je crains que la confiance mise en lui par Othello,
En quelque étrange accès de sa faiblesse,
Ne bouleverse l'île.

MONTANO

Mais est-il souvent ainsi?

IAGO

C'est tous les jours le prologue de son sommeil :
Il veillera un double tour d'horloge
Si la boisson ne berce pas son lit.

MONTANO

Il serait bon
Que le général en soit averti.
Il se peut qu'il ne s'en aperçoive pas ou que son bon naturel
Apprécie les qualités dont témoigne Cassio
Et n'ait pas de regard pour ses défauts; n'est-ce pas vrai?

Entre Roderigo.

IAGO, *en aparté.*

Eh bien, eh bien, Roderigo?
Je vous en prie, rejoignez le lieutenant; allez!

Roderigo sort.

MONTANO

Oui, c'est une grande pitié que le noble More
Hasarde un poste comme celui de son second

Avec un homme atteint d'un vice invétéré :
Ce serait une bonne action d'aller le dire
Au More.

IAGO

Moi, pour toute cette belle île, je ne le ferais pas :
J'aime beaucoup Cassio et je ferais beaucoup
Pour le guérir de ce mal.

Cris derrière le théâtre : Au secours ! au secours !

Mais écoutez. Quel est ce bruit?

Rentre Cassio, poursuivant Roderigo.

CASSIO

Morbleu, crapule ! canaille !

MONTANO

Qu'y a-t-il, lieutenant?

CASSIO

Un coquin m'enseigner mon service ! Je vais à coups de poing
Aplatir ce coquin en paillon de bouteille.

RODERIGO

Me battre !

CASSIO

Tu discutes, crapule?

Il frappe Roderigo.

MONTANO

Voyons, mon bon lieutenant; je vous en prie, retenez votre main.

CASSIO

Laissez-moi faire, monsieur, ou je vous cogne sur la caboche.

MONTANO

Allons, allons, vous êtes ivre.

CASSIO

Ivre!

Ils se battent.

IAGO, *bas, à Roderigo*

Partez, dis-je; sortez crier à l'émeute!

Roderigo sort.

A haute voix.

Voyons, mon bon lieutenant! Pour l'amour de Dieu, Messieurs!
Holà, au secours... lieutenant... monsieur... Montano... monsieur...
Au secours, messieurs!... Voilà une belle garde, en vérité!

Une cloche sonne.

Qui donc sonne le tocsin?... Ho, diable,
La ville va s'insurger. Pour l'amour de Dieu; lieutenant, arrêtez;
Vous allez être déshonoré à jamais.

Rentrent Othello et sa suite.

OTHELLO

Que se passe-t-il ici?

MONTANO

Morbleu, mon sang coule toujours.
Je suis frappé à mort... A mort!

Il se précipite de nouveau sur Cassio.

OTHELLO

Sur vos vies! Arrêtez!

IAGO

Holà, arrêtez! Lieutenant... monsieur... Montano... seigneurs.

Avez-vous oublié tout sens de votre poste et de votre devoir?
Le général vous parle : arrêtez, arrêtez, quelle honte!

OTHELLO

Eh quoi donc? Holà! D'où cela provient-il?
Sommes-nous devenus Turcs pour nous faire à nous-mêmes
Ce que le Ciel a interdit aux Ottomans?
Par chrétienne pudeur, laissez là cette barbare querelle.
Le premier qui bouge pour assouvir sa fureur
Ne tient guère à son âme; il mourra dès qu'il bougera.
Faites donc taire cette horrible cloche; par terreur elle jette l'île
Hors de ses usages. De quoi s'agit-il, messieurs?
Honnête Iago, qui sembles mort de douleur,
Parle : qui a commencé? Sur ton amitié, j'exige, parle.

IAGO

Je ne sais pas. Ils étaient tous amis à l'instant, à l'instant même,
En bons termes comme de jeunes mariés
Se déshabillant pour se coucher; et les voilà, il n'y a qu'un instant,
Comme si quelque planète leur avait fait perdre la tête,
Les épées au clair, se portant des coups l'un sur la poitrine de l'autre,
Sanglants dans le combat. Je ne puis indiquer
Aucun début à cette puérile dispute
Et voudrais dans une action glorieuse avoir perdu
Ces jambes qui m'ont conduit à en être témoin.

OTHELLO

Comment se fait-il, Michel? vous être ainsi oublié!

CASSIO

Je vous prie, pardonnez-moi; je ne puis parler.

OTHELLO

Noble Montano, vous étiez d'ordinaire un bon citoyen;
Le sérieux et le calme de votre jeunesse
Étaient connus du monde et grand est votre renom
Sur les lèvres de la plus sage censure; comment se fait-il
Que vous déchiriez ainsi votre réputation
Et perdiez votre belle renommée pour le renom
De querelleur nocturne? Donnez-moi réponse à cela.

MONTANO

Noble Othello, je suis blessé dangereusement;
Iago, votre officier, peut vous informer...
M'épargnant de parler, car cela me fait mal...
De tout ce que je sais; d'ailleurs je ne sais
Rien de ce que cette nuit j'ai dit ou fait qui soit mauvais,
A moins que la charité pour soi-même ne soit parfois un vice
Et que se défendre soi-même ne soit un péché
Quand la violence nous assaille.

OTHELLO

Oh! par le Ciel,
Mon sang commence à dominer mes freins plus sûrs,
Et la colère, obscurcissant mon meilleur jugement,
Essaye de m'entraîner. Si je bouge
Ou si seulement je lève ce bras, les meilleurs d'entre vous
Tomberont sous mon châtiment. Faites-moi savoir
Comment débuta cette vile querelle, qui la provoqua,
Et celui qui sera convaincu de cette faute,
Fût-il mon frère jumeau, à moi lié depuis la naissance,
Je l'abandonnerai. Comment! Dans une ville en guerre,
Encore folle, le peuple ayant le cœur débordant de peur,
Engager une querelle privée et intime,
La nuit, au corps de garde, au service de sécurité!
C'est monstrueux. Iago, qui a commencé?

MONTANO

Si par complicité de partisan ou par service concerté,
Tu en dis moins ou plus que le vrai,
Tu n'es pas un soldat.

IAGO

Ne me touchez pas si fort au cœur;
Plutôt avoir ma langue coupée de ma bouche
Que de faire du tort à Michel Cassio;
Mais, j'en suis persuadé, dire la vérité
Ne peut lui nuire en rien. Voici ce qui est, mon général :
Montano et moi-même étant en train de bavarder,
Survient quelqu'un qui crie au secours
Et Cassio derrière lui avec épée décidée
Prête à le frapper. Monsieur, ce gentilhomme
Se met devant Cassio et le conjure de s'arrêter;
Moi-même je poursuis cet homme qui criait
De peur que sa clameur — ainsi qu'il arriva —
Ne jette la ville en alarme; lui, vif du pied,
Éluda mon dessein; et je revins précipitamment
Car j'entendais le cliquetis et le choc des épées
Et Cassio jurant très haut, chose que jusqu'à cette nuit
Je ne puis dire qu'il ait jamais faite. Quand je revins,
— Car ce fut bref — je les trouvai étroitement aux prises
Attaquant et ferraillant, exactement comme de nouveau ils étaient
Quand vous-même en personne les avez séparés.
Davantage sur ce sujet je ne puis en rapporter;
Les hommes sont hommes; les meilleurs parfois s'oublient.
Bien que Cassio ait fait un peu mal à celui-ci,
Comme des hommes en rage frappent qui les aime le mieux,
Cependant Cassio sûrement, je le crois, avait reçu
De celui qu'il poursuivait quelque étrange outrage
Que sa patience n'a pu laisser passer.

OTHELLO

Je le sais, Iago :

Ton honnêteté et ton amitié minimisent cette affaire,
La rendant légère pour Cassio. Cassio, je t'aime bien,
Mais désormais tu n'es plus de mes officiers.

Rentre Desdémone, avec sa suite.

Voyez si ma bien-aimée n'a pas été réveillée!
Je ferai de toi un exemple.

DESDÉMONE

Que se passe-t-il?

OTHELLO

Tout va bien, ma chère et douce; va te coucher.
Monsieur, je serai moi-même le chirurgien de vos blessures.

On emporte Montano.

Iago, parcours soigneusement la ville
Et fais taire ceux que cette honteuse querelle a excités.
Viens, Desdémone; c'est la vie des soldats
D'avoir leurs doux sommeils troublés par la noise.

Tous s'en vont, sauf Iago et Cassio.

IAGO

Quoi, vous êtes blessé, lieutenant?

CASSIO

Oui, au-delà de toute chirurgie.

IAGO

Diable, au Ciel ne plaise!

CASSIO

Réputation! réputation! réputation! O, j'ai perdu ma réputation! J'ai perdu la part immortelle de moi-même, et ce qui reste est bestial. Ma réputation, Iago, ma réputation!

IAGO

Aussi vrai que je suis honnête homme, j'avais simplement pensé que vous aviez reçu quelque blessure au corps; il y a là plus de sens que dans la réputation. La réputation, c'est une vaine et très fausse imposture; souvent c'est obtenu sans mérite et perdu sans démérite. Vous n'avez perdu aucune réputation, à moins que vous-même pensiez l'avoir perdue. Voyons, mon enfant. Il y a des moyens de ramener le général. Il vous a seulement renvoyé en un accès d'humeur, vous a puni plutôt par politique que par colère, comme qui battrait son chien inoffensif pour effrayer un impétueux lion. Implorez-le de nouveau et il est votre ami.

CASSIO

Je préfère implorer son mépris que d'abuser un si bon général sur un officier si léger, si ivrogne, si indiscret. Ivre! Parler comme un perroquet, se chamailler, fanfaronner, jurer, tenir des propos ampoulés à sa propre ombre! O invisible esprit du vin, si tu n'as pas de nom pour te désigner, qu'on t'appelle démon!

IAGO

Quel était celui que vous poursuiviez de votre épée? Que vous avait-il fait?

CASSIO

Je ne sais pas.

IAGO

Est-il possible?

CASSIO

Je me souviens d'une masse de choses, mais de rien distinctement; une querelle! mais le motif? néant! O, dire que les hommes peuvent introduire dans leur bouche un ennemi qui leur vole leur cervelle! que nous pouvons avec joie, plaisir, réjouissance, et en nous applaudissant, nous changer en bêtes!

IAGO

Eh! vous êtes de nouveau très bien. Comment vous êtes-vous repris?

CASSIO

Il a plu au démon de l'ivresse de céder la place au démon de la colère : une imperfection m'en montre une autre pour me donner un franc mépris de moi-même.

IAGO

Allons, vous êtes un moraliste trop sévère. Étant donné l'heure, le lieu, la situation de ce pays, j'eusse souhaité de tout cœur que ceci n'ait pas eu lieu; mais puisque c'est comme c'est, remédiez-y pour votre propre bien.

CASSIO

J'irai lui redemander ma place, il me traitera d'ivrogne. Aurais-je autant de bouches que l'Hydre, une telle réponse les fermerait toutes. Être un homme de sens, l'instant d'après un insensé, et soudainement une bête : étrange chose! Toute coupe au-delà de la mesure est maudite et son contenu est un démon.

IAGO

Allons, allons, le vin est une bonne créature familière, quand on sait bien le prendre; ne vous écriez pas davantage contre lui. Or çà, mon cher lieutenant, je pense que vous pensez que je vous aime.

CASSIO

J'en ai eu de bonnes preuves, monsieur. Ivre, moi?

IAGO

Vous ou tout autre homme en vie, nous pouvons être ivres une fois... Je vais vous dire ce que vous avez à faire. La femme du général est maintenant notre général; je puis dire cela en ce sens qu'il s'est voué, s'est livré à la contemplation, observation et découverte de ses attraits et appas. Confessez-vous franchement à elle, suppliez-la de vous aider à vous remettre en votre emploi; elle est d'un naturel si franc, si gentil, si bien disposé, si heureux, qu'elle trouve qu'il y a du défaut dans sa bonté si elle ne fait pas plus que ce qu'on lui demande. Ce nœud rompu entre son mari et vous, priez-la de le renouer et, je parie ma fortune contre n'importe quel enjeu, votre amitié qui a craqué en deviendra plus forte qu'auparavant.

CASSIO

Vous me conseillez bien.

IAGO

J'en proteste, c'est avec la sincérité de l'amitié et honnête bienveillance.

CASSIO

Je le crois franchement. Demain de bonne heure j'irai supplier la vertueuse Desdémone de prendre ma cause en charge. Je désespère de mes chances si elles me manquent là.

IAGO

Vous êtes dans le vrai. Bonne nuit, lieutenant;
Il faut que j'aille monter la garde.

CASSIO

Bonne nuit, honnête Iago.

Il sort.

IAGO

Et qui donc dira que je joue un rôle de scélérat?
Alors que je donne un conseil franc, honnête,
Raisonnable, et vraiment le moyen
De regagner les faveurs du More? Il est très facile
D'amener l'obligeante Desdémone
A toute intercession gentille. Elle est d'un naturel aussi généreux
Que les libres éléments. Quant à convaincre le More,
Serait-ce à renoncer à son baptême,
A tous les sceaux et symboles de la rédemption,
Il a l'âme tellement enchaînée en son amour
Qu'elle peut faire et défaire, agir selon son gré,
Selon que son goût jouera le rôle de dieu
Sur son être faible. Comment alors serais-je un scélérat
De conseiller à Cassio une démarche rencontrant son parallèle,
Directement pour son bien? Théologie de l'enfer :
Quand les démons veulent pousser aux plus noirs péchés,
Ils tentent d'abord par des aspects célestes,
Comme je suis en train de faire; tandis que cet honnête imbécile
Suppliera Desdémone de refaire sa fortune
Et qu'elle plaidera puissamment sa cause auprès du More,
Je verserai dans l'oreille de celui-ci la pestilentielle pensée
Qu'elle réclame cet homme pour son plaisir charnel;
Et plus elle tâchera de lui faire du bien,
Plus elle ruinera son crédit sur le More.
Ainsi je rendrai noire comme poix sa vertu
Et ferai de sa bonté le filet
Qui tous les enserrera.

Entre Roderigo.

Eh bien, Roderigo?

RODERIGO

Me voici à la suite des chasseurs, non en chien qui relance, mais en chien qui joint ses abois à ceux de la meute.

Mon argent est presque épuisé; j'ai été cette nuit très durement battu, le résultat, je le crois, est que j'aurai autant d'expérience que de mal; ainsi, sans plus du tout d'argent et avec un peu plus d'esprit, je retourne à Venise.

IAGO

Ce qu'ils sont pauvres, ceux qui n'ont point de patience!
Quelle blessure s'est jamais guérie autrement que par degrés?
Tu sais que nous opérons par l'esprit et non par les esprits,
Et l'esprit dépend du lent déroulement du temps.
Tout ne va-t-il pas bien? Cassio t'a battu.
Et toi, par ce petit bobo, tu as fait renvoyer Cassio.
Bien d'autres choses connaissent belle croissance face au soleil,
Mais les fruits qui fleurissent les premiers mûriront les premiers.
Sois content pour le moment. Parbleu, il fait jour;
Le plaisir et l'action font que les heures paraissent courtes;
Retire-toi; va au logis que ton billet te désigne.
Va-t'en, te dis-je; tu en sauras plus long ensuite.
Allons, décampe.

Roderigo sort.

Il y a deux choses à faire :
Il faut que ma femme agisse pour Cassio auprès de sa maîtresse...
Je vais l'y pousser...
Moi-même pendant ce temps je prends le More à l'écart
Et l'amène juste pour tomber sur Cassio
Sollicitant sa femme. Oui, c'est là bonne voie;
Ne laissons pas s'engourdir notre plan faute d'ardeur par un retard.

Il sort.

ACTE III

SCÈNE PREMIÈRE

La citadelle. Devant la maison d'Othello.

Entrent Cassio et des musiciens.

CASSIO

Messieurs, jouez ici; je récompenserai vos peines.
Quelque chose de bref, puis « Bonjour, général ».

Musique.
Entre le bouffon.

LE BOUFFON

Dites, messieurs, vos instruments ont-ils été à Naples[8] qu'ils parlent du nez ainsi?

PREMIER MUSICIEN

Comment cela, monsieur, comment?

LE BOUFFON

Sont-ce là, je vous prie, des instruments à vent?

PREMIER MUSICIEN

Oui, pardi, c'en est, monsieur.

LE BOUFFON

Oh! instrument à vent avec queue?

PREMIER MUSICIEN

A queue, pourquoi, monsieur?

LE BOUFFON

Ouais, monsieur, j'en atteste maint instrument à vent que je connais. Mais, messieurs, voici de l'argent pour vous : et le général aime tellement la musique qu'il désire que vous, par amour pour lui, ne fassiez plus aucun bruit en jouant.

PREMIER MUSICIEN

Bien, monsieur, nous n'en ferons pas.

LE BOUFFON

Si vous avez de la musique qui ne s'entende pas, allez-y de nouveau; à ce qu'on dit, entendre de la musique, le général ne s'en soucie guère.

PREMIER MUSICIEN

Nous n'en avons pas de telle, monsieur.

LE BOUFFON

Alors, remettez vos flûtes dans votre musette, je m'en vais.
Partez; évanouissez-vous dans les airs; hors d'ici.

Les musiciens sortent.

CASSIO

Entends-tu, mon brave ami?

LE BOUFFON

Non, je n'entends pas votre brave ami; c'est vous que j'entends.

CASSIO

Je t'en prie, laisse tes calembours. Voici pour toi une pauvre pièce d'or; si la dame qui accompagne l'épouse du général est levée, va lui dire qu'un certain Cassio de Venise implore d'elle la faveur d'un court entretien. Le feras-tu?

LE BOUFFON

Elle est levée, monsieur; si elle vient jusqu'ici, il me semble que je lui en parlerai.

CASSIO

Fais-le, mon brave ami.

Le bouffon sort.
Entre Iago.

Ah! fort à propos, Iago!

IAGO

Vous ne vous êtes donc pas couché?

CASSIO

Eh bien, non; le jour se levait quand nous nous sommes séparés.
J'ai pris la liberté, Iago,
D'envoyer quelqu'un appeler votre femme; mon but
Est qu'elle puisse auprès de la vertueuse Desdémone
M'assurer quelque accès.

IAGO

Je vous l'envoie sur l'heure;
Puis je vais concerter un moyen de tirer le More
A l'écart, pour que vos paroles et vos démarches
Puissent être plus libres.

CASSIO

Je vous en suis humblement reconnaissant.

Iago sort.

Je n'ai jamais connu
De Florentin plus aimable et plus honnête.

Entre Emilia.

EMILIA

Bonjour, cher lieutenant; je suis navrée
De votre disgrâce; mais tout certainement s'arrangera.
Le général et sa femme sont en train d'en parler
Et elle plaide énergiquement pour vous. Le More répond
Que celui que vous avez frappé jouit d'une grande renommée à Chypre,
Est d'une haute parenté et qu'en saine sagesse
Il ne pourrait que vous refuser; mais il proteste qu'il vous aime
Et n'a besoin d'autre avocat que sa sympathie
Pour saisir aux cheveux la première occasion
De vous remettre en place.

CASSIO

Pourtant, je vous supplie,
Si vous le jugez bon, ou si cela peut se faire,
Donnez-moi l'avantage de quelque bref entretien
Seul à seul avec Desdémone.

EMILIA

Entrez, je vous prie;
Je vous conduis où vous serez à même
De lui parler d'un cœur libre.

CASSIO

Je vous suis fort obligé.

Ils sortent.

SCÈNE II

Une salle dans la citadelle.

Entrent Othello, Iago et des gentilshommes.

OTHELLO

Ces lettres, Iago, donnez-les au pilote
Et chargez-lui d'offrir mes hommages au Sénat.
Cela fait, je vais visiter les ouvrages,
Venez là me rejoindre.

IAGO

Bien, mon bon seigneur, je le ferai.

Il sort.

OTHELLO

Ces fortifications, messieurs, allons-nous les voir?

LES GENTILSHOMMES

Nous suivrons Votre Seigneurie.

Ils sortent.

SCÈNE III

Un jardin dans la citadelle.

Entrent Desdémone, Cassio et Emilia.

DESDÉMONE

Soyez assuré, bon Cassio, que je ferai
En votre faveur tout ce que je pourrai.

EMILIA

Bonne madame, faites-le; je vous assure, tout cela chagrine mon mari
Comme s'il s'agissait de lui.

DESDÉMONE

Oh! c'est là un honnête homme. Ne doutez pas, Cassio,
Mon époux et vous je vous rendrai de nouveau
Aussi amis qu'avant.

CASSIO

Généreuse dame,
Quoi qu'il advienne de Michel Cassio,
Il ne sera jamais que votre dévoué servant.

DESDÉMONE

Je le sais, je vous en remercie. Vous aimez mon époux;
Vous le connaissez depuis si longtemps; soyez-en sûr,
Il a pour vous un éloignement qui ne va pas plus loin
Qu'un éloignement tactique!

CASSIO

Oui, mais, madame,
Cette politique peut aussi durer si longtemps,
Ou se nourrir de mets si subtils et fluides,
Ou s'entretenir si bien des circonstances,
Qu'en mon absence, un autre tenant mon poste,
Le général oubliera mon amitié, mes services.

DESDÉMONE

N'ayez pas ces doutes; ici, devant Emilia,
Je vous garantis votre place. Soyez assuré,
Si je fais vœu d'amitié, je l'accomplis
Jusqu'à l'ultime article. Mon époux n'aura plus de paix;

Je l'apprivoiserai d'insomnies et lui parlerai jusqu'à
l'exaspérer;
Son lit lui paraîtra une école, sa table un confessionnal;
A toute chose qu'il fera je mêlerai
La supplique de Cassio. Donc soyez content, Cassio;
Votre avocate mourra plutôt
Que d'abandonner votre cause.

Entrent Othello et Iago, à quelque distance.

EMILIA

Madame, voici venir monseigneur.

CASSIO

Madame, je prends congé.

DESDÉMONE

Non, demeurez, écoutez-moi parler.

CASSIO

Madame, pas maintenant; je me sens très mal à l'aise,
Inapte à mes propres intérêts.

DESDÉMONE

Bien, faites à votre gré.

Cassio sort.

IAGO

Ha! je n'aime pas cela.

OTHELLO

Que dis-tu?

IAGO

Rien, monseigneur; ou sinon... je ne sais quoi.

OTHELLO

N'est-ce pas Cassio qui vient de quitter ma femme?

IAGO

Cassio, monseigneur? Non, vrai, je ne puis le croire :
Lui, vouloir s'enfuir à la façon d'un coupable
En vous voyant venir!

OTHELLO

Je crois vraiment que c'était lui.

DESDÉMONE

Vous voilà maintenant, mon époux.
J'ai eu à m'entretenir avec un solliciteur, ici,
Un homme que votre déplaisir fait languir.

OTHELLO

Quel est celui que vous avez en l'esprit?

DESDÉMONE

Mais, votre lieutenant : Cassio! Mon bon époux,
Si j'ai grâce et pouvoir de vous toucher,
Acceptez son présent repentir;
Car si ce n'est pas quelqu'un qui véritablement vous aime,
Quelqu'un qui pèche par erreur et non par malice,
C'est que je ne m'y connais en visages honnêtes.
Je vous en prie, rappelez-le.

OTHELLO

Est-ce lui qui vient de sortir?

DESDÉMONE

Oui, bien sûr; si humilié
Qu'il m'a laissé une partie de son chagrin
Pour que j'en souffre avec lui. Mon bon amour, rappelez-le.

OTHELLO

Pas pour le moment, douce Desdémone; à quelque autre moment.

DESDÉMONE

Mais sera-ce bientôt?

OTHELLO

Au plus tôt, douce, pour vous.

DESDÉMONE

Sera-ce cette nuit, au souper?

OTHELLO

Non, pas cette nuit.

DESDÉMONE

Demain donc à dîner?

OTHELLO

Je ne mangerai pas chez moi;
J'ai rendez-vous avec les capitaines à la citadelle.

DESDÉMONE

Eh bien, alors, demain soir; ou mardi midi ou soir; ou mercredi matin.
Je vous prie, fixez une date; mais qu'elle n'excède pas
Trois jours. En vérité, il est tout repentir;
Et son délit, à notre commun jugement —
Excepté que, dit-on, dans les guerres il faut faire des exemples
Sur les meilleurs — est à peine une faute
Méritant une réprimande privée. Quand viendra-t-il chez nous?

Dites-le-moi, Othello. Je me demande avec âme étonnée :
Que pourriez-vous me demander que je vous refuserais
Ou qu'ainsi j'hésiterais à accorder? Quoi! Michel Cassio,
Qui vous accompagnait quand vous veniez me courtiser,
qui si souvent,
Quand je parlais de vous déplaisamment,
A pris votre parti... avoir tant à faire
Pour le réintégrer! Croyez-moi, je puis faire beaucoup...

OTHELLO

Je t'en prie, plus un mot. Qu'il vienne quand il voudra;
Je ne te refuserai rien.

DESDÉMONE

Mais! il ne s'agit pas d'un passe-droit;
C'est comme si je vous priais de mettre vos gants,
De manger des plats nourrissants, de vous tenir au chaud,
De tenir soin de vous pour l'avantage particulier
De votre personne. Oui, si j'avais une affaire
Où je penserais à mettre votre amour à l'épreuve pour de
vrai,
Ce serait important, lourd de difficulté,
Et terrible à accorder.

OTHELLO

Je ne te refuserai rien.
Sur ce, vraiment je t'en supplie, accorde-moi ceci :
De me laisser rien qu'un instant à moi-même.

DESDÉMONE

Vous refuser à vous? non; au revoir, mon maître.

OTHELLO

Au revoir, ma Desdémone, je reviendrai vite.

DESDÉMONE

Venez, Emilia. Vous, soyez comme vos idées vous instruisent;
Quelque parti que vous preniez, j'obéirai.

Desdémone et Emilia sortent.

OTHELLO

Créature excellente! La perdition prenne mon âme
Si je ne t'aime pas; et quand je ne t'aimerai pas,
Le chaos sera de retour.

IAGO

Mon noble seigneur...

OTHELLO

Que dis-tu, Iago?

IAGO

Michel Cassio,
Quand vous courtisiez madame, connaissait-il votre amour?

OTHELLO

Oui, du début à la fin. Pourquoi cette question?

IAGO

Rien que pour satisfaire ma pensée;
Sans y mettre plus de malice.

OTHELLO

Ta pensée? comment cela, Iago?

IAGO

Je ne pensais pas qu'il eût été en relation avec elle.

OTHELLO

Oh si! et souvent il s'est entremis entre nous.

IAGO

Vraiment!

OTHELLO

Vraiment! oui, vraiment! Vois-tu là quelque chose?
N'est-il pas honnête?

IAGO

Honnête, monseigneur?

OTHELLO

Honnête? oui, honnête.

IAGO

Monseigneur, autant que je puis savoir.

OTHELLO

Qu'as-tu dans l'idée?

IAGO

Dans l'idée, monseigneur?

OTHELLO

Dans l'idée, monseigneur! Misère, tu te fais mon écho
Comme s'il y avait dans ton idée quelque monstre
Trop hideux pour être montré. Tu dois vouloir dire quelque chose.
Je t'ai entendu dire tout à l'heure : « Je n'aime pas cela »
Lorsque Cassio quitta ma femme. Qu'est-ce que tu n'aimais pas?

Puis quand je t'ai dit qu'il était dans ma confidence
Tout le temps de ma cour, tu as crié : « Vraiment! »
Et tu as contracté et froncé le sourcil
Comme si tu avais alors enfermé dans ton cerveau
Quelque horrible pensée. Si vraiment tu m'aimes,
Montre-moi ton idée.

IAGO

Monseigneur, vous savez que je vous aime.

OTHELLO

Je crois que c'est ainsi
Et parce que je sais que tu es plein d'amour, et honnête,
Et que tu pèses tes mots avant de leur donner souffle,
Ces réticences de ta part m'alarment d'autant plus;
Ces choses-là, chez un intrigant perfide et faux,
Sont ruses routinières; mais chez un homme juste
Ce sont secrets points d'arrêt travaillant à sortir d'un cœur
Qui ne peut contenir sa colère.

IAGO

Pour Michel Cassio,
J'ose jurer que je le crois honnête.

OTHELLO

Je le crois aussi.

IAGO

Les hommes devraient être ce qu'ils paraissent
Et ceux qui ne le seraient pas, plût au Ciel qu'ils puissent ne pas être!

OTHELLO

C'est certain, les hommes devraient être ce qu'ils semblent.

IAGO

Eh bien alors, je crois que Cassio est un honnête homme.

OTHELLO

Non, il y a encore quelque chose de plus en ceci.
Je t'en prie, parle-moi comme devant toi-même,
Car tu rumines en ton esprit, et donne à la pire de tes pensées
La pire des expressions.

IAGO

Mon bon seigneur, pardonnez-moi.
Il est vrai que je suis tenu à tout acte de loyauté,
Mais je ne suis pas tenu à ce dont tous les esclaves sont exemptés.
Énoncer mes pensées! Eh bien, dites qu'elles sont fausses et viles...
Car où est le palais où des êtres immondes
Jamais ne pénètrent? Qui a le cœur si pur
Que des imaginations malpropres
N'y tiennent lit et assises et n'y aient leur session
En compagnie de pensées honorables?

OTHELLO

Tu conspires contre ton ami, Iago,
Si la pensée t'effleure qu'on lui fait tort et si tu tiens ses oreilles
Écartées de tes pensées.

IAGO

Je vous supplie...
Il se peut que je sois vicieux en conjectures,
Car, je l'avoue, c'est le fléau de ma nature
D'épier les abus et souvent ma jalousie

Imagine des fautes inexistantes... que votre sagesse
Ne prête pas attention à quelqu'un qui si imparfaitement
Bâtit des hypothèses, qu'elle ne se forge pas une inquiétude
Avec des observations éparses et pas sûres.
Il ne serait pas bon pour votre paix, pour votre bien
Ni pour ma dignité d'homme, mon honnêteté, ma sagesse,
De vous laisser connaître mes pensées.

OTHELLO

Que veux-tu dire?

IAGO

Le bon renom pour l'homme et pour la femme, cher seigneur,
Est le premier joyau de leurs cœurs.
Qui me vole ma bourse vole une camelote : c'est quelque chose et rien;
Elle était mienne, elle est sienne, elle fut serve de milliers d'hommes;
Mais qui me filoute de mon bon renom
Me dérobe ce qui ne l'enrichit pas
Et me fait pauvre vraiment.

OTHELLO

Je veux savoir tes pensées!

IAGO

Vous ne le pourriez, mon cœur fût-il entre vos mains!
Et ne le pourrez pas tant qu'il sera sous ma garde.

OTHELLO

Ah!

IAGO

Oh! attention, monseigneur, à la jalousie;
C'est le monstre aux yeux verts, qui tourmente[9]

La proie dont il se nourrit; ce cocu vit dans la félicité
Qui, certain de son sort, n'aime pas celle qui lui fait tort;
Mais quelles minutes damnées il compte,
Celui qui idolâtre et doute, soupçonne et tendrement aime!

OTHELLO

O misère!

IAGO

Être pauvre et content c'est être riche, et riche à suffisance;
Mais être riche sans borne c'est être pauvre comme l'hiver
Pour qui constamment a peur d'être pauvre.
Ciel clément! les âmes de toute ma tribu, protège-les
De la jalousie!

OTHELLO

Pourquoi, pourquoi tout cela?
Crois-tu que je me ferais une vie de jalousie,
Pour constamment suivre les changements de lune
Par des soupçons changeants? Non; être une fois dans le doute
C'est être une fois pour toutes résolu. Échange-moi contre un bouc
Le jour où je tournerai les activités de mon âme
Vers des conjectures extra-soufflées et boursouflées
Égales à ta déduction. Ce n'est pas me rendre jaloux
Que me dire que ma femme est belle, qu'elle aime la compagnie,
Qu'elle a le parler libre, chante, joue et danse bien;
Où est la vertu, c'est là plus grande vertu;
De mes faibles mérites je ne tirerai pas non plus
La plus petite crainte ou suspicion qu'elle se rebelle,
Car elle avait des yeux et m'a choisi. Non, Iago :
Je veux voir avant de douter, et, quand je douterai, faire la preuve;

Et sur le coup de la preuve, plus rien d'autre que ceci :
Tout de suite adieu à l'amour et à la jalousie!

IAGO

J'en suis heureux, car maintenant j'aurai une raison
De montrer l'amour et le dévouement que je vous porte
Avec esprit plus libre. C'est pourquoi, ainsi que j'y suis tenu,
Recevez de moi l'avis. Je ne parle pas encore de preuves.
Ayez l'œil sur votre femme; observez-la bien avec Cassio;
Utilisez ainsi vos yeux sans être jaloux, sans être confiant;
Je ne voudrais pas que votre franche et noble nature
Fût victime de sa bonté inhérente. Veillez-y!
Je connais bien les dispositions d'esprit de ce pays;
A Venise elles laissent voir au ciel les bons tours
Qu'elles n'osent montrer à leurs maris; le meilleur de leur conscience
N'est pas de ne pas le faire, mais de le taire.

OTHELLO

Dis-tu cela?

IAGO

Elle a trompé son père en vous épousant;
Et c'est lorsqu'elle semblait frissonner et craindre vos regards
Qu'elle vous aimait le plus.

OTHELLO

Oui, elle fit ainsi.

IAGO

Eh bien alors,
Celle qui, si jeune, pouvait manifester une telle dissimulation

Pour mettre sur les yeux de son père un bandeau aussi dru qu'un chêne,
Il pensa qu'il y avait de la magie... mais je suis bien à blâmer;
Je vous supplie humblement de me pardonner
De trop vous aimer.

OTHELLO

Je te suis obligé à jamais.

IAGO

Je vois que ceci a un peu abattu vos esprits.

OTHELLO

Pas du tout, pas du tout.

IAGO

Sur ma foi, j'ai peur que si.
J'espère que vous tiendrez ce que j'ai dit
Comme venant de mon affection. Mais je vois que vous êtes ému;
Je dois vous prier de ne pas conduire par force mes paroles
A des significations plus lourdes, à une portée plus large
Que le soupçon.

OTHELLO

Je ne le ferai pas.

IAGO

Si vous le faisiez, monseigneur,
Mes paroles auraient un odieux succès d'un genre
Auquel ne tendaient pas mes pensées. Cassio est mon digne ami...
Monseigneur, je vois que vous êtes ému.

OTHELLO

Non, pas très ému...
Je n'ai qu'une pensée : Desdémone est honnête.

IAGO

Qu'elle vive longtemps ainsi ! et vous, vivez longtemps à la croire ainsi !

OTHELLO

Et pourtant, à quel point la nature en s'égarant...

IAGO

Oui, voilà le point ; ainsi, à vous parler hardiment,
N'avoir pas accepté tant de partis qui se proposaient,
Des hommes de son pays, de son teint, de son rang,
Selon les tendances naturelles que nous voyons en tout être...
Pouah ! on peut sentir là un goût bien corrompu,
Une affreuse dépravation, des pensées contre nature.
Mais pardonnez-moi : je ne parle pas positivement
D'elle précisément ; pourtant je crains
Que ses vœux, se repliant sur un meilleur jugement,
N'en viennent à vous comparer aux visages de son pays
Et peut-être à se repentir.

OTHELLO

Adieu, adieu !
Si tu vois davantage, fais-le-moi savoir.
Dis à ta femme d'avoir l'œil au guet. Laisse-moi, Iago.

IAGO, *sortant.*

Monseigneur, je prends congé.

OTHELLO

Pourquoi me suis-je marié? Cet honnête homme, à coup sûr,
En voit et en sait plus que ce qu'il me dévoile.

IAGO, *revenant*

Monseigneur, je voudrais pouvoir supplier Votre Honneur
De ne pas scruter cette affaire plus avant; laissez faire le temps.
Sans doute il est juste que Cassio reprenne son poste
Car, certes, il l'occupe avec grande capacité;
Cependant s'il vous plaisait de le tenir quelque temps à l'écart,
Vous pénétreriez par là l'homme et ses moyens;
Notez si votre femme vous presse de le bien traiter
En vous importunant vivement ou véhémentement;
On pourra voir là bien des choses. Entre-temps
Croyez que je suis excessif en mes craintes
(Comme j'ai de bonnes raisons de croire que je le suis)
Et laissez-lui toute liberté, j'en supplie Votre Honneur.

OTHELLO

Ne crains pas pour ma conduite.

IAGO

Une fois de plus je prends congé de vous.

Il sort.

OTHELLO

Ce garçon est d'une honnêteté extrême
Et connaît, d'un esprit averti, toutes les motivations
Des actions humaines. Si je fais la preuve qu'elle est un faucon libertin[10],
Ses attaches seraient-elles les fibres mêmes de mon cœur,

Je donnerais le coup de sifflet pour la chasser et la lâcher dans les vents
Chercher sa proie à l'aventure. Peut-être est-ce parce que je suis noir
Et n'ai pas les gentilles manières
Des freluquets de salon, ou parce que je descends
Dans la vallée des années... pourtant c'est de peu d'années!...
Qu'elle m'a échappé; je suis trompé et ma consolation
Est nécessairement de la détester. O malédiction du mariage
Que nous puissions appeler nôtres ces délicates créatures
Sans que soit nôtre leur désir! O plutôt être un crapaud
Et vivre des puanteurs d'un cachot
Que de laisser en celle que j'aime un coin
Dont se serviraient d'autres. C'est là pourtant le fléau des grands;
Ils sont moins privilégiés que les petits;
C'est une destinée inéluctable, comme la mort;
Cette peste cornue nous est fatalement réservée à l'heure même
Où nous prenons vie. Voici Desdémone.

Rentrent Desdémone et Emilia.

Si elle est fausse, oh, c'est qu'alors le Ciel se moque de lui-même.
Je ne veux pas le croire.

DESDÉMONE

Comment êtes-vous, mon cher Othello!
Votre dîner et les nobles insulaires
Par vous invités attendent votre présence.

OTHELLO

Je suis en faute.

DESDÉMONE

Pourquoi cette voix si faible?
Vous n'êtes pas bien?

OTHELLO

J'ai une douleur au front, ici.

DESDÉMONE

Croyez-moi, ce sont vos veilles; cela passera.
Laissez-moi vous bander le front très serré, dans une heure
Il sera guéri.

OTHELLO

Votre mouchoir est trop petit.

Il défait le mouchoir; elle le laisse tomber.

Laissons cela. Allons, je vous accompagne.

DESDÉMONE

Je suis navrée de vous voir souffrant.

Othello et Desdémone sortent.

EMILIA

Je suis bien aise d'avoir trouvé ce mouchoir;
C'était là son premier souvenir du More;
Mon obstiné mari m'a cent fois
Cajolée pour que je le vole; mais elle aime tellement ce gage
(Il l'a conjurée de le garder toujours)
Qu'elle le porte sans cesse sur elle
Pour le baiser et pour lui parler. J'en ferai prendre le point
Et le donnerai à Iago. Ce qu'il veut en faire,
Le ciel le sait, pas moi :
Mais je ne veux que satisfaire sa fantaisie.

Rentre Iago.

IAGO

Eh bien! Que fais-tu ici toute seule?

EMILIA

Ne me grondez pas; j'ai quelque chose pour vous.

IAGO

Une chose pour moi? C'est une chose commune...

EMILIA

Ah!

IAGO

D'avoir une femme sotte.

EMILIA

Oh! c'est tout? Voyons, que me donnerez-vous
Pour ce même mouchoir?

IAGO

Quel mouchoir?

EMILIA

Quel mouchoir?
Mais celui que le More donna pour premier cadeau à
Desdémone;
Celui que si souvent vous m'avez dit de voler.

IAGO

Tu le lui as volé?

EMILIA

Non, bien sûr; elle l'a laissé tomber par mégarde
Et, profitant de l'occasion, comme j'étais là je l'ai ramassé.
Regardez, le voici.

IAGO

Tu es une bonne fille; donne-le-moi.

EMILIA

Que voulez-vous faire avec, que vous ayez tant insisté
Pour que je le dérobe?

IAGO, *le lui arrachant.*

Quoi? qu'est-ce que cela te fait?

EMILIA

Si ce n'est pas pour quelque usage d'importance,
Rendez-le-moi. Pauvre dame! elle deviendra folle
Quand elle ne le trouvera plus!

IAGO

Ne fais semblant de rien; j'ai l'emploi de ce mouchoir.
Allons, laisse-moi.

Emilia sort.

Je vais perdre ce mouchoir dans le logement de Cassio
Et faire qu'il le trouve. Des riens légers comme l'air
Sont pour les jaloux des confirmations ayant la force
Des preuves de l'Écriture sainte, ceci peut faire quelque chose.
Le More change déjà sous l'influence de mon poison.
Les idées dangereuses sont par leur nature des poisons
Qui d'abord dégoûtent à peine

Mais qui, pour peu qu'elles agissent sur le sang,
Brûlent comme des mines de soufre...

Rentre Othello.

Je le disais bien :
Regardez-le qui vient! Ni pavot, ni mandragore,
Ni tous les breuvages assoupissants du monde
Ne te rendront jamais par médecine ce doux sommeil
Que hier tu possédais.

OTHELLO

Ah! ah! fausse envers moi!

IAGO

Eh bien, comment êtes-vous, général! N'y pensez plus!

OTHELLO

Arrière! va-t'en! tu m'as mis sur la roue!
Je jure qu'il est mieux d'être trompé beaucoup
Que de connaître un peu la chose.

IAGO

Comment êtes-vous, monseigneur?

OTHELLO

Quel sens avais-je des heures qu'elle volait pour son plaisir?
Je ne le voyais pas, n'y pensais pas, cela ne me faisait pas de mal :
Je dormais bien la nuit d'après, j'étais bien, j'étais gai;
Je ne trouvais pas les baisers de Cassio sur ses lèvres.
Celui qui est volé, qui ne manque pas de ce qui lui est volé,
Qui ne le sait pas, n'est pas volé du tout.

IAGO

Je suis fâché d'entendre ceci.

OTHELLO

J'aurais été heureux quand le camp tout entier,
Sapeurs et le reste, aurait goûté son tendre corps
Sans que j'en pusse rien savoir. Oh! maintenant pour toujours
Adieu l'esprit tranquille! adieu le contentement!
Adieu les troupes empanachées et les grandioses guerres
Qui font de l'ambition une vertu... Oh, adieu!
Adieu, coursier hennissant, stridente trompette!
Tambour enflammant le cœur, fifre perçant l'oreille,
Royale bannière, honneurs de toute sorte,
Orgueil, pompe, cérémonies de la guerre glorieuse!
Et vous, engins de mort dont les rudes gosiers
Contrefont les redoutables clameurs de l'immortel Jupiter,
Adieu! C'en est fini des occupations d'Othello!

IAGO

Est-ce possible, monseigneur?

OTHELLO

Misérable, sois bien sûr de me prouver que celle que j'aime est une infâme;
Sois-en sûr; donne-m'en la preuve oculaire

Il le saisit à la gorge.

Sinon, par le prix qu'a mon âme immortelle,
Tu aurais mieux fait d'être né chien
Que de répondre à ma rage éveillée.

IAGO

En est-ce venu là?

OTHELLO

Fais-moi voir la chose; ou, du moins, prouve-la de telle façon
Que la démonstration ne porte saillie ou faille
Où accrocher un doute; sinon, malheur à ta vie!

IAGO

Mon noble seigneur...

OTHELLO

Si tu la calomnies et si tu me tortures,
Ne prie jamais plus; abandonne tout remords;
Sur la tête de l'horreur accumule les horreurs;
Fais des choses à faire pleurer le ciel, à stupéfier la terre;
Car tu ne peux à ta damnation ajouter rien
De plus grand que cela.

IAGO

O Grâce! O Ciel, pardonne-moi!
Êtes-vous un homme? avez-vous une âme, une raison?
Dieu soit près de vous; reprenez mon emploi. O misérable niais
Qui vis pour faire de ton honnêteté un vice!
O monde monstrueux! Prends note, prends note, ô monde,
Qu'être droit et honnête n'est pas sûr.
Je vous remercie de la leçon et désormais
N'aimerai plus aucun ami puisque l'affection provoque pareille offense.

OTHELLO

Non, reste; tu dois être honnête.

IAGO

Je devrais être sage; car l'honnêteté est une folle
Et perd ce qu'elle travaille à sauver.

OTHELLO

Par l'univers,
Je crois que ma femme est honnête et je crois qu'elle ne l'est pas ;
Je crois que tu es juste et je crois que tu ne l'es pas ;
Je veux avoir quelque preuve. Son nom qui était aussi frais
Que le visage de Diane, le voici terni et noir
Comme ma propre face. S'il y a des cordes ou des couteaux,
Du poison, du feu ou des vagues qui suffoquent,
Je n'endurerai pas cela. Oh ! avoir une certitude !

IAGO

Je vois, seigneur, que vous êtes dévoré par la passion :
Je regrette de vous avoir mis ces idées en tête.
Vous voudriez une certitude ?

OTHELLO

Je le voudrais ? non ! je le veux !

IAGO

Et le pouvez ; mais comment ? quelle certitude, monseigneur ?
Voudriez-vous, en témoin, grossièrement, bouche bée, voir le spectacle
De votre femme couverte ?

OTHELLO

Mort et damnation ! Oh !

IAGO

Il serait ennuyeusement difficile, je pense,
De les amener à donner ce spectacle ; Dieu les damne

Si jamais d'autres yeux mortels que les leurs les voient
Ensemble sur l'oreiller! Eh bien alors? comment faire alors?
Que pourrais-je dire? Où est la certitude?
Il est impossible que vous voyiez la chose,
Seraient-ils aussi vigoureux que des boucs, aussi chauds que des singes,
Aussi paillards que des loups en rut, aussi benêts que l'ignorant
Pris de boisson. Cependant, je l'affirme,
Si l'induction et les fortes présomptions circonstanciées
Qui mènent directement au seuil de la vérité
Peuvent être pour vous une certitude, vous pouvez l'avoir.

OTHELLO

Donne-moi une preuve vivante qu'elle m'est infidèle.

IAGO

Je n'aime pas cet office;
Mais puisque je suis entré si avant dans cette cause,
Poussé par une folle honnêteté et par l'amitié,
Je vais continuer. Dernièrement, j'étais couché avec Cassio
Et, tourmenté d'une rage de dents,
Je ne pouvais dormir.
Il est une espèce d'hommes dont l'âme est si relâchée
Qu'en leur sommeil ils marmonnent leurs affaires;
De cette sorte est Cassio.
En son sommeil je l'ouïs dire : « Douce Desdémone!
Soyons prudents, cachons nos amours! »
Et alors, seigneur, il me prenait et m'étreignait la main,
S'écriait : « Douce créature! », puis m'embrassait avec force
Comme pour m'arracher par leurs racines les baisers
Éclos sur mes lèvres; puis il posait sa jambe

Sur ma cuisse, soupirait, m'embrassait et à ce moment
Cria : « Maudit destin qui te donna au More! »

OTHELLO

Oh! monstrueux! monstrueux!

IAGO

Mais ce n'était que son rêve!

OTHELLO

Mais cela dénotait une conclusion accomplie déjà;
C'est un subtil indice, bien qu'il ne soit qu'un rêve.

IAGO

Et cela peut aider à grossir d'autres preuves
Qui n'ont que mince consistance.

OTHELLO

Je la mettrai en pièces.

IAGO

Oui, mais soyez sage; nous ne voyons encore rien de fait;
Elle peut être honnête encore. Dites-moi seulement :
N'avez-vous parfois vu un mouchoir
Brodé de fraises dans les mains de votre femme?

OTHELLO

Je lui ai donné un tel mouchoir; ce fut mon premier cadeau.

IAGO

Je l'ignore; mais avec un tel mouchoir —
Je suis sûr que c'était celui de votre femme — aujourd'hui
J'ai vu Cassio s'essuyer la barbe.

OTHELLO

Si c'est celui-là...

IAGO

Si c'est celui-là ou tout autre qui fût à elle,
Cela parle contre elle avec les autres preuves.

OTHELLO

Oh! que ce coquin ait quarante mille vies!
Une seule est trop pauvre, trop chétive pour ma revanche.
Maintenant, je vois que c'est vrai. Regarde, Iago, ici :
Tout mon fol amour je le souffle comme ceci vers le ciel...
Il s'est envolé.
Lève-toi, noire vengeance, hors ton antre creux.
Cède, ô mon amour, ta couronne et ton trône dans le cœur
A la haine qui tyrannise! Gonfle-toi, mon sein, avec ta charge,
Ta cargaison de langues d'aspic!

IAGO

Oh! mais! contenez-vous!

OTHELLO

O le sang, le sang, le sang!

IAGO

Patience, dis-je; vos pensées peut-être peuvent changer.

OTHELLO

Jamais, Iago : semblables à la mer Pontique,
Dont le courant glacé et le cours irréversible
Ne sentent jamais le reflux mais continuent droit leur marche

Vers la Propontide et vers l'Hellespont[11],
Toutes semblables mes pensées sanglantes, en course violente,
Jamais ne regarderont en arrière, ne reflueront vers l'humble amour
Mais iront d'abord jusqu'où une ample et vaste vengeance
Les engloutira. Oui, par ce ciel de marbre[12], là au loin,
Avec religieux respect de ce vœu sacré,
J'engage ici ma parole.

Il s'agenouille.

IAGO

Ne vous relevez pas encore.

Il s'agenouille.

Soyez témoins, vous, lumières, éternellement brillantes là-haut,
Vous, éléments qui nous enveloppez de toute part,
Soyez témoins qu'ici Iago voue
Le pouvoir actif de son esprit, de ses mains, de son cœur
Au service d'Othello outragé! Qu'il ordonne
Et lui obéir sera pour moi sans remords
Quelque sanglant que soit l'acte.

Ils se lèvent.

OTHELLO

Je salue ton affection,
Non avec vains mercis, mais avec acceptation généreuse
Et vais à l'instant même la mettre à l'épreuve :
Avant trois jours que je t'entende dire
Que Cassio n'est plus en vie.

IAGO

Mon ami est mort;
C'est chose faite sur votre requête. Mais elle, laissez-la vivre!

OTHELLO

Damnation sur elle, l'impudique coquine! O damnation sur elle! damnation sur elle!
Allons, viens avec moi à l'écart! je vais me retirer
Pour me fournir quelques rapides moyens de mort
Pour la belle démone. C'est toi maintenant mon lieutenant.

IAGO

Je suis vôtre pour toujours.

Ils sortent.

SCÈNE IV

Même lieu.

Entrent Desdémone, Emilia et le bouffon.

DESDÉMONE

Savez-vous, mon ami, où loge le lieutenant Cassio?

LE BOUFFON

Je n'ose dire qu'il loge quelque part.

DESDÉMONE

Pourquoi, homme?

LE BOUFFON

Il est soldat; et, pour moi, dire qu'un soldat loge est lui donner un coup d'épée.

DESDÉMONE

Allons au but : où loge-t-il?

LE BOUFFON

Vous dire où il loge, c'est vous dire où je déloge.

DESDÉMONE

Peut-on de ceci faire quelque chose?

LE BOUFFON

Je ne sais où il loge; et pour moi imaginer un logis, dire qu'il loge ici ou qu'il loge là, ce serait me déloger en ma gorge.

DESDÉMONE

Peux-tu chercher où il est, et en être bien édifié par ce qu'on t'en dit?

LE BOUFFON

Je vais interroger tout le monde comme au catéchisme, c'est-à-dire faire moi-même les questions et les réponses.

DESDÉMONE

Cherche-le; dis-lui de venir ici. Dis-lui que j'ai touché mon époux en sa faveur et que j'espère que tout sera bien.

LE BOUFFON

Le faire est dans les bornes de l'esprit humain et c'est pourquoi je vais tenter l'acte de le faire.

Il sort.

DESDÉMONE

Où aurais-je perdu ce mouchoir, Emilia?

EMILIA

Je ne sais pas, Madame.

DESDÉMONE

Crois-moi, j'aimerais mieux avoir perdu ma bourse
Pleine d'écus ; et si mon noble More
N'était pas d'âme loyale et étrangère à toute cette bassesse
Dont sont faits les jaloux, c'en serait assez
Pour lui donner de mauvaises idées.

EMILIA

Il n'est donc pas jaloux ?

DESDÉMONE

Qui ? lui ! Je crois que le soleil sous lequel il est né
A purgé son sang de toutes les humeurs de ce genre.

EMILIA

Regardez, le voici qui vient.

DESDÉMONE

Je ne le laisserai pas avant qu'il ait
Rappelé Cassio.

Entre Othello.

Comment allez-vous, monseigneur ?

OTHELLO

Bien, ma chère dame... *(A part.)* O, la dureté de dissimuler !
Comment allez-vous, Desdémone ?

DESDÉMONE

Bien, mon cher seigneur.

OTHELLO

Donnez-moi votre main ; cette main est moite, madame.

DESDÉMONE

Elle n'a pas senti l'âge ni connu le chagrin.

OTHELLO

Ceci dénote un tempérament exubérant et un cœur prodigue :
Chaude, chaude, et moite. Cette main-là requiert
Claustration, jeûne et prière,
Beaucoup de mortification, d'exercices dévots ;
Car il y a ici un démon jeune et en sueur
Qui a l'habitude de se révolter. C'est une bonne main,
Une main qui dit tout.

DESDÉMONE

Vous pouvez vraiment le dire :
C'est cette main-là qui donna mon cœur.

OTHELLO

Une main prodigue ; jadis les cœurs donnaient les mains ;
Dans notre nouveau blason il n'y a pas de cœurs, il n'y a que des mains.

DESDÉMONE

Je ne puis en parler. Mais venons-en à votre promesse !

OTHELLO

Quelle promesse, mignonne ?

DESDÉMONE

J'ai envoyé dire à Cassio de venir vous parler.

OTHELLO

J'ai un vilain mauvais rhume qui me fait souffrir;
Prêtez-moi votre mouchoir.

DESDÉMONE

Voici, monseigneur.

OTHELLO

Celui que je vous ai donné.

DESDÉMONE

Je ne l'ai pas sur moi.

OTHELLO

Vous ne l'avez pas?

DESDÉMONE

Non, vraiment, monseigneur.

OTHELLO

C'est un tort. Ce mouchoir,
Une Égyptienne en fit don à ma mère.
C'était une magicienne, elle allait presque jusqu'à lire
Dans les pensées des gens; elle lui dit que, tant qu'elle le garderait,
Elle resterait aimable et soumettrait mon père
Entièrement à son amour; mais si elle le perdait
Ou en faisait cadeau, les regards de mon père
La tiendraient en haine et son cœur s'en irait quêtant
De nouvelles amours. En mourant elle me le donna
Et me dit : quand ton destin voudra que tu te maries,
Donne-le à ta femme. C'est ce que j'ai fait; prenez-en soin :

Qu'il vous soit aussi cher que la prunelle tendre de vos yeux;
Le perdre ou le donner serait un malheur
Au-dessus de quoi que ce soit.

DESDÉMONE

Est-il possible?

OTHELLO

C'est la vérité. Il y a un charme dans le tissu;
Une sibylle, qui en ce monde avait compté
Deux cents révolutions du soleil,
En a ourdi la trame en sa prophétique fureur;
Les vers étaient sacrés qui filèrent cette soie;
Elle fut teinte d'une liqueur extraite par art
De cœurs de vierges.

DESDÉMONE

Vraiment! c'est vrai?

OTHELLO

Très véritable. C'est pourquoi prenez-en bien soin.

DESDÉMONE

Alors plût à Dieu que je ne l'aie jamais vu!

OTHELLO

Ah! pourquoi?

DESDÉMONE

Pourquoi parlez-vous si brusquement et si violemment?

OTHELLO

Est-il perdu? a-t-il disparu? parlez, est-il égaré?

DESDÉMONE

Que le Ciel nous protège !

OTHELLO

Vous dites ?

DESDÉMONE

Il n'est pas perdu ; mais quand il le serait ?

OTHELLO

Comment !

DESDÉMONE

Je dis qu'il n'est pas perdu.

OTHELLO

Allez me le chercher ; que je le voie !

DESDÉMONE

Oui, je puis le faire, Monsieur, mais je ne veux pas en ce moment.
C'est une ruse pour me faire oublier ma requête.
Je vous prie, recevez de nouveau Cassio !

OTHELLO

Allez me chercher le mouchoir : mon esprit s'alarme.

DESDÉMONE

Allons ! allons !
Vous ne trouverez jamais un homme plus capable !

OTHELLO

Le mouchoir !

DESDÉMONE

Je vous prie, parlez-moi de Cassio!

OTHELLO

Le mouchoir!

DESDÉMONE

Un homme qui de tout temps
A fondé sa fortune sur votre affection,
Qui a partagé vos dangers!...

OTHELLO

Le mouchoir!

DESDÉMONE

En vérité, vous êtes à blâmer!

OTHELLO

Arrière!

Il sort.

EMILIA

Cet homme n'est-il pas jaloux?

DESDÉMONE

Je n'avais jamais vu cela encore.
Sûrement il y a quelque sorcellerie dans ce mouchoir;
Je suis très malheureuse de l'avoir perdu.

EMILIA

Ce n'est pas une année ou deux qui nous montrent ce qu'est un homme;
Ils ne sont qu'estomacs et nous que nourriture;

Ils nous mangent comme des affamés et, quand ils sont repus,
Ils nous rejettent. Regardez, voici Cassio et mon mari.

Entrent Cassio et Iago.

IAGO

Il n'y a pas d'autre moyen; c'est elle qui doit le faire;
Et, voyez, l'heureuse chance; allez l'importuner.

DESDÉMONE

Eh bien, cher Cassio? quelles nouvelles de vous?

CASSIO

Madame, toujours ma requête : je vous supplie
D'obtenir par vos moyens efficaces que je puisse de nouveau
Exister et faire partie du monde de son amitié,
Lui qu'avec tout le dévouement de mon cœur
J'honore entièrement. Je voudrais n'être victime d'aucun délai :
Si mon offense est de nature si mortelle
Que ni mes services passés ni mon présent chagrin
Ni mes bonnes résolutions pour l'avenir
Ne peuvent me racheter en son amitié,
Je demande seulement le bienfait de le savoir;
Alors je me vêtirai par force de résignation
Et m'enfermerai en quelque autre condition
Pour mendier la fortune.

DESDÉMONE

Hélas! trois fois aimable Cassio!
Mon intercession pour le moment n'est pas à l'unisson;
Mon maître n'est pas mon maître et je ne le reconnaîtrais plus
Si sa couleur était changée comme son humeur.

J'en atteste tous les esprits célestes,
Si je n'ai pas parlé pour vous de tout mon mieux
Et ne suis pas devenue la cible de son déplaisir
Pour mon franc parler. Il faut qu'un certain temps vous soyez patient :
Ce que je puis faire, je le ferai; et même je ferai plus
Que ce que j'oserai faire pour moi-même; que cela vous suffise!

IAGO

Monseigneur est-il en colère?

EMILIA

Il est parti d'ici il y a un instant
Et dans une étrange agitation, certainement.

IAGO

Peut-il être en colère? J'ai vu le canon
Faire voler en l'air les rangs de ses soldats
Et, tel le démon, arracher d'entre ses bras
Son propre frère; et il pourrait être en colère?
Pour quelque chose d'importance alors; je vais aller le trouver;
Il y a de la matière dans le motif s'il est en colère.

DESDÉMONE

Je vous en prie, faites-le.

Iago sort.

Pour sûr, c'est quelque affaire d'État,
Venant de Venise ou quelque fourberie bien close
Découverte ici à Chypre sous ses yeux
Qui a brouillé son clair esprit; en de tels cas,
Il est de la nature humaine de se quereller sur les petites choses
Alors que ce sont les grandes qui les préoccupent. C'est bien cela;

Qu'un doigt nous fasse mal et il induit
Tous nos membres pleins de santé à ressentir
De la douleur. Oui, il nous faut penser que les hommes ne sont pas des dieux
Et qu'on ne peut attendre d'eux les prévenances
Des jours nuptiaux. Maudissez-moi bien fort, Emilia;
J'étais en train, guerrière perfide que je suis,
De l'accuser en mon cœur d'ingratitude;
Mais maintenant je découvre que j'ai suborné le témoin
Et que je lui fais injustement un procès.

EMILIA

Priez le Ciel que ce soient des affaires d'État, comme vous le pensez,
Et pas une idée, une lubie jalouse
Vous concernant.

DESDÉMONE

O ce malheureux jour! je ne lui en ai jamais donné motif!

EMILIA

Mais à des esprits jaloux il n'y a pas à répondre ainsi;
Ils ne sont pas jaloux pour le motif de l'être,
Mais jaloux parce qu'ils sont jaloux; il s'agit d'un monstre
Engendré par lui-même, né de lui-même.

DESDÉMONE

Le ciel tienne ce monstre loin de l'esprit d'Othello!

EMILIA

Madame, qu'il en soit ainsi!

DESDÉMONE

Je vais aller le trouver. Cassio, faites les cent pas;

Si je le trouve bien disposé, je lui plaide votre cause
Et fais pour la gagner l'extrême possible.

CASSIO

Je remercie humblement Votre Grâce.

Sortent Desdémone et Emilia
Entre Bianca.

BIANCA

Ah! Dieu vous garde, cher Cassio!

CASSIO

Que faites-vous si loin de chez vous?
Comment allez-vous, ma belle Bianca?
D'honneur, mon doux amour, j'allais chez vous.

BIANCA

Et moi j'allais à votre logis, Cassio.
Quoi, une semaine sans me voir? sept jours et sept nuits?
Huit vingtaines de huit heures? et ces heures d'absence d'un amant
Sont plus lassantes que les huit vingtaines d'heures au cadran!
O pénible calcul!

CASSIO

Pardonnez-moi, Bianca :
J'ai été tout ce temps oppressé de pensées de plomb;
Mais en un temps plus calme
J'acquitterai cette dette d'absence. Douce Bianca,

Il lui donne le mouchoir de Desdémone.

Copiez-en le dessin.

BIANCA

O Cassio, d'où vient ce mouchoir?
Ce doit être un gage d'une nouvelle amie;

De l'absence sentie voici que je perçois la cause;
Nous en sommes à ce point? Bon, bon!

CASSIO

Allons, femme,
Jetez vos vils pensers dans la bouche du démon
Où vous les avez trouvés. Vous voilà jalouse,
Croyant que cela me vient d'une maîtresse, que c'est quelque souvenir;
Je vous jure que non, Bianca.

BIANCA

Eh bien, à qui est-il?

CASSIO

Je ne le sais pas non plus. Je l'ai trouvé dans ma chambre.
J'aime beaucoup cet ouvrage. Avant qu'on le réclame,
Comme c'est bien probable, je voudrais qu'on le copie;
Prenez-le et faites-le; et laissez-moi pour le moment.

BIANCA

Vous laisser? Pour quelle raison?

CASSIO

Je suis ici de service auprès du général;
Et ce n'est pas une recommandation, je pense, et ce n'est pas mon souhait,
Qu'il me trouve en compagnie d'une femme.

BIANCA

Pourquoi, je vous en prie?

CASSIO

Ce n'est pas parce que je ne vous aime pas.

BIANCA

Si, c'est parce que vous ne m'aimez pas.
Je vous en prie, raccompagnez-moi un bout de chemin
Et dites-moi si je vous verrai de bonne heure ce soir.

CASSIO

Je ne puis vous reconduire bien loin;
Je suis de service ici; mais je vous verrai bientôt.

BIANCA

Très bien; il faut que je me plie aux circonstances.

ACTE IV

SCÈNE PREMIÈRE

Le même lieu.

Entrent Othello et Iago.

IAGO

Vous le pensez?

OTHELLO

Le penser, Iago!

IAGO

Quoi?

Donner un baiser en privé?

OTHELLO

Un baiser prohibé!

IAGO

Mais peut-être reste-t-elle nue au lit avec son ami
Une heure ou plus, sans penser à aucun mal?

OTHELLO

Nue au lit, Iago, et ne pas penser au mal!
C'est être hypocrite à l'égard du diable :
Ceux qui n'ont vertu en tête et ainsi agissent,
Le démon tente leur vertu, eux ils tentent le Ciel.

IAGO

S'ils ne font rien, c'est un péché véniel.
Mais si je donne à ma femme un mouchoir...

OTHELLO

Quoi alors?

IAGO

Eh bien alors, il est à elle, monseigneur; étant à elle,
Elle peut, je crois, le donner au premier venu...

OTHELLO

Elle est protectrice de son honneur aussi :
Peut-elle le donner?

IAGO

Son honneur est une essence qui ne se voit pas;
Elles en jouissent très souvent, celles qui n'en ont pas;
Mais quant à ce mouchoir...

OTHELLO

Par le Ciel, je l'aurais avec joie oublié.
Tu dis? Oh! cela revient sur ma mémoire
Comme le corbeau sur la maison pestiférée,
Mauvais présage pour tout... tu dis qu'il avait mon mouchoir?

IAGO

Oui, mais que faire de cela?

OTHELLO

Voilà qui n'est pas bon.

IAGO

Et alors
Si je vous disais que je l'ai vu vous faire outrage?
Que je l'ai entendu dire... comme ce genre de fripouilles
Qui à force de poursuites importunes
Ou par suite de quelque volontaire folie féminine
Ont séduit et assouvi leur maîtresse, mais ne peuvent pas
Se retenir de jaser...

OTHELLO

A-t-il dit quelque chose?

IAGO

Oui, monseigneur; mais, soyez-en sûr,
Rien qu'il ne soit prêt à nier.

OTHELLO

Qu'a-t-il dit?

IAGO

Ma foi, qu'il avait... je ne sais pas ce qu'il a fait.

OTHELLO

Quoi? Quoi?

IAGO

Couché...

OTHELLO

Avec elle.

IAGO

Avec elle, sur elle; comme vous voulez.

OTHELLO

Couché avec elle, couché sur elle! C'est toucher à son honneur que de dire : elle couche... Couché avec elle! Morbleu! c'est dégoûtant! Mouchoir, aveux, mouchoir! Aux aveux, puis qu'il soit pendu sans confession! D'abord, qu'il soit pendu! ensuite aux aveux! J'en frémis. La nature ne s'envelopperait pas d'une telle assombrissante fureur si ce n'était pour quelque avertissement. Ce ne sont pas des mots qui me secouent ainsi. Pouah! Nez, oreilles, lèvres! Est-ce possible?... Avoues-tu?... Le mouchoir?... O démon!

Il tombe en un accès de haut mal.

IAGO

Opère encore,
Mon poison, opère! Ainsi sont pris les niais crédules;
Et mainte digne et chaste dame ainsi de même,
Bien qu'irréprochable, trouve le blâme. Hola, ho, monseigneur?
Monseigneur, je vous appelle! Othello!

Entre Cassio.

Eh bien! Cassio!

CASSIO

Qu'y a-t-il?

IAGO

Monseigneur est tombé en épilepsie;
C'est sa deuxième attaque; il en eut une hier.

CASSIO

Frottez-lui les tempes.

IAGO

Non, n'en faisons rien;
La léthargie doit avoir son cours paisible;

Sinon, il a l'écume à la bouche et peu à peu
Éclate en sauvage folie. Regardez, il bouge.
Retirez-vous un petit instant.
Il va reprendre ses sens dans un moment; quand il sera parti,
Je voudrais parler avec vous d'une affaire importante.

Cassio sort.

Comment est-ce, mon général? Ne vous êtes-vous pas blessé à la tête?

OTHELLO

Te moques-tu de moi?

IAGO

Moi, me moquer de vous! Non, par le Ciel.
Je voudrais que vous supportiez votre sort en homme!

OTHELLO

Un homme cornu est un monstre, une bête.

IAGO

Alors il y a beaucoup de bêtes dans une ville populeuse
Et beaucoup de monstres comme citoyens.

OTHELLO

L'a-t-il avoué?

IAGO

Cher seigneur, soyez un homme :
Songez que tout barbu confrère, pour peu qu'il soit ainsi attelé,
Peut tirer avec vous. Il y en a des millions en vie
Qui la nuit s'étendent dans ce lit banal
Qu'ils oseraient jurer n'être qu'à eux; votre cas est meilleur.

Oh! c'est le tourment de l'enfer, la moquerie suprême du démon,
D'étreindre une débauchée sur une confiante couche
Et d'imaginer qu'elle est chaste! Non, je veux savoir
Et sachant ce que je suis, savoir ce qui sera.

OTHELLO

Oh! tu es un sage; c'est certain.

IAGO

Tenez-vous un instant à l'écart;
Contentez-vous de vous contenir patiemment.
Tandis que vous étiez ici terrassé par votre chagrin —
Émotion très malséante pour un homme tel que vous —
Cassio est venu; je l'ai congédié
En donnant bonne excuse à votre pâmoison;
Je lui ai dit de revenir ici me parler;
Il me l'a promis. Embusquez-vous seulement
Et notez les sarcasmes, les moqueries, les dédains remarquables
Logés en chaque espace de son visage;
Car je lui ferai raconter de nouveau l'histoire :
Où, comment, combien de fois, depuis quand, en quelles circonstances
Il a couvert, peut de nouveau couvrir, votre femme.
Je vous le dis, notez seulement ses gestes. Morbleu, de la patience!
Sinon je dis qu'en tout et pour tout vous n'êtes qu'une humeur
Et pas du tout un homme.

OTHELLO

Entends-tu, Iago?
On me trouvera des plus adroits en ma patience,
Mais entends-tu? le plus sanguinaire.

IAGO

Ce n'est pas mauvais;
Mais cependant prenez temps en tout. Voulez-vous
vous retirer?

Othello se retire.

Maintenant je vais questionner Cassio sur Bianca,
Une gueuse qui, vendant ses faveurs,
S'achète robes et pain; c'est une créature
Folle de Cassio; des putains le triste sort
Est d'en abuser beaucoup, d'être abusée par un seul.
Lui, quand il entend parler d'elle, ne peut s'empêcher
De rire à l'excès. Le voici qui vient.

Rentre Cassio.

Lorsqu'il sourira, Othello deviendra fou;
Son ignare jalousie nécessairement interprétera
Les sourires, gestes, légères façons du pauvre Cassio
Tout à fait faussement. Comment allez-vous, lieutenant?

CASSIO

D'autant plus mal que vous m'ajoutez le titre
Dont le manque presque me tue.

IAGO

Manœuvrez bien Desdémone et vous en serez rassuré.
Ah! si l'affaire était au pouvoir de Bianca,
Ce qu'elle ne traînerait pas!

CASSIO

Hélas! la pauvre fille!

OTHELLO, *en aparté.*

Voyez comme il rit déjà!

IAGO

Je n'ai jamais vu femme aimer ainsi un homme.

CASSIO

Hélas! la pauvre coquine! Je crois, ma foi, qu'elle m'aime.

OTHELLO, *en aparté.*

Comme il le dénie faiblement et en rit aux éclats!

IAGO

M'écoutez-vous, Cassio?

OTHELLO, *en aparté.*

Le voilà qui l'importune pour qu'il dise tout.
Vas-y, c'est bon, c'est bon.

IAGO

Elle clame sur les toits que vous allez l'épouser.
Est-ce votre intention?

CASSIO

Ha! ha! ha!

OTHELLO, *en aparté.*

Triomphes-tu, Romain? Triomphes-tu?

CASSIO

Moi, l'épouser? quoi, une fille publique! Je t'en prie, aie quelque charité pour mon esprit; ne le crois pas si malade. Ha! ha! ha!

OTHELLO, *en aparté.*

Oui, oui, oui, oui; riront qui gagneront.

IAGO

Sur ma foi, le bruit court que vous l'épouserez.

CASSIO

Je t'en prie, parle vrai.

IAGO

Je serais très vil s'il n'en était comme je dis.

OTHELLO, *en aparté.*

M'avez-vous réglé mon compte? Bien.

CASSIO

C'est là le propos de cette guenon; elle est persuadée que je l'épouserai; cela lui vient de son amour-propre et des chimères dont elle se flatte, non d'aucune promesse de moi.

OTHELLO, *en aparté.*

Iago me fait signe; c'est qu'il commence son histoire.

CASSIO

Elle était ici il n'y a qu'un moment; elle me poursuit en tout endroit. L'autre jour, au bord de la mer, j'étais en train de parler avec quelques Vénitiens; et voilà que surgit la fofolle et que, je le jure, elle se jette ainsi à mon cou...

OTHELLO, *en aparté.*

Criant : « O Cassio chéri! » dirait-on : ses gestes l'impliquent.

CASSIO

...et s'y pend comme ceci, et se penche, et m'inonde de ses pleurs; me secoue ainsi, me tire ainsi : ha! ha! ha!

OTHELLO, *en aparté.*

Maintenant il raconte comment elle l'a entraîné dans ma chambre. Oh! je vois bien ce nez à toi, mais pas le chien auquel je le jetterai.

CASSIO

Oui, il faudra que je cesse d'être avec elle.

IAGO

Devant moi! regardez, la voici!

CASSIO

Une autre variété de loutre! oui, parole, une loutre parfumée!

Entre Bianca.

Que voulez-vous en me poursuivant ainsi?

BIANCA

Que le diable et sa femme vous poursuivent! Que voulez-vous avec ce mouchoir que vous m'avez donné tantôt? J'étais une belle sotte de le prendre. Il faut que j'en prenne le dessin? Un chef-d'œuvre bien vraisemblable, que vous l'ayez trouvé dans votre chambre et ne sachiez pas qui l'y a laissé. C'est le gage d'amour de quelque friponne et il me faudrait copier le dessin? Le voilà; donnez-le à votre Margoton. De quelque part qu'il vous vienne, je n'en prendrai pas le point.

CASSIO

Quoi donc, ma douce Bianca! quoi donc! quoi donc!

OTHELLO, *en aparté.*

Par le Ciel, ce doit être mon mouchoir!

BIANCA

Si vous voulez venir souper ce soir, libre à vous; si vous ne voulez pas, venez quand vous vous y sentirez disposé.

Elle sort.

IAGO

Suivez-la, suivez-la.

CASSIO

Parbleu, il le faut bien; sinon elle va faire un scandale dans la rue.

IAGO

Souperez-vous là-bas?

CASSIO

Ma foi, c'est mon intention.

IAGO

Bien, il se pourrait que j'aille vous voir; c'est que je serais bien aise de vous parler.

CASSIO

Je vous en prie, venez. Vous viendrez?

IAGO

Allez-y. Plus un mot.

Cassio sort.

OTHELLO, *sortant de sa cachette.*

Comment le tuerai-je, Iago?

IAGO

Avez-vous noté comment il riait de sa vilenie?

OTHELLO

O Iago!

IAGO

Et avez-vous vu le mouchoir?

OTHELLO

Était-ce le mien?

IAGO

Le vôtre, je le jure... et voir le cas qu'il fait de la fofolle femme qu'est votre femme! Elle lui donna ce mouchoir et, lui, le donna à sa putain.

OTHELLO

Je voudrais neuf ans durant le tuer.
Une splendide femme! Une belle femme! Une douce femme!

IAGO

Non, il vous faut oublier cela.

OTHELLO

Ouais! qu'elle pourrisse, qu'elle périsse, qu'elle soit damnée cette nuit; car elle ne vivra pas. Non! mon cœur est changé en caillou; je le frappe et il meurtrit ma main. Oh, le monde n'a pas une plus douce créature : elle aurait pu reposer à côté d'un empereur et lui commander ses devoirs.

IAGO

Non, ce n'est pas votre voie.

OTHELLO

Qu'on la pende! Je ne fais que dire ce qu'elle est : si subtile à l'aiguille, une admirable musicienne... O avec son chant elle tirerait hors d'un ours la sauvagerie!... de tant d'éminence et d'abondance d'esprit et d'imagination...

IAGO

Elle est la pire pour tout cela.

OTHELLO

Oh! un millier, un millier de fois!... et puis d'un caractère si gentil!

IAGO

Ouais! trop gentil.

OTHELLO

Oui, c'est certain; mais cependant, la misère de cela, Iago!
O Iago, la misère de cela, Iago!

IAGO

Si vous êtes tant épris de sa perfidie, donnez-lui licence de pécher; car, si la chose ne vous touche pas, elle n'atteint personne.

OTHELLO

Je la mettrai en tranches de pâté... me cocufier!

IAGO

Oh, c'est infâme à elle.

OTHELLO

Avec mon lieutenant!

IAGO

C'est plus infâme!

OTHELLO

Procure-moi du poison, Iago... cette nuit. Je ne lui ferai pas de reproche, de peur que son corps, sa beauté désarment de nouveau mon esprit... cette nuit, Iago.

IAGO

Ne le faites pas avec du poison; étranglez-la dans son lit, dans ce même lit qu'elle a souillé.

OTHELLO

Bon, bon; j'en aime la justice; très bon.

IAGO

Pour Cassio, laissez-moi m'en charger; vous en saurez davantage vers minuit.

OTHELLO

Excellemment bon. *(Sonnerie de trompette)* Qu'est-ce que c'est que cette trompette?

IAGO

J'en suis sûr, quelque nouvelle de Venise.
C'est Lodovico.

Entrent Lodovico, Desdémone et des serviteurs.

LODOVICO

Dieu vous garde, noble général!

OTHELLO

Merci de tout cœur, seigneur.

LODOVICO

Le Doge et les Sénateurs de Venise vous saluent.

Il lui remet une lettre.

OTHELLO

Je baise l'instrument de leur bon plaisir.

Il ouvre la lettre et lit.

DESDÉMONE

Et quelles sont les nouvelles, mon cher cousin Lodovico?

IAGO

Je suis très heureux de vous voir, seigneur;
La bienvenue à Chypre.

LODOVICO

Merci. Comment va le lieutenant Cassio?

IAGO

Il est en vie, Monsieur.

DESDÉMONE

Cousin, il est survenu entre lui et mon époux
Une méchante brouille; mais vous arrangerez tout.

OTHELLO, *en aparté.*

En êtes-vous sûre?

DESDÉMONE

Mon époux?

OTHELLO, *lisant.*

« Ne manquez pas de le faire, si vous... »

LODOVICO

Il ne vous appelait pas; il s'occupe de cette lettre.
Il y a une discorde entre mon maître et Cassio?

DESDÉMONE

Une très malheureuse. Je voudrais faire beaucoup
Pour les réconcilier, à cause de l'affection que j'ai pour
Cassio.

OTHELLO, *en aparté.*

Feux et enfer!

DESDÉMONE

Mon époux?

OTHELLO, *en aparté.*

Avez-vous votre raison?

DESDÉMONE

Quoi, il est donc en colère?

LODOVICO

C'est peut-être la lettre qui l'a ému.
Car, à ce que je crois, ils lui ordonnent de rentrer
Et Cassio est désigné pour lui succéder.

DESDÉMONE

Croyez-moi, j'en suis heureuse.

OTHELLO, *en aparté.*

En vérité!

DESDÉMONE

Mon époux?

OTHELLO

Je suis bien aise de vous voir folle.

DESDÉMONE

Eh quoi, doux Othello?

OTHELLO

Démone!

Il la frappe.

DESDÉMONE

Je n'ai pas mérité ceci.

LODOVICO

Monseigneur, ceci, on n'y croirait pas à Venise,
Même si je jurais que je l'ai vu. C'est aller trop loin.
Faites-lui des excuses; elle pleure.

OTHELLO

O démone, démone!
Si la terre pouvait être fécondée par des pleurs de femme,
Chaque larme qui d'elle tombe engendrerait un crocodile.
Hors ma vue!

DESDÉMONE

Pour ne pas vous offenser je ne reste pas.

Elle sort.

LODOVICO

En vérité, une épouse obéissante.
De grâce, monseigneur, rappelez-la.

OTHELLO

Madame!

DESDÉMONE

Mon époux?

OTHELLO

Monsieur, que voulez-vous faire avec elle?

LODOVICO

Qui? Moi, seigneur?

OTHELLO

Oui; vous avez voulu que je lui fasse faire demi-tour.
Monsieur, elle sait faire des tours et des demi-tours, puis aller son chemin,
Puis faire un autre demi-tour; et elle sait pleurer, monsieur, pleurer;
Et elle est obéissante, comme vous dites, obéissante,
Très obéissante. Continuez. pleurez, pleurez!...
Pour cette lettre, seigneur... O douleur bien feinte!...
Me voilà rappelé... Sortez d'ici;
Je vous appellerai dans un moment... Monsieur, j'obéis à l'ordre
Et retournerai à Venise... Hors d'ici, disparaissez!...

Desdémone sort.

Cassio aura ma place. Monsieur, ce soir
Je vous invite à souper avec moi.
Vous êtes le bienvenu, monsieur, à Chypre. O boucs et guenons!

Il sort.

LODOVICO

Est-ce là le noble More que nos Sénateurs unanimes
Qualifient de capable en tout et pour tout? Est-ce là le caractère
Que la passion ne pouvait ébranler? dont la solide vertu
Aux flèches de l'accidentel, aux traits du sort
Était but impénétrable, inentamable?

IAGO

Il est bien changé.

LODOVICO

Son esprit est-il sain? n'a-t-il pas perdu la tête?

IAGO

Il est ce qu'il est. Je ne puis exprimer mon jugement
Sur ce qu'il pourrait être; s'il n'est pas ce qu'il peut être,
Plût au Ciel qu'il le fût!

LODOVICO

Quoi, frapper sa femme!

IAGO

Ah! certes, ce n'est pas bien; mais je voudrais être sûr
Que ce coup soit le pire!

LODOVICO

Est-ce son habitude?
Ou bien ce message a-t-il travaillé son sang
Et provoqué pour la première fois cette faute?

IAGO

Hélas! hélas!
Ce ne serait pas honnêteté en moi que de dire
Ce que j'ai vu et appris. Vous l'observerez
Et ses procédés vous le démasqueront de telle façon
Que je pourrai m'épargner de parler; suivez-le seulement
Et notez comme il continue à se comporter.

LODOVICO

Je suis navré d'être en lui déçu.

Ils sortent.

SCÈNE II

Une salle dans la citadelle.

Entrent Othello et Emilia.

OTHELLO

Donc vous n'avez rien vu?

EMILIA

Ni même entendu, ni même soupçonné.

OTHELLO

Pourtant vous les avez vus ensemble, Cassio et elle.

EMILIA

Mais je n'ai rien vu de mal, bien que j'aie entendu
Toutes les syllabes qui ont fait haleine entre eux.

OTHELLO

Comment, ils ne se parlaient jamais à voix basse?

EMILIA

Jamais, monseigneur.

OTHELLO

Ils ne vous ont jamais renvoyée?

EMILIA

Jamais.

OTHELLO

Pour aller chercher son éventail, ses gants, son masque, rien?

EMILIA

Jamais, monseigneur.

OTHELLO

Voilà qui est étrange.

EMILIA

J'oserais, monseigneur, gager qu'elle est honnête,
Y mettre mon âme comme enjeu. Si vous pensez autrement,
Chassez votre idée; elle abuse votre cœur.
Si quelque scélérat vous l'a mise en tête,
Que le Ciel le récompense de la malédiction du serpent!
Car si elle n'est pas honnête, chaste et fidèle,
Il n'y a pas de mari heureux; la plus dure des épouses
Serait noire comme la calomnie.

OTHELLO

Dites-lui de venir ici; va.

Emilia sort.

Elle sait assez bien parler; mais une entremetteuse naïve
Pourrait en dire autant. C'est une putain subtile,
Une armoire bien fermée d'infâmes secrets;
Et pourtant elle s'agenouille, dit ses prières; je l'ai vue faire.

Entre Desdémone, accompagnée d'Emilia.

DESDÉMONE

Monseigneur, quel est votre désir?

OTHELLO

Venez ici, ma mie!

DESDÉMONE

Quel est votre bon plaisir?

OTHELLO

Que je voie vos yeux;
Regardez-moi en face.

DESDÉMONE

Quel est cet horrible caprice?

OTHELLO, *à Emilia.*

Celles de votre profession, Madame,
Laissent les amoureux tout seuls et ferment la porte;
Elles toussent, ou font « hum », si survient quelqu'un;
A votre métier, à votre métier! dépêchez-vous.

Emilia sort.

DESDÉMONE

Je vous le demande à genoux, que signifie ce discours?
Dans votre voix j'entends une fureur
Mais non des paroles.

OTHELLO

Dis-moi, qui es-tu?

DESDÉMONE

Votre femme, monseigneur; votre femme fidèle et loyale.

OTHELLO

Allons, jure-le et damne-toi.
En te voyant pareille à ceux du ciel, les démons eux-mêmes
Auraient peur de te saisir. Donc, damne-toi doublement :
Jure que tu es fidèle.

DESDÉMONE

Le Ciel le sait vraiment.

OTHELLO

Le Ciel sait vraiment que tu es faussec omme l'enfer.

DESDÉMONE

Fausse envers qui, monseigneur? Avec qui? et comment le suis-je?

OTHELLO

O Desdémone! arrière! arrière! arrière!

DESDÉMONE

Hélas! le triste jour!... Pourquoi pleurez-vous?
Suis-je la cause de ces larmes, mon seigneur?
Si par hasard vous soupçonnez mon père
D'avoir été l'instrument de votre rappel,
Ne faites pas porter ce blâme sur moi! Si vous perdez son affection
Eh bien! moi aussi je l'ai perdue!

OTHELLO

Si le Ciel avait pris son plaisir
A m'éprouver par des malheurs, s'il avait fait tomber une ondée
De toutes sortes de maux et de hontes sur ma tête nue,
S'il m'avait plongé dans la misère jusqu'au niveau des lèvres,
S'il avait voué à la captivité ma personne et mes espoirs suprêmes,
J'aurais trouvé quelque part en mon âme
Une goutte de patience; hélas! faire de moi
A jamais un mannequin immobile

Qu'à jamais le temps méprisant désignera d'un doigt lent et mobile!
O douleur! douleur!
Pourtant cela aussi, je l'eusse enduré; bien enduré, bien enduré!
Mais le lieu même dont j'ai fait le grenier de mon cœur,
Où je dois trouver la vie, ou ne pas endurer de vivre!
La fontaine où prend naissance tout mon courant de vie
Ou sinon il se tarit! en être rejeté!
Ou bien ne la garder que comme une citerne où s'accouplent
Et procréent de monstrueux crapauds!... Oh! change de couleur,
Patience, jeune chérubin aux lèvres roses!
Oui, prends un visage sinistre comme l'enfer!

DESDÉMONE

J'espère que mon noble seigneur m'estime honnête.

OTHELLO

Oh! oui! comme en des abattoirs les mouches d'été
Qui renaissent de leurs œufs! O mauvaise herbe que tu es,
Si aimablement belle et d'odeur si suave
Que les sens en souffrent... plût au Ciel que tu ne fusses jamais née!

DESDÉMONE

Hélas! quel péché ai-je commis sans le savoir?

OTHELLO

Ce beau papier, ce cahier si magnifique, étaient-ils faits
Pour qu'on y écrivît : « putain »? ...Ce que tu as commis,
Ce que tu as commis, ...ô fille publique!
Je ferais de mes joues des brasiers de forge
Qui réduiraient en cendres toute pudeur

Si seulement je racontais ce que tu fais!... Ce que tu as commis!...
Le Ciel s'en bouche le nez, la lune ferme ses yeux;
Les vents obscènes, qui baisent tout ce qu'ils rencontrent,
Se tiennent cois dans l'antre profond de la terre
Et ne veulent pas l'entendre; ce que tu as commis!
Impudente catin!

DESDÉMONE

Par le Ciel, vous me faites un outrage!

OTHELLO

Tu n'es pas une catin?

DESDÉMONE

Non, aussi vrai que je suis chrétienne,
Si garder pour mon époux ce vase pur
De tout contact impur et illégitime,
Ce n'est pas être une catin, je ne le suis pas.

OTHELLO

Quoi, tu n'es pas une putain?

DESDÉMONE

Non, aussi vrai que j'espère aller au ciel.

OTHELLO

Est-ce possible?

DESDÉMONE

Oh! le Ciel nous pardonne!

OTHELLO

Alors, je te supplie de me pardonner!
Je te prenais pour cette hypocrite putain de Venise
Qui épousa Othello... Ah! vous voilà, bonne femme,

Rentre Emilia.

Qui avez un office opposé à celui de saint Pierre
Et gardez les portes de l'enfer... Oui, vous, oui, vous, vous!...
Nous avons fini notre passade; voici le pourboire pour votre peine;
Je vous en prie, tournez la clé et gardez-nous le secret.

Il sort.

EMILIA

Hélas! que s'est donc mis en tête ce gentilhomme?
Comment allez-vous, madame? Comment allez-vous, chère maîtresse?

DESDÉMONE

En vérité, à moitié endormie.

EMILIA

Bonne madame, qu'a donc mon maître?

DESDÉMONE

Quel maître?

EMILIA

Eh bien! mon maître, madame.

DESDÉMONE

Qui est ton maître?

EMILIA

Celui qui est votre maître, douce dame!

DESDÉMONE

Je n'en ai plus; ne me parle pas, Emilia,
Je ne peux pas pleurer et je n'ai pas non plus d'autre réponse
Que celle de fondre en larmes. Je t'en prie, cette nuit,
Mets à mon lit les draps de noce... n'oublie pas...
Et fais venir ici ton mari.

EMILIA

Voilà du changement, en vérité.

Elle sort.

DESDÉMONE

Il est juste que je sois traitée ainsi, très juste.
Comment ai-je pu me conduire pour qu'il ait pu fixer son idée
Sur le plus petit soupçon du plus grand des crimes?

Rentre Emilia accompagnée d'Iago.

IAGO

Quel est votre bon plaisir, madame? et qu'avez-vous?

DESDÉMONE

Je ne peux pas le dire. Ceux qui instruisent les petits enfants
Le font par des moyens doux et des reproches gentils.
Il aurait pu me gronder de cette façon; car, c'est la vérité,
Je suis une enfant quand on me gronde.

IAGO

Qu'y a-t-il, madame?

EMILIA

Hélas! Iago, monseigneur l'a tellement traitée de putain,
Lui a jeté de telles insultes et de tels gros mots
Qu'un cœur honnête ne peut les supporter.

DESDÉMONE

Suis-je ce nom-là, Iago?

IAGO

Quel nom, belle dame?

DESDÉMONE

Le nom dont elle a dit que monseigneur m'en a traitée.

EMILIA

Il l'a appelée putain; un clochard dans son ivresse
Ne jetterait pas un tel nom à sa gonzesse.

IAGO

Pourquoi l'a-t-il fait?

DESDÉMONE

Je ne sais pas; je suis sûre que je n'en suis pas une.

IAGO

Ne pleurez pas, ne pleurez pas! Ah! jour de malheur!

EMILIA

A-t-elle dédaigné tant de nobles partis,
Quitté père, amis et pays
Pour s'entendre traiter de putain? N'y a-t-il pas là de
quoi pleurer?

DESDÉMONE

Telle est mon infortunée fortune.

IAGO

Ça ne lui portera pas bonheur.
D'où lui vient cette lubie?

DESDÉMONE

Ah! le Ciel le sait!

EMILIA

Je veux être pendue si quelque infernal scélérat,
Quelque coquin actif et insinuant,
Quelque manant flagorneur et fourbe cherchant quelque emploi,
N'a pas imaginé cette calomnie; que je sois pendue s'il n'en est pas ainsi!

IAGO

Fi donc! un tel homme n'existe pas; c'est impossible.

DESDÉMONE

S'il en existe un, que le Ciel lui pardonne!

EMILIA

Qu'une corde lui pardonne! et que l'enfer lui ronge les os!
Pourquoi l'avoir appelée putain? quelle visite reçoit-elle?
En quel lieu? à quel moment? quelle est sa forme? son apparence?
Le More est abusé par quelque très affreux gredin,
Quelque ignoble coquin fieffé, quelque immonde individu;
O Ciel! que ne démasques-tu de tels bonshommes?
Que ne donnes-tu à toute main honnête un fouet
Pour les promener tout nus, ces canailles, par le monde entier,
Oui, de l'orient à l'occident.

IAGO

Ne parle pas si fort.

EMILIA

O honte sur lui! c'est un beau monsieur de cette espèce
Qui a tourné votre esprit du côté de la couture

Et vous a fait soupçonner quelque chose entre le More et moi.

IAGO

Vous êtes une idiote; allez-vous-en.

DESDÉMONE

O bon Iago,
Que dois-je faire pour reconquérir mon seigneur?
Mon bon ami, allez le trouver; car, par la lumière du ciel,
Je ne sais comment j'ai perdu son cœur. Je le dis à genoux :
Si jamais ma volonté a péché contre son amour
Soit en parole, soit en pensée, soit en acte réel,
Si jamais mes yeux, mes oreilles, aucun de mes sens
Ont pris plaisir en quelque autre que lui,
Si je cesse jamais, si j'ai jamais cessé, si jamais je cesse
— Dût-il me rejeter vers le plus affreux divorce —
De l'aimer tendrement, que le bonheur me renie!
La cruauté peut beaucoup, et cruauté de lui
Peut détruire ma vie, mais elle ne peut
Altérer mon amour. Je ne puis dire : « putain »,
Le mot me fait horreur au moment que je l'émets;
Quant à faire l'acte qui me vaudrait ce nom,
Toute l'immense vanité de l'univers ne pourrait m'y décider.

IAGO

Je vous en prie, soyez calme; ce n'est chez lui qu'une lubie;
Les affaires de l'État le tourmentent
Et il vous fait des misères.

DESDÉMONE

Oh! s'il n'y avait rien d'autre...

IAGO

Ce n'est que cela, je vous assure.

Sonnerie de trompettes.

Écoutez, ces instruments appellent au souper!
Les nobles messagers de Venise y assistent.
Rentrez! et ne pleurez pas! Toutes choses iront bien.

Sortent Desdémone et Emilia.
Entre Roderigo.

Eh bien! Roderigo?

RODERIGO

Je ne trouve pas que tu agisses honnêtement avec moi.

IAGO

Qu'ai-je fait de déshonnête?

RODERIGO

Tous les jours tu me dupes avec quelque invention, Iago; et même, ainsi qu'il me semble maintenant, tu m'éloignes de toute occasion plutôt que tu ne me fournis le moindre sujet d'espoir. Je ne peux plus, en vérité, l'endurer davantage; et je ne suis plus décidé à prendre en patience ce que j'ai déjà sottement souffert.

IAGO

Veux-tu m'entendre, Roderigo?

RODERIGO

Sur ma foi, je vous ai trop entendu; entre vos paroles et vos actes il n'y a guère de parenté.

IAGO

Tu m'accuses très injustement.

RODERIGO

De rien qui ne soit vrai. J'ai gaspillé toutes mes ressources. Les bijoux que tu as reçus de moi pour les remettre à Desdémone auraient à moitié corrompu une nonnain. Tu m'as dit qu'elle les avait acceptés, qu'en retour elle m'envoyait le consolant espoir d'une faveur prochaine et d'une récompense; mais je n'ai rien.

IAGO

Bien; continue; très bien!

RODERIGO

« Très bien! continue! » Plus moyen que je continue, mon bonhomme; et ce n'est pas très bien! Parole d'honneur, je dis : c'est tout à fait dégoûtant et je commence à trouver que j'ai été dupé.

IAGO

Très bien.

RODERIGO

Je vous le répète : ce n'est pas très bien! Je vais me faire connaître à Desdémone. Si elle veut bien me rendre mes bijoux, je renonce à lui faire la cour et me repens de mes coupables sollicitations; sinon, soyez sûr que je vous demanderai satisfaction.

IAGO

Vous venez de le dire.

RODERIGO

Oui, et je n'ai rien dit que je ne m'affirme résolu à faire.

IAGO

Bien! je vois maintenant que tu as du cœur; et dès cet instant j'ai de toi meilleure opinion qu'auparavant.

Donne-moi la main, Roderigo; tu as dressé contre moi une très juste objection; cependant, je l'affirme, j'ai agi très loyalement en ton affaire.

RODERIGO

Il n'y a pas paru.

IAGO

J'accorde, en effet, qu'il n'y a pas paru; ton soupçon ne manque ni de bon sens ni de jugement. Mais, Roderigo, si vraiment tu as en toi ce que j'ai de meilleures raisons que jamais de croire : de la décision, du courage, de la vaillance, montre-le cette nuit; si cette nuit même tu n'as pas joui de Desdémone, envoie-moi traîtreusement dans l'autre monde, dresse des embûches contre ma vie.

RODERIGO

Eh bien! de quoi s'agit-il? Est-ce raisonnable et faisable?

IAGO

Monsieur, il est arrivé de Venise une ordonnance spéciale, mettant Cassio à la place d'Othello.

RODERIGO

Est-ce vrai? Mais... alors! Othello et Desdémone retournent à Venise.

IAGO

Oh! non; il part pour la Mauritanie et emmène avec lui la belle Desdémone, à moins que son séjour ici ne soit prolongé par quelque accident; aucun ne pourrait être plus déterminant que la disparition de Cassio.

RODERIGO

Qu'entendez-vous par... « disparition de Cassio »?

IAGO

Eh bien ! en le rendant incapable de prendre la place d'Othello... en lui cassant la tête !

RODERIGO

Et vous voudriez que je le fasse ?

IAGO

Bien sûr ! si du moins tu oses te rendre service et justice. Il soupe cette nuit chez une fille ; j'irai l'y rejoindre ; il ne sait encore rien de son destin d'honneur ; si tu veux le guetter à son départ (qui aura lieu entre minuit et une heure, je m'arrangerai pour cela), tu pourras l'assaillir à ton aise ; je serai tout près pour seconder ton attaque et il succombera sous notre double assaut. Allons ! ne reste pas là bouche bée, viens plutôt te promener avec moi ; je te prouverai si bien la nécessité de sa mort que tu te croiras tenu de la lui donner. Il est grand temps de souper et la nuit s'avance ; à l'action !

RODERIGO

Il faut que tu me fasses entendre d'autres raisons.

IAGO

Tu en entendras, tu seras satisfait.

Ils sortent.

SCÈNE III

Une autre chambre dans la citadelle.

Entrent Othello, Lodovico, Desdémone, Emilia et des serviteurs.

LODOVICO

Je vous en supplie, monsieur, ne vous dérangez pas davantage.

OTHELLO

Oh! pardonnez-moi; cela me fera du bien de me promener.

LODOVICO

Madame, bonne nuit; je remercie humblement Votre Seigneurie.

DESDÉMONE

Votre Honneur est le très bienvenu.

OTHELLO

Sortons-nous, monsieur?...

Oh! Desdémone!

DESDÉMONE

Mon époux?

OTHELLO

Mettez-vous au lit tout de suite; je serai de retour dans un instant.

Congédiez votre suivante, faites que ce soit fait.

DESDÉMONE

Je le ferai, mon époux.

Sortent Othello, Lodovico et les serviteurs.

EMILIA

Comment cela va-t-il maintenant? Il a l'air plus doux qu'avant.

DESDÉMONE

Il dit qu'il va revenir tout de suite.
Il m'a commandé de me mettre au lit
Et m'a ordonné de te congédier.

EMILIA

Me congédier?

DESDÉMONE

C'était son ordre. C'est pourquoi, bonne Emilia,
Donne-moi mes habits de nuit, puis, adieu.
Il ne faut pas pour le moment lui déplaire.

EMILIA

J'aimerais que jamais vous ne l'ayez vu.

DESDÉMONE

Je ne le voudrais pas, moi; mon amour l'approuve tant
Que même sa rudesse, ses rebuffades, ses colères —
Dégrafe-moi, je t'en prie — pour moi ont en elles grâces et charmes.

EMILIA

J'ai mis à votre lit les draps que vous m'avez dits.

DESDÉMONE

C'est égal! De bonne foi, comme nos pensées sont folles!
Si je meurs avant toi, je t'en prie, tu m'enseveliras
En un de ces draps.

EMILIA

Allons, allons, vous radotez.

DESDÉMONE

Ma mère avait une servante nommée Barbara.
Elle était amoureuse et celui qu'elle aimait devint fou
Et l'oublia. Elle savait une chanson du saule
Et c'était une vieille chose, mais qui disait son sort,
Et elle mourut en la chantant. Cette chanson cette nuit
Ne s'en ira pas de mon esprit. J'ai grande peine
A m'empêcher de pencher la tête tout d'un côté
Et de chanter comme la pauvre Barbara. Je t'en prie, dépêche-toi.

EMILIA

Irai-je vous chercher votre robe de nuit?

DESDÉMONE

Non, dégrafe-moi!
Ce Lodovico est un homme de bonne mine.

EMILIA

Un très bel homme.

DESDÉMONE

Il parle bien.

EMILIA

Je connais une dame à Venise qui serait allée pieds nus en Palestine pour un baiser de ses lèvres.

DESDÉMONE, *chantant.*

La pauvre âme était assise soupirante près d'un sycomore,
Chantons tous un naïf saule[13];
La main sur son sein, sur ses genoux sa tête,
Chantons le saule, le saule, le saule :
Le frais ruisseau à ses côtés coulait et murmurait ses plaintes,
Chantez le saule, le saule, le saule;
Ses larmes amères, tombaient, attendrissant les pierres...

Range ces vêtements.

Chantez le saule, le saule, le saule.

Je t'en prie, hâte-toi, il va rentrer.

Chantez tous le jeune saule qui doit être ma guirlande;
Que nul ne blâme mon amant; j'approuve ses dédains.

Non, ce n'est pas cela qui vient après... Écoute! Qui frappe?

EMILIA

C'est le vent!

DESDÉMONE

J'ai nommé faux amour mon amour; alors qu'a dit mon amour?
Chantons le saule, le saule, le saule;
Si je courtise d'autres femmes, couchez avec d'autres hommes.

Bien, va-t'en; bonne nuit. Les yeux me picotent;
Est-ce un présage de larmes?

EMILIA

Rien de tel nulle part, ici ni là.

DESDÉMONE

Je l'ai entendu dire ainsi... Oh! ces hommes! ces hommes!
En conscience, penses-tu, dis-le-moi, Emilia,
Qu'il y ait des femmes qui trompent leurs maris
De façon si vilaine?

EMILIA

Il y en a beaucoup de telles, pas de question.

DESDÉMONE

Ferais-tu pareille chose pour le monde entier?

EMILIA

Quoi? vous ne le feriez pas?

DESDÉMONE

Non, par la lumière du ciel!

EMILIA

Moi non plus je ne le ferais pas par la lumière du ciel; j'aimerais autant le faire dans l'ombre.

DESDÉMONE

Tu commettrais un tel acte pour le monde entier?

EMILIA

Le monde entier, c'est un gros morceau; c'est un grand prix pour un petit péché.

DESDÉMONE

En bonne foi, je crois que tu ne le ferais pas.

EMILIA

En bonne foi, je crois que je le ferais, puis je déferai ce que j'aurais fait. Pardi, je n'irais pas faire une chose pareille pour une bague, ni pour des coupons de linon, ni pour des robes, des jupons, des chapeaux, ni pour aucun cadeau chétif! Mais pour le monde entier... oh! misère de nous, qui ne ferait son mari cocu pour le rendre monarque? Je risquerais le purgatoire pour cela.

DESDÉMONE

Que je sois maudite, moi, si je suis capable de commettre une telle faute pour le monde entier.

EMILIA

Bah! la faute n'est faute que dans ce monde et, du moment que pour votre peine vous tenez le monde, ce n'est plus qu'une faute dans votre monde à vous seule et vous aurez tôt fait de la redresser.

DESDÉMONE

Je ne crois pas qu'il existe une telle femme.

EMILIA

Si, une douzaine; et autant, en outre, qu'il en faudrait pour peupler ce monde gagné par elles au jeu!
Mais je crois que c'est la faute des maris
Si les femmes succombent. Si, comme on dit, il néglige ses devoirs,
S'il porte en un giron étranger les trésors qui nous sont dus,
Ou s'il éclate en hargneuses jalousies,
Nous soumettant à des contraintes, ou bien s'il nous frappe,
Si par dépit il réduit notre précédent train de vie...
Eh bien! nous avons nos rancunes et, bien que nous ayons de la gentillesse,
Nous prenons une revanche. Que les maris apprennent
Que leur femme a des sens comme eux : le regard, le flair,
Un palais à la fois pour le doux et pour l'amer,
Tout comme eux. Que font-ils, eux,
Quand ils nous remplacent par d'autres? Est-ce un jeu?
Je crois que oui. Et la tendresse nourrit-elle ce plaisir?
Je crois que oui. Est-ce leur faiblesse qui fait chez eux cette erreur?
Oui, encore oui. Et nous, n'avons-nous pas nos mouvements d'affection,
Nos désirs de jouer, notre faiblesse, tout comme eux?
Donc qu'ils nous traitent bien; sinon qu'ils apprennent :
Les péchés que nous faisons, ce sont eux qui nous les enseignent.

DESDÉMONE

Bonne nuit, bonne nuit!

Emilia sort.

Le Ciel m'envoie les moyens
De ne pas tirer le mal du mal, mais par le mal de devenir meilleure.

Elle sort.

ACTE V

SCÈNE PREMIÈRE

Une rue.

Entrent Iago et Roderigo.

IAGO

Ici! tiens-toi derrière cette borne; dans un instant il va venir.
Tiens nue ta bonne rapière et plonge-la au but;
Vite et vite; ne crains rien, je serai derrière ton coude.
Ce coup fait notre vie ou la détruit; penses-y
Et fixe très ferme ta résolution.

RODERIGO

Soyez à portée; je puis manquer mon coup.

IAGO

Me voici à ta portée. Sois hardi, garde bien ton poste.

Il se retire.

RODERIGO

Je n'ai pas grand zèle pour cette action;
Et pourtant il m'a donné de convaincantes raisons.
Ce n'est qu'un homme en moins. En avant, mon épée; le voici mort.

IAGO

J'ai frictionné ce jeune boutonneux presque jusqu'à l'âme
Et le voici qui s'irrite. Maintenant, qu'il tue Cassio,

Ou que Cassio le tue, ou qu'ils s'entre-tuent,
De toute façon je gagne : si Roderigo vit,
Il me demande ample restitution
De l'or et des joyaux que je lui ai soutirés
Comme cadeaux pour Desdémone...
Il ne faut pas que cela soit; si Cassio survit,
Il a dans sa vie une beauté quotidienne
Qui me rend laid; et, de surcroît, le More
Peut me démasquer à lui... et là je suis en grand péril.
Non, il faut qu'il meure. Qu'il en soit ainsi! Je l'entends venir.

Entre Cassio.

RODERIGO

Je reconnais son pas; c'est lui. Misérable, tu meurs!

Il porte une botte à Cassio.

CASSIO

Cette botte pouvait être mon ennemie en effet,
Si ma cotte n'était meilleure que tu pensais.
Je vais éprouver la tienne.

Il dégaine, blesse Roderigo.

RODERIGO

Oh! je suis tué.

Iago, venant par-derrière, blesse Cassio à la jambe et s'enfuit.

CASSIO

Je suis mutilé pour jamais. Au secours, oh!
Au meurtre, au meurtre!

Il tombe.
Entre Othello.

OTHELLO

La voix de Cassio; Iago tient sa parole.

RODERIGO

O misérable que je suis!

OTHELLO

C'est bien cela.

CASSIO

Oh! au secours, ho! de la lumière! un chirurgien!

OTHELLO

C'est lui. O brave Iago, honnête et juste,
Qui as si noble sens du tort fait à ton ami!
Tu me donnes une leçon : mignonne, ton chéri est mort
Et ton funeste sort accourt. Putain, j'arrive!
Hors mon cœur, ces charmes, tes yeux, s'en vont, effacés.
Ton lit souillé de luxure sera sali du sang de la luxure.

Il sort.

Entrent Lodovico et Gratiano.

CASSIO

Ho! quoi! pas une patrouille? pas un passant?
Au meurtre, au meurtre!

GRATIANO

C'est quelque crime; la voix est très terrible.

CASSIO

Oh! au secours!

LODOVICO

Écoutez!

RODERIGO

O misérable scélérat!

LODOVICO

Ils sont deux ou trois qui gémissent. C'est une épaisse nuit;
Ces cris peuvent être contrefaits; pensons qu'il serait peu sûr
De s'avancer parmi ces cris sans une aide plus grande.

Ils se tiennent à l'écart.

RODERIGO

Personne ne vient? Je vais donc perdre mon sang jusqu'à la mort.

LODOVICO

Écoutez!

Rentre Iago, avec un flambeau.

GRATIANO

Voici quelqu'un qui vient en chemise, avec de la lumière et des armes.

IAGO

Qui est là? De qui est ce bruit, qui crie à l'assassin?

LODOVICO

Nous ne savons pas.

IAGO

N'avez-vous pas entendu ce cri?

CASSIO

Ici, ici, au nom du Ciel! au secours!

IAGO

De quoi s'agit-il?

GRATIANO

C'est l'enseigne d'Othello, selon ce que je comprends.

LODOVICO

Oui, lui-même, en vérité, un très vaillant compagnon.

IAGO

Qui êtes-vous, là, criant si douloureusement?

CASSIO

Iago? Oh! je suis perdu, assassiné par des traîtres!
Donne-moi quelque secours!

IAGO

Oh! pitié de moi! mon lieutenant! Quels sont les traîtres
qui ont fait cela?

CASSIO

Je pense que l'un d'entre eux est dans les environs
Et ne peut fuir.

IAGO

Les misérables traîtres!

Il découvre Lodovico et Gratiano.

Qui êtes-vous?
Approchez, donnez un coup de main.

RODERIGO

Ici! au secours!

CASSIO

Voilà l'un d'entre eux.

IAGO

Vil assassin! O gredin!

Il poignarde Roderigo.

RODERIGO

O infernal Iago! O chien inhumain!

IAGO

Tuer des gens dans les ténèbres! Où sont-ils, ces bandits
sanguinaires?
Comme cette ville est silencieuse! Holà! au meurtre!
au meurtre!

Lodovico et Gratiano s'avancent.

Qui pouvez-vous être? Gens de bien ou gens de mal?

LODOVICO

Comme vous nous verrez agir, jugez-nous.

IAGO

Seigneur Lodovico?

LODOVICO

Lui-même, monsieur.

IAGO

Mille pardons, seigneur. Cassio est ici, assassiné par des traîtres.

GRATIANO

Cassio!

IAGO

Comment vous sentez-vous, mon frère?

CASSIO

J'ai la jambe coupée en deux.

IAGO

Dieu, que le ciel ne le permette pas!
De la lumière, seigneurs! Je vais bander la plaie avec ma chemise.

Entre Bianca.

BIANCA

Holà, que se passe-t-il? Qui a crié?

IAGO

Qui a crié!

BIANCA

O mon bien-aimé Cassio! mon doux Cassio! O Cassio, Cassio, Cassio!

IAGO

O notoire putain! Cassio, pouvez-vous soupçonner
Qui serait celui qui vous a mutilé ainsi?

CASSIO

Non.

GRATIANO

Je suis navré de vous trouver en cet état; j'étais allé vous chercher.

IAGO

Donnez-moi une jarretière. Bien. Oh! que n'ai-je un brancard
Pour l'emmener d'ici doucement.

BIANCA

Hélas! il s'évanouit! O Cassio, Cassio, Cassio!

IAGO

Vous tous, nobles seigneurs, je soupçonne cette traînure
D'avoir complicité dans ce méfait.
Patience, un instant, cher Cassio. Allons, allons;
Donnez-moi de la lumière. Connaissons-nous ce visage ou non?
Hélas! c'est mon ami et cher compatriote
Roderigo? Non... Si! c'est Roderigo.

GRATIANO

Quoi? Roderigo de Venise?

IAGO

Lui-même, monsieur. Le connaissiez-vous?

GRATIANO

Si je le connais! Bien sûr!

IAGO

Seigneur Gratiano, mille pardons.
Ces sanglants événements doivent excuser mes manières,
Tellement sans égard pour vous.

GRATIANO

Je suis bien aise de vous voir.

IAGO

Comment allez-vous, Cassio? Oh! un brancard! un brancard!

GRATIANO

Roderigo!

IAGO

Oui, c'est lui, c'est bien lui.

On apporte un brancard.

Oh! bonne nouvelle : le brancard!
Que de braves gens l'emportent d'ici avec précaution;
Je vais chercher le chirurgien du général.
(À Bianca.) Pour vous, maîtresse,
Épargnez-vous votre peine. Celui qui gît ici, tué, Cassio,
Était mon cher ami : quelle querelle y avait-il entre vous?

CASSIO

Nulle au monde; et cet homme, je ne le connais pas.

IAGO, *à Bianca.*

Quoi, vous semblez pâle?... Vous, emportez-le loin du grand air.

On emporte Cassio et on enlève le corps de Roderigo.

Vous, messieurs, demeurez. Vous semblez pâle, maîtresse?
Remarquez-vous l'égarement de ses yeux?
Oui, si vous avez l'œil hagard, nous allons en apprendre...
Observez-la bien; je vous en prie, ayez l'œil sur elle;
Voyez-vous, seigneurs? oui, le crime va parler,
Même si les langues étaient hors d'usage.

Entre Emilia.

EMILIA

Hélas! que se passe-t-il? que se passe-t-il, mon époux?

IAGO

Cassio vient d'être attaqué ici dans la nuit
Par Roderigo, et par d'autres qui ont fui.
Il est presque sans vie, Roderigo est mort.

EMILIA

Hélas! le cher seigneur! hélas! le cher Cassio!

IAGO

Voilà ce que c'est que de courir les filles. Je t'en prie, Emilia,
Va demander à Cassio où il a soupé cette nuit.
Quoi, ça vous fait trembler?

BIANCA

Il a soupé chez moi; mais je ne tremble pas pour cela.

IAGO

Oh, il a donc soupé chez vous? Je vous l'ordonne, suivez-moi.

EMILIA

Oh! honte sur vous, putain!

BIANCA

Je ne suis pas une putain; j'ai vie aussi honnête
Que vous qui ainsi m'insultez.

EMILIA

Que moi! pouah! honte sur vous!

IAGO

Bons seigneurs, allons faire panser le pauvre Cassio.
Venez, la maîtresse, il vous faudra nous conter une autre histoire.
Vous, Emilia, courez à la citadelle
Et dites à Monseigneur et à madame ce qui s'est passé.

Voulez-vous me précéder? *(A part.)* Cette nuit est la nuit
Qui doit ou créer ou ruiner ma fortune.

Ils sortent.

SCÈNE II

Une chambre dans la citadelle; Desdémone dormant dans son lit.

Entre Othello, portant un flambeau; il ferme la porte.

OTHELLO

C'est la cause, c'est la cause, mon âme.
Laissez-moi ne pas vous la nommer, chastes étoiles :
C'est la cause. Pourtant je ne veux pas répandre son sang
Ni balafrer cette peau plus blanche que la neige
Et lisse comme l'albâtre des tombeaux...
Pourtant il faut qu'elle meure, sinon elle trahira d'autres hommes.
Soufflons la lumière, puis soufflons cette lumière;
Si mon souffle t'éteint, dispensateur de flamme,
Je puis ressusciter la clarté première
Si repentir me prend, mais toi, ta lumière une fois soufflée,
Toi, le plus exquis modèle de la nature en son excellence,
Je ne sais où se trouve le feu prométhéen
Qui pourrait raviver ta lumière!...

Il pose à terre le flambeau.

Si j'arrache la rose,
Je ne peux plus lui rendre sa croissance vitale;
Elle ne pourra plus que se faner. Je veux la respirer sur sa tige.

Il l'embrasse.

O haleine de baume, qui pourrait presque persuader
A la Justice de briser son épée! Un baiser, encore un baiser!

Reste ainsi quand tu seras morte, je vais te tuer
Et je t'aimerai après... Un baiser encore et c'est le dernier!
Jamais chose si douce ne fut si fatale. Je ne peux pas ne pas pleurer,
Mais je pleure de cruelles larmes; ce chagrin est céleste :
Il frappe où il aime. Elle s'éveille.

DESDÉMONE

Qui est là? Othello?

OTHELLO

Oui, Desdémone.

DESDÉMONE

Voulez-vous venir au lit, mon seigneur?

OTHELLO

Avez-vous fait votre prière ce soir, Desdémone?

DESDÉMONE

Oui, mon seigneur.

OTHELLO

Si vous avez souvenir de quelque crime
Pas encore absous par le Ciel et sa grâce,
Implorez vite pardon.

DESDÉMONE

Hélas! mon seigneur, que voulez-vous dire par là?

OTHELLO

Allons! faites-le, et soyez brève; en attendant je vais faire quelques pas.
Je ne voudrais pas tuer ton âme sans qu'elle fût préparée;
Non! le Ciel m'en préserve! je ne voudrais pas tuer ton âme.

DESDÉMONE

Parlez-vous de tuer?

OTHELLO

Oui, j'en parle.

DESDÉMONE

Alors le Ciel aie pitié de moi!

OTHELLO

Amen! de tout mon cœur!

DESDÉMONE

Si vous dites cela, j'espère que vous ne me tuerez pas!

OTHELLO

Hum!

DESDÉMONE

Et pourtant j'ai peur de vous; car vous êtes fatal
Quand vos yeux roulent ainsi. Pourquoi j'aurais peur? Je l'ignore,
Puisque je ne me connais pas de faute; pourtant je sens que j'ai peur.

OTHELLO

Pense à tes péchés.

DESDÉMONE

Ce sont les tendresses que j'ai pour vous.

OTHELLO

Ouais! et c'est pour cela que tu meurs.

DESDÉMONE

C'est une mort contre nature, celle qui tue qui vous aime.
Hélas! pourquoi vous mordez-vous ainsi la lèvre inférieure?
Une passion sanguinaire secoue tout votre être;
Ce sont de mauvais signes; mais cependant j'espère, j'espère,
Ces signes ne me désignent pas.

OTHELLO

Paix, et tais-toi!

DESDÉMONE

Je veux bien... De quoi s'agit-il?

OTHELLO

Ce mouchoir que j'aimais tant et que je t'ai donné,
Tu l'as donné à Cassio.

DESDÉMONE

Non, sur ma vie et sur mon âme!
Faites venir l'homme, interrogez-le.

OTHELLO

Douce âme, prenez garde,
Prenez garde au parjure : tu es sur ton lit de mort.

DESDÉMONE

Oui, mais pas pour mourir encore.

OTHELLO

Si! sur-le-champ!
C'est pourquoi confesse-toi franchement de tes péchés;
Car nier chaque détail avec serment
Ne pourrait écarter ni étouffer la forte conviction
Dont je gémis. Tu dois mourir.

DESDÉMONE

Alors! le Seigneur aie pitié de moi!

OTHELLO

Je dis : « Amen! »

DESDÉMONE

Et vous aussi, ayez pitié! Jamais je ne vous ai fait
D'offense en ma vie; jamais je n'ai aimé Cassio
Que de cette générale amitié que le Ciel m'autorisait
A lui porter. Jamais je ne lui ai donné de gage.

OTHELLO

Par le Ciel! J'ai vu mon mouchoir dans ses mains.
O femme parjure! Tu changes mon cœur en pierre
Et ce que j'ai résolu de faire tu me mènes à le nommer
Meurtre, alors que je pensais à un sacrifice...
J'ai vu le mouchoir.

DESDÉMONE

Alors c'est qu'il l'a trouvé.
Jamais je ne le lui ai donné. Faites-le venir ici,
Qu'il avoue la vérité!

OTHELLO

Il a avoué.

DESDÉMONE

Quoi, mon seigneur?

OTHELLO

Que tu lui avais servi.

DESDÉMONE

Comment? criminellement?

OTHELLO

Oui.

DESDÉMONE

Il ne dira pas cela.

OTHELLO

Non, sa bouche est close;
L'honnête Iago y a mis bon ordre.

DESDÉMONE

Oh! ma peur devine : quoi, est-il mort?

OTHELLO

Aurait-il eu autant de vies que de cheveux, ma géante vengeance
Avait appétit pour elles toutes.

DESDÉMONE

Hélas! il est trahi, et moi perdue! oh!

OTHELLO

Ah! çà, putain! pleures-tu pour lui à ma face?

DESDÉMONE

Oh! bannissez-moi, mon seigneur, mais ne me tuez pas!

OTHELLO

A bas, putain!

DESDÉMONE

Tuez-moi demain; laissez-moi vivre cette nuit!

OTHELLO

Ah! si vous vous efforcez...

DESDÉMONE

Rien qu'une demi-heure!

OTHELLO

L'acte est en cours, il n'y a pas de pause.

DESDÉMONE

Seulement le temps que je dise une prière!

OTHELLO

C'est trop tard.

Il l'étouffe.

EMILIA, *à la porte, derrière.*

Monseigneur, monseigneur! Holà! Monseigneur! Monseigneur!

OTHELLO

Quel bruit est-ce là? Pas morte? pas encore tout à fait morte?
Je suis cruel mais pas sans pitié;
Je ne voudrais pas te faire languir en ton supplice...
Voici, voici.

EMILIA, *derrière la porte.*

Holà! holà! Monseigneur! Monseigneur!

OTHELLO

Qui est là?

EMILIA, *derrière la porte.*

Oh! mon bon seigneur! je voudrais vous dire un mot.

OTHELLO

Oui, c'est Emilia... Tout à l'heure... Elle est morte...
Il est probable qu'elle vient me parler de la mort de Cassio;
Le bruit fut grand. Ha! plus un mouvement?
Immobile comme la tombe. Vais-je la faire entrer? serait-ce bon?
Je crois qu'elle remue encore. Non. Quel est le mieux à faire?
Si elle entre, elle voudra sûrement parler à ma femme...
Ma femme, ma femme! quelle femme? Je n'ai plus de femme.
Oh! insupportable! Oh! heure pesante!
Il me semble qu'il devrait y avoir à présent une immense éclipse
Du soleil et de la lune et que le globe épouvanté
Devrait béer devant cette altération!

EMILIA, *du dehors.*

Je vous en supplie vraiment,
Laissez-moi vous parler. Oh! mon bon seigneur!

OTHELLO

Je t'avais oubliée : Oh! entre, Emilia.
Doucement! dans un instant! Laisse-moi tirer les rideaux!
Où es-tu?

Il ouvre la porte.
Entre Emilia.

Que me veux-tu à cette heure?

EMILIA

O, mon bon maître, là-bas il y a eu un abominable meurtre!

OTHELLO

Quoi, à l'instant?

EMILIA

Juste à l'instant, mon seigneur.

OTHELLO

C'est l'aberration même de la lune;
Elle approche la terre plus près qu'elle n'avait coutume
Et rend fous les hommes.

EMILIA

Cassio, monseigneur, a tué un jeune Vénitien
Nommé Roderigo!

OTHELLO

Roderigo tué!
Et Cassio tué!

EMILIA

Non, Cassio n'est pas tué.

OTHELLO

Cassio n'est pas tué? alors le meurtre sonne faux
Et la douce vengeance devient dure.

DESDÉMONE

O injustement, injustement assassinée!

EMILIA

Malheur! quel cri est-ce là?

OTHELLO

Cela? quoi?

EMILIA

Holà! hélas! c'était la voix de ma maîtresse!

Elle tire les rideaux.

Au secours! au secours! holà! au secours! O madame, parlez encore!
Douce Desdémone! ô douce madame, parlez!

DESDÉMONE
Je meurs d'une mort innocente.

EMILIA
Oh! qui a commis cette action?

DESDÉMONE
Personne; moi, moi-même. Adieu;
Recommandez-moi à mon bon seigneur; oh! adieu!
Elle meurt.

OTHELLO
Quoi, comment aurait-elle été mise à mort?

EMILIA
Hélas! qui sait?

OTHELLO
Vous l'avez entendue dire elle-même; ce n'est pas moi.

EMILIA
Elle a dit ainsi; par force je dois rapporter la vérité.

OTHELLO
Elle est allée en menteuse au brûlant enfer :
C'est moi qui l'ai tuée.

EMILIA
Oh! elle en est d'autant plus un ange,
Et vous d'autant plus un plus noir démon!

OTHELLO
Elle avait tourné à la folie, elle était une putain.

EMILIA
Tu la calomnies et tu es un démon!

OTHELLO

Elle était fausse comme l'eau.

EMILIA

Et toi tu es irréfléchi comme le feu de dire
Qu'elle était fausse; oh! elle était célestement loyale.

OTHELLO

Cassio l'a couverte; demande donc à ton mari;
Oh, je serais damné au fin fond de l'enfer
Si sans juste raison j'en étais venu
A cette extrémité. Ton mari savait tout.

EMILIA

Mon mari!

OTHELLO

Ton mari.

EMILIA

Qu'elle avait trahi son mariage?

OTHELLO

Oui, avec Cassio. Ah! si elle avait été fidèle,
Quand le ciel m'eût offert un autre univers
D'une chrysolithe intacte et pure,
Je ne l'aurais pas changée contre elle.

EMILIA

Mon mari!

OTHELLO

Oui, c'est lui qui le premier me l'a dit;
C'est un homme honnête, il hait la boue
Qui s'attache aux actes sales.

EMILIA

Mon mari!

OTHELLO

Quel besoin de cette répétition, femme? Je dis : ton mari.

EMILIA

O maîtresse, la vilenie s'est jouée de l'amour!
Mon mari a dit qu'elle était infidèle?...

OTHELLO

Lui-même, femme;
Je dis : ton mari; comprends-tu le mot?
Mon ami, ton mari, l'honnête, l'honnête Iago.

EMILIA

S'il a dit cela, que son âme pernicieuse
Pourrisse chaque jour d'un grain! Il ment jusqu'au fond du cœur.
Elle était bien trop folle de son affreux choix.

OTHELLO

Ah!

EMILIA

Fais ce que tu peux faire de pire :
Ton acte n'est pas plus digne du ciel
Que tu n'étais digne d'elle.

OTHELLO

Paix, ce serait mieux pour vous.

EMILIA

Tu n'as pas pour me faire du mal la moitié de la force
Que j'en ai pour recevoir tes coups. O dupe! ô idiot!
Aussi ignorant que la crasse! tu as commis un crime...
Je n'ai pas peur de ton épée; je te ferai connaître,
Quand même j'y perdrais vingt fois ma vie. Au secours! au secours! holà! au secours!
Le More a tué ma maîtresse! Au meurtre! au meurtre!

Entrent Montano, Gratiano, Iago et d'autres.

MONTANO

Que se passe-t-il? Qu'y a-t-il, général?

EMILIA

Ah! vous voilà, Iago? Vous avez bien travaillé,
Que les hommes en soient obligés de mettre leurs meurtres sur votre dos.

GRATIANO

Que se passe-t-il?

EMILIA

Démens ce gredin, si tu es un homme;
Il affirme que tu lui as dit que sa femme le trompait.
Je sais que tu ne l'as pas dit, tu n'es pas un gredin pareil.
Parle, car j'en ai gros sur le cœur.

IAGO

Je lui ai dit ce que je pensais et n'ai rien dit de plus
Qu'il n'ait trouvé lui-même exact et vrai.

EMILIA

Mais lui as-tu jamais dit qu'elle était infidèle?

IAGO

Oui.

EMILIA

Tu lui as dit un mensonge, un odieux, un infernal mensonge,
Sur mon âme un mensonge de canaille!
Elle infidèle avec Cassio! As-tu dit : avec Cassio?

IAGO

Avec Cassio, ma mie. Allons! enchaînez votre langue.

EMILIA

Je n'enchaînerai pas ma langue; j'ai obligation de parler;
Ma maîtresse est ici, assassinée dans son lit.

TOUS

Oh! que les cieux ne le permettent pas!

EMILIA

Et ce sont tes rapports qui ont provoqué le meurtre.

OTHELLO

Non, ne faites pas de grands yeux, messieurs : le fait est vrai.

GRATIANO

C'est une étrange vérité.

MONTANO

Oh! l'acte monstrueux!

EMILIA

L'infamie! l'infamie! l'infamie!
J'y pense; et je pense, je flaire : ô l'infamie.
J'y avais pensé déjà; je me tuerai de regret :
O l'infamie, l'infamie!

IAGO

Quoi, es-tu folle? Je te l'ordonne : rentre à la maison.

EMILIA

Bons messieurs, donnez-moi permission de parler :
Il est honnête que je lui obéisse, mais pas pour le moment.
Il se peut, Iago, que je ne rentre jamais.

OTHELLO

Oh! oh! oh!

Il s'écroule sur le lit.

EMILIA

Oui, couche-toi sur ce lit et hurle;
Car tu as tué la plus douce innocente
Qui jamais ait levé ses yeux.

OTHELLO, *se relevant.*

Oh! elle était infâme!...
Je vous reconnaissais à peine, mon oncle; votre nièce est là gisante;
Son souffle, oui, sous ces mains, tout à l'heure a cessé d'exister.
Je sais que cet acte semble horrible et hideux.

GRATIANO

Pauvre Desdémone! Je suis heureux que ton père soit mort!
Ton mariage fut mortel pour lui, le simple chagrin
A coupé en deux le vieux fil de ses jours. S'il vivait encore,
Ce spectacle lui ferait faire un acte de désespoir,
Oui, le ferait blasphémer le meilleur ange à ses côtés,
Tomber dans la réprobation.

OTHELLO

Cela fait pitié, mais pourtant Iago sait
Qu'elle avec Cassio a commis l'acte de honte
Un millier de fois. Cassio l'a confessé;
Elle a récompensé ses peines amoureuses
En lui donnant ce souvenir et gage d'amour
Qui fut mon premier cadeau, je l'ai vu dans ses mains à lui :
C'était un mouchoir, un ancien gage
Donné par mon père à ma mère.

EMILIA

O Dieu! Dieu céleste!

IAGO

Enfer! tenez-vous en paix!

EMILIA

Ça sortira, ça sortira. Moi me taire!
Non, je parlerai aussi libre que le vent du nord;
Quand le ciel et les hommes et les démons, que tous y aillent,
Tous, tous crient pour me couvrir de honte, malgré tout je crierai.

IAGO

Sois raisonnable, rentre.

EMILIA

Je ne rentrerai pas.

Iago la menace de son épée.

GRATIANO

Fi!

Votre épée sur une femme!

EMILIA

O More stupide! ce mouchoir dont tu parles,
Je l'ai trouvé par hasard et l'ai donné à mon mari;
En effet, souvent, avec une insistance ardente,
Plus que n'en méritait en vérité une telle babiole,
Il m'avait supplié de le dérober.

IAGO

Vile putain!

EMILIA

Elle, le donner à Cassio! non pas, hélas! c'est moi qui l'ai trouvé,
Et qui l'ai remis à mon mari.

IAGO

Ordure, tu mens!

EMILIA

Par le Ciel, non, je ne mens pas, je ne mens pas, messieurs.
O assassin sans tête! qu'est-ce qu'un pareil idiot
Devait faire d'une femme si bonne?

OTHELLO

N'y a-t-il de foudres au ciel
Que pour fournir le tonnerre? Insigne scélérat!

Il se précipite sur Iago, mais Montano le désarme; dans la mêlée, Iago frappe Emilia par-derrière et s'échappe.

GRATIANO

Elle tombe; pour sûr, il a tué sa femme.

EMILIA

Oui, oui; oh, couchez-moi près de ma maîtresse!

GRATIANO

Il s'est enfui, mais sa femme est tuée.

MONTANO

C'est un scélérat notoire; prenez-moi cette épée
Que je viens à l'instant d'arracher au More.
Allez, montez la garde devant la porte; ne le laissez pas passer,
Tuez-le plutôt. Moi-même je vais poursuivre ce vilain,
C'est une infernale canaille.

Tous sortent, sauf Othello et Emilia.

OTHELLO

Je ne suis même plus vaillant.
Le premier gamin venu me prend mon épée.
Mais pourquoi l'honneur survivrait-il à l'honnêteté?
Que tout s'en aille!

EMILIA

Que présageait ton chant, maîtresse?
Écoute, peux-tu m'entendre? Je vais jouer le rôle d'un cygne
Et mourir en chantant *(elle chante) :*

Chantez le saule, le saule, le saule...

O More, elle était chaste; elle t'aimait, More cruel;
Que mon âme aille au ciel, aussi vrai que je parle vrai;
Parlant comme je pense, hélas! je meurs.

Elle meurt.

OTHELLO

J'ai une autre arme dans cette chambre :
C'est une épée d'Espagne, trempée dans une eau glacée...
Oh! la voici... Mon oncle, il faut que je sorte.

GRATIANO, *à la porte.*

Si tu essayes, cela te coûtera cher;
Tu n'as pas d'arme et, par force, il te faut subir.

OTHELLO

Viens donc ici me voir et me parler;
Sinon, tout désarmé que je sois, je vais me jeter sur toi.

Rentre Gratiano.

GRATIANO

De quoi s'agit-il?

OTHELLO

Regarde, j'ai une arme :
Arme meilleure jamais ne s'appuya
Sur la cuisse d'un soldat. J'ai vu le jour
Qu'avec ce faible bras et cette bonne épée
Je frayais mon chemin à travers plus d'obstacles,
Vingt fois plus d'obstacles que votre résistance. Mais, ô vaine forfanterie,
Qui peut contrôler son destin? ... Il n'en est plus aujourd'hui ainsi.
Ne soyez pas effrayé, bien que vous me voyiez armé.
Voici la fin de mon voyage, voici mon but
Et le terme oscillant de ma dernière traversée.
Vous reculez, épouvanté? c'est perdre votre peur :
Ne menacez que d'un roseau la poitrine d'Othello
Et il recule. Où donc irait-il, Othello?
Maintenant *(il se retourne vers le lit.)* quel visage as-tu maintenant?
Pâle comme ta chemise!
O jeune fille née sous une mauvaise étoile,
Quand nous nous rencontrerons pour le compte,
Cette apparence que tu as jettera mon âme à bas du ciel
Et les démons la happeront. Te voilà froide, froide, ma pauvre fille!
Tout à fait comme ta chasteté!
O maudit, maudit scélérat! A coups de fouet, vous, démons,
Chassez-moi de la possession de ce spectacle céleste!
Emportez-moi dans les vents! Rôtissez-moi dans le soufre!
Lavez-moi en de profonds abîmes de feu liquide!
O Desdémone! Desdémone morte! morte! Oh! oh!

Entrent Lodovico, Montano, Cassio porté sur un brancard, puis des officiers conduisant Iago prisonnier.

LODOVICO

Où est ce forcené, cet homme si infortuné?

OTHELLO

C'est celui qui fut Othello; me voici.

LODOVICO

Où est cette vipère? faites avancer le scélérat.

OTHELLO

Je jette mes regards sur ses pieds; mais il s'agit d'une fable :
Si tu es un démon, je ne puis te tuer.

Il blesse Iago.

LODOVICO

Arrachez-lui son épée.

IAGO

Je saigne, monsieur, mais ne suis pas tué.

OTHELLO

Je n'en suis pas affligé non plus; je souhaite que tu vives,
Car, à mon sens, c'est un bonheur que de mourir.

LODOVICO

Othello, ô toi, qui fus jadis si bon,
Tombé dans le piège d'une affreuse canaille,
Quel nom te donner?

OTHELLO

Tout ce que vous voudrez :
Un honorable meurtrier, si vous voulez :
Car je n'ai rien fait par haine, seulement par honneur.

LODOVICO

Ce misérable a en partie confessé sa vilenie.
Vous, étiez-vous d'accord pour tuer Cassio?

OTHELLO

Oui.

CASSIO

Cher général, je ne vous en ai jamais donné sujet.

OTHELLO

Je le crois et demande votre pardon.
Voulez-vous, je vous prie, demander à ce demi-démon
Pourquoi il a tellement pris au piège mon âme et mon corps.

IAGO

Ne me demandez rien; ce que vous savez, vous le savez;
Désormais je ne prononcerai plus un mot.

LODOVICO

Quoi! même pas pour prier?

GRATIANO

Les tortures t'ouvriront les lèvres.

OTHELLO

Bien, tu fais ce qu'il y a de mieux.

LODOVICO

Seigneur, vous allez comprendre ce qui est arrivé;
Je crois que vous ne le savez pas encore. Voici une lettre,
Trouvée dans la poche sur le cadavre de Roderigo,
Et en voici une autre : la première porte
Que le meurtre de Cassio doit être l'œuvre
De Roderigo.

OTHELLO

Le scélérat!

CASSIO

Très infernal et très abominable!

LODOVICO

Maintenant voici une autre lettre de griefs,
Trouvée aussi sur ce cadavre; celle-là, il semble,
Roderigo voulait l'envoyer à cette maudite canaille
Mais sans doute, entre-temps, Iago par-derrière
Est survenu et l'a satisfait.

OTHELLO

Oh! le misérable coquin!
Comment, Cassio, avez-vous eu ce mouchoir
Qui était celui de ma femme?

CASSIO

Je l'ai trouvé dans ma chambre
Et lui, il vient à l'instant même d'avouer
Qu'il l'y a laissé tomber dans un but spécial
Qui a réussi selon son désir.

OTHELLO

O que je suis imbécile, imbécile, imbécile!

CASSIO

En outre il y a dans la lettre de Roderigo
Le reproche à Iago de l'avoir poussé
A me braver au corps de garde; à la suite de quoi
Je fus disgracié; et il n'y a qu'un instant il a déclaré —
Après avoir longtemps passé pour mort — que c'était
Iago qui l'avait aposté,
Qui l'avait frappé.

LODOVICO

Il vous faut quitter cette chambre et nous suivre;
Votre pouvoir et votre commandement vous sont enlevés.
Et c'est Cassio qui gouverne Chypre. Quant à cette
canaille,
S'il existe quelque cruauté savante
Qui puisse le torturer beaucoup et le tenir longtemps en
vie,
Elle sera pour lui. Vous, vous êtes aux arrêts
Jusqu'à ce que la nature de votre crime soit connue
De l'État de Venise. Allons! emmenez-les.

OTHELLO

Doucement, vous autres; un mot ou deux avant que vous
sortiez;

J'ai rendu à l'État quelque service et ils le savent.
N'en parlons plus. Je vous en prie, dans vos lettres,
Quand vous relaterez ces lamentables faits,
Parlez de moi tel que je suis; rien d'atténué,
Ni rien mis en malice. Oui, vous aurez obligation de parler
D'un homme qui n'aima pas sagement mais qui aima trop bien,
De quelqu'un pas aisé à rendre jaloux mais qui, manœuvré,
Fut rendu abasourdi à l'extrême — quelqu'un dont la main,
Tel le vil Indien, rejeta loin une perle
Plus précieuse que toute sa tribu; quelqu'un dont les yeux vaincus,
Bien que pas habitués à l'attendrissement,
Versent des pleurs aussi dru que les arbres d'Arabie
Leur myrrhe salutaire... Mettez tout cela par écrit
Et dites en outre que naguère en Alep
Un jour qu'un malveillant Turc enturbanné
Battait un Vénitien et dénigrait l'État de Venise,
Je saisis à la gorge ce chien circoncis
Et le frappai comme ceci.

Il se perce de son épée.

LODOVICO

O sanglante conclusion!

GRATIANO

Tout ce qui serait dit serait perdu.

OTHELLO

Je te pris un baiser avant de te tuer; pas d'autre voie que celle-ci :
En me tuant, mourir en te prenant un baiser.

Il tombe sur le lit et meurt.

CASSIO

Voilà ce que je craignais, mais je pensais qu'il n'avait pas d'arme :
Il était grand de cœur.

LODOVICO, *à Iago.*

O molosse de Sparte[14],
Plus cruel que l'angoisse, la faim ou la mer!
Regarde le tragique fardeau de ce lit...
C'est ton œuvre. L'objet empoisonne la vue;
Cachez-le.

Ils tirent le rideau.

Gratiano, gardez la maison,
Et mettez saisie sur les biens du More
Car vous en héritez. A vous, seigneur gouverneur,
Échoit le châtiment de cet infernal scélérat,
L'heure, le lieu, le choix du supplice : oh! faites-le très fort!
Moi sans tarder je m'embarque et vais à l'État
Conter, le cœur pesant, cette pesante histoire.

MACBETH

Traduction de Pierre Jean Jouve

La scène : Écosse et Angleterre.

PERSONNAGES

DUNCAN, roi d'Écosse.

MALCOLM, DONALBAIN, ses fils.

MACBETH, en premier lieu un général, ensuite roi d'Écosse.

BANQUO, un général.

MACDUFF, LENNOX, ROSS, MENTEITH, ANGUS, CAITHNESS, nobles d'Écosse.

FLEANCE, fils de Banquo.

SIWARD, duc de Northumberland, général des forces anglaises.

LE JEUNE SIWARD, son fils.

SETON, porte-enseigne de Macbeth.

Un Garçon, fils de Macduff.

Un Capitaine.

Un Portier.

Un Vieillard.

Un Médecin anglais.

Un Médecin écossais.

Trois Meurtriers.

LADY MACBETH.

LADY MACDUFF.

Une Dame suivante de Lady Macbeth.

LES FATALES SŒURS.

HÉCATE.

Apparitions.

Seigneurs, gentilshommes, officiers, soldats, serviteurs, messagers.

ACTE PREMIER

SCÈNE PREMIÈRE

Tonnerre et éclairs. Entrent trois Sorcières.

PREMIÈRE SORCIÈRE
Quand nous retrouver réunies
Dans tonnerre et éclairs, ou pluies?

DEUXIÈME SORCIÈRE
Quand finit le tohu-bohu,
Le combat gagné et perdu.

TROISIÈME SORCIÈRE
Avant le coucher du soleil.

PREMIÈRE SORCIÈRE
Et où l'endroit?

DEUXIÈME SORCIÈRE
Lande déserte.

TROISIÈME SORCIÈRE
Pour la rencontre avec Macbeth.

PREMIÈRE SORCIÈRE
Je viens, Museau gris[1]!

DEUXIÈME SORCIÈRE
Et Crapaud[2] m'appelle!

TROISIÈME SORCIÈRE

On y va!

TOUTES LES TROIS

Le clair est noir, le noir est clair
Planons
Dans la brume et saleté d'air.

Elles disparaissent.

SCÈNE II

Un camp.

Trompettes. Entrent le roi Duncan, Malcolm, Donalbain Lennox, avec leur suite, à la rencontre d'un capitaine blessé.

DUNCAN

Quel homme ensanglanté est-ce là? Il peut rapporter,
Comme il semble à son triste aspect, les plus récentes nouvelles de la révolte.

MALCOLM

C'est le capitaine, qui comme un bon et courageux soldat, s'est battu pour me délivrer.
Brave ami, salut! Dis au roi ta connaissance de la bataille
Telle que tu l'as laissée.

LE CAPITAINE

Incertaine elle était,
Ainsi deux nageurs épuisés qui s'accrochent l'un à l'autre
Étouffent leur pouvoir. Macdonwald implacable
(Digne d'être un rebelle, car pour ça grouillent sur lui les croissantes bassesses de la nature),
Des îles de l'Ouest, reçoit renforts de troupes légères et lourdes[3],

Et Fortune, souriant à son infernale querelle, se montre putain de rebelle : mais en vain!
Car Macbeth le brave (qui certes mérite ce nom-là)
Méprisant la fortune, et son acier brandi, qui fumait d'une sanglante exécution,
Comme un mignon de la Valeur s'est taillé passage
Jusqu'à l'esclave, face à face :
Auquel il ne serra la main et auquel il ne dit adieu
Tant qu'il ne l'eut pas décousu du nombril jusqu'à la poitrine
Et qu'il n'eut planté sa tête sur le haut de nos remparts.

DUNCAN

Oh! le courageux cousin! le noble seigneur!

LE CAPITAINE

Comme au point où le soleil commence son rayonnement les tempêtes naufrageuses et les redoutables tonnerres éclatent,
Ainsi de cette source où la force semble venir, sourd l'angoisse : ô roi d'Écosse, sache-le, oh! sache-le!
A peine la justice a-t-elle, armée de valeur, contraint ces soldats voltigeant à trouver salut par leurs talons,
Que le seigneur de Norvège, mesurant son avantage, avec des armes refourbies et de nouveaux renforts en hommes,
Commence un nouvel assaut.

DUNCAN

Cela a-t-il fait perdre cœur à nos capitaines, Macbeth et Banquo?

LE CAPITAINE

Oui — comme moineaux le font aux aigles, ou le lièvre au lion.
Pour dire vrai, je dois relater qu'ils étaient comme canons chargés de doubles munitions,
Et eux

Doublement ils ont redoublé les coups portés à l'ennemi :
Auraient-ils voulu se baigner dedans les blessures fumantes
Ou célébrer un nouveau Golgotha — je ne sais.
... Mais je faiblis. Mes plaies appellent au secours.

DUNCAN

Tes paroles conviennent aussi bien que tes blessures, les unes et les autres ont le goût de l'honneur.
Allez chercher pour lui un chirurgien.
Qui vient ici?

Entrent Ross et Angus.

MALCOLM

Le noble sire[4] de Ross.

LENNOX

Quelle hâte se voit dans ses yeux! Ainsi doit paraître
Celui qui semble prêt à parler de choses étranges.

ROSS

Dieu sauve le Roi!

DUNCAN

D'où venez-vous, mon noble sire?

ROSS

De Fife, grand roi, où les bannières norvégiennes insultent le ciel
Et soufflent de leurs plis le froid sur notre peuple.
Norvège en personne, avec d'énormes forces, soutenu par ce traître le plus déloyal
Le sire de Cawdor,
A commencé la sombre lutte et l'a menée
Jusqu'à ce que l'amant de Bellone, ceint de la cuirasse, eût fait front avec une force comparable,
Arroi contre arroi, bras rebelle contre bras, écrasant son impudent esprit : et pour conclure,
La victoire est à nous.

DUNCAN

Grand bonheur!

ROSS

Et maintenant
Sweno, roi de Norvège, implore composition; et nous ne voulons
Lui accorder les funérailles de ses hommes
Avant qu'il n'eût versé à l'île de Saint-Colme
Dix milliers de dollars pour notre usage à tous.

DUNCAN

Jamais plus ce sire de Cawdor ne trompera
Nos précieuses confiances :
Allez commander sa mort immédiate, et de son ancien titre saluez Macbeth.

ROSS

Je veillerai à ce que ce soit fait.

DUNCAN

Ce qu'il perdit, le noble Macbeth l'a gagné.

Ils sortent.

SCÈNE III

Une lande déserte.

Tonnerre. Entrent les trois Sorcières.

PREMIÈRE SORCIÈRE

Où es-tu allée, ma sœur?

DEUXIÈME SORCIÈRE

Égorger les porcs.

TROISIÈME SORCIÈRE

Et toi sœur, où étais-tu?

PREMIÈRE SORCIÈRE

Une femme de marin avait au giron des marrons
Et mâchonnait, et mâchonnait. « Donne-m'en », j'ai demandé.
« Fous l'camp, sorcière! » cria cette engraissée.
Son homme est parti pour Alep, il est patron sur le Tigre :
Mais dans une passoire, moi, jusque là-bas je voguerai
Et comme un rat à queue coupée
Je le ferai, ferai, ferai!

DEUXIÈME SORCIÈRE

Moi je te donnerai un vent.

PREMIÈRE SORCIÈRE

Tu es bien bonne.

TROISIÈME SORCIÈRE

Et moi un autre.

PREMIÈRE SORCIÈRE

Et moi je prendrai tous les autres!
Dans les ports même ils souffleront
En tous les sens qu'ils connaîtront
Sur rose des vents du marin.
Le viderai sec comme foin!
Sommeil ne pourra, jour ni nuit,
Pendre aux volets de ses paupières;
Il vivra comme homme interdit
Neuf fois neuf fois sept tristes nuits,
Fondra, pâtira, périra :
Sans que puisse couler sa barque
Brisé de tempête il sera.
Regarde ce que j'ai.

DEUXIÈME SORCIÈRE

Montre quoi?

PREMIÈRE SORCIÈRE

J'ai là le pouce d'un pilote
Qui sur le retour naufragea.

Tambour au loin.

TROISIÈME SORCIÈRE

Le tambour, le tambour!
Macbeth arrive. Le tambour!

LES TROIS SORCIÈRES

Les Folles Sœurs[5], main dans la main,
Voyageuses par mer et terre,
Vont alentour à tous chemins;
Trois fois pour toi, et trois pour moi,
Encor trois fois faisant neuf fois.
Paix! car le charme va se faire.

Entrent Macbeth et Banquo.

MACBETH

Un jour si noir et clair je n'en ai jamais vu.

BANQUO

Quelle distance pour Forres?
Qu'est-ce que c'est
Que ça, fripé et fou dans son accoutrement,
Tant qu'il ne paraît pas habitant de la terre
Et pourtant se trouve dessus? Vivez-vous? Êtes-vous
Chose à quoi parler? Vous semblez me comprendre,
Chacune alors mettant son doigt gercé
Sur ses lèvres séchées. Vous pourriez être femmes,
Vos barbes cependant m'empêchent d'interpréter
Que vous l'êtes.

MACBETH

Si vous pouvez parler, qui êtes-vous?

PREMIÈRE SORCIÈRE

Très grand salut, Macbeth, à toi, sieur de Glamis.

DEUXIÈME SORCIÈRE

Très grand salut, Macbeth, à toi, sieur de Cawdor.

TROISIÈME SORCIÈRE

Très grand salut, Macbeth! qui plus tard seras roi.

BANQUO

Cher seigneur, pourquoi sursauter, sembler craindre
Des choses qui sonnent si beau? — Par le nom de la vérité,
Êtes-vous un fantasme, ou en réalité
Ce que vous montrez au-dehors? Vous saluez
Mon noble partenaire
Par présentes faveurs et grandes prédictions
D'avoirs de noblesse et de royal pouvoir,
Tant qu'il en paraît envoûté : et à moi vous ne dites rien.
Ah! si vous pouvez voir dans les graines du temps,
Dire quel grain croîtra, quel grain ne croîtra pas,
Parlez alors à moi, qui ne prie ni ne crains
Vos faveurs non plus que vos fureurs.

PREMIÈRE SORCIÈRE

Salut!

DEUXIÈME SORCIÈRE

Salut!

TROISIÈME SORCIÈRE

Salut!

PREMIÈRE SORCIÈRE

Moins grand que Macbeth, et plus grand.

DEUXIÈME SORCIÈRE

Pas si heureux, mais plus heureux.

TROISIÈME SORCIÈRE

Tu produiras des rois, bien que ne l'étant pas.
Macbeth et Banquo,
Notre grand salut!

PREMIÈRE SORCIÈRE

Banquo et Macbeth, notre grand salut!

MACBETH

Restez, vous incomplètes discoureuses, dites-m'en plus :
J'apprends que, Sinel mort, je suis sieur de Glamis,
Mais comment de Cawdor? Le sieur de Cawdor vit
Seigneur prospère; et enfin être roi
Ne se tient pas dans mes perspectives de croyance,
Pas plus que d'être Cawdor. Dites-moi d'où
Vous tenez cette étrange information, pourquoi
Vous arrêtez nos pas sur la lande éventée
Avec de tels saluts prophétiques. Parlez,
Je vous l'ordonne.

BANQUO

La terre fait des bulles, comme l'eau en fait,
Et celles-ci en sont : où ont-elles passé?

MACBETH

Dans l'air. Ce qui semblait corporel a fondu
Comme le souffle au vent. Si elles avaient pu
Rester!

BANQUO

Ont-elles été ici, ces choses dont nous parlons?
Ou avons-nous mangé la racine malsaine
Qui emprisonne la raison?

MACBETH

Vos enfants seront rois.

BANQUO

Et vous vous serez roi.

MACBETH

Et seigneur de Cawdor aussi :
N'était-ce pas comme ça dit?

BANQUO

Oui, les mots, sur ce ton. Mais qui arrive ici?

Entrent Ross et Angus.

ROSS

Le roi a heureusement reçu, Macbeth, la nouvelle de ton succès, et quand il a lu
Ta prouesse personnelle dans le combat contre le rebelle,
Son étonnement, ses éloges, rivalisèrent, lequel serait à lui ou bien à toi;
Silencieux, à considérer les faits de cette seule journée,
Il te voit dans les rangs massifs norvégiens, ne craignant rien de ce que toi-même tu fais
Un hideux tableau de mort. Et serrés comme grêle
Venaient courriers après courriers, et chacun d'eux apportait
Ta louange pour la haute défense du royaume,
Et devant lui la déversait.

ANGUS

Nous sommes envoyés
Pour te donner de notre royal maître les remerciements,
Seulement pour t'introduire en sa présence
Et non pour te récompenser.

ROSS

Et comme le gage d'un plus grand honneur
Il m'ordonne, de sa part, de te nommer sire de Cawdor;
En foi de quoi, salut,
Mon noble seigneur, car ceci est ton dû.

BANQUO

Quoi! le démon a-t-il pu dire vrai?

MACBETH

Le sieur de Cawdor vit : pourquoi m'habilles-tu
D'une robe d'emprunt?

ANGUS

Celui qui était ce seigneur
Vit encore, portant sous jugement sa vie
Qu'il mérite de perdre. S'il a lié partie
Avec ceux de Norvège, renforcé le rebelle

Par aide secrète et profit, ou des deux parts
Travaillé à ruiner son pays — je ne sais.
La haute trahison, avouée et prouvée,
L'a renversé.

MACBETH, *en aparté.*

Glamis, et seigneur de Cawdor :
Et le plus grand, après. —
Grand merci pour vos peines. —
Et n'espérez-vous pas que vos enfants soient rois,
Quand celles qui m'ont nommé sire de Cawdor
Ne leur ont promis rien de moins?

BANQUO

Cela, si l'on y croit,
Pourrait vous échauffer d'espoir vers la couronne
Plus loin que sire de Cawdor. Mais c'est étrange :
Et bien souvent pour nous gagner à notre perte
Les puissances obscures nous disent le vrai,
Nous gagnent par futilités honnêtes, pour nous trahir
Dans les plus graves circonstances.
Un mot je vous prie, cousins.

MACBETH, *en aparté.*

Deux vérités sont dites,
Comme prologue heureux à l'acte qui se gonfle
Du thème impérial. Merci à vous, messieurs.
La sollicitation surnaturelle
Ne peut être le mal, ni le bien. Si c'est mal,
Pourquoi me donna-t-elle le gage du succès
Commençant par la vérité? Je suis Cawdor.
Si c'est bien, pourquoi dois-je céder à l'idée
Dont l'image d'horreur hérisse mes cheveux
Et fait que mon cœur bien assis frappe à mes côtes
Contre son mode naturel? Les peurs présentes
Sont moindres que d'horribles imaginations :
Ma pensée, où le meurtre encor n'est que fantasme,

Secoue à tel point mon faible état d'homme
Que la raison s'étouffe en attente, et rien n'est
Que cela qui n'est pas.

BANQUO

Regardez comme rêve
Notre compagnon.

MACBETH, *en aparté.*

Si me veut roi Fortune,
Sans que je bouge, peut me couronner Fortune.

BANQUO

Des honneurs nouveaux lui arrivent,
Comme vêtements étrangers,
Qui ne collent pas à leur forme,
Sinon avec l'aide du temps.

MACBETH, *en aparté.*

Vienne ce qui viendra — l'heure et le temps
Passent à travers la plus rude journée.

BANQUO

Noble Macbeth, nous attendons votre plaisir.

MACBETH

Pardonnez-moi. Mon cerveau fatigué
Était occupé de choses que j'oublie.
Vos peines, bons seigneurs, sont inscrites au livre
Où chaque jour je tourne la page pour lire.
Allons trouver le roi.
Pensez à cette chose
Qui nous est arrivée, et plus tranquillement,
Le temps ayant mis le poids, parlons
L'un avec l'autre à cœur ouvert.

BANQUO

Bien volontiers.

MACBETH

Et jusque-là, assez... Venez donc, mes amis.

Ils sortent.

SCÈNE IV

Forres. Une chambre dans le palais.

Fanfare. Entrent le roi Duncan, Malcolm, Donalbain, Lennox, et leur suite.

DUNCAN

Cawdor est-il exécuté? Et ceux
Qui sont chargés d'agir, ne sont-ils revenus?

MALCOLM

Mon suzerain,
Ils ne sont revenus encor. Mais j'ai parlé
Avec un qui le vit mourir : et qui rapporte
Qu'en franchise il a reconnu ses trahisons,
Imploré le pardon de Votre Altesse et exprimé
Un repentir profond : et rien durant sa vie
Ne fut pour lui comme la laisser; il mourut
Tel un homme qui s'est instruit avec sa mort
A rejeter le plus précieux objet qu'il a
En bagatelle insignifiante.

DUNCAN

Aucune science
Pour trouver par le visage la signifiance d'un esprit :
C'était un gentilhomme sur lequel je fondais
Une foi absolue.

Entrent Macbeth, Banquo, Ross et Angus.

O très noble cousin!
Jusqu'à l'instant encor, péché d'ingratitude
Était pesant sur moi. Si fort tu nous devances,
Que la plus rapide aile de la récompense
Lentement te rejoint. Plût au Ciel que tu eusses
Moins mérité, pour qu'une proportion

Entre les remerciements et paiements pût être mienne.
Et seulement il me reste à te dire :
Plus grand ton dû, que ne le paierait plus que tout.

MACBETH

Le service et la loyauté dont j'ai devoir,
Faisant ainsi, eux-mêmes se paient. Votre Altesse
A pour rôle d'agréer nos devoirs : et nos devoirs,
Pour votre trône et grandeur, sont enfants et serviteurs;
Qui ne font que ce qu'ils doivent, quand ils font tout
En considération de votre amour et votre honneur.

DUNCAN

Bienvenue ici :
J'ai commencé de te planter, et travaillerai
A te donner croissance. Et toi noble Banquo
As non moins mérité, et dois être connu
Non moins pour l'avoir fait : laisse-moi t'embrasser,
Te serrer sur mon cœur.

BANQUO

Et si là j'ai croissance,
Ma récolte sera la vôtre.

DUNCAN

Mes joies nombreuses
Riches de plénitude, essaient de se cacher
En gouttes de chagrin... Fils et parents, seigneurs,
Et vous dont les rangs me sont proches, sachez
Que nous transmettrons la couronne à notre aîné
Malcolm, lequel désormais nommerons
Prince de Cumberland : et cet honneur ne doit
Isolément le consacrer lui seul,
Mais les signes de noblesse ainsi qu'étoiles brilleront
Sur tous les méritants... Allons à Inverness,
Et resserrons encor nos liens à vous.

MACBETH

Le repos, qui n'est employé pour vous, est peine.
Je serai moi-même courrier, et joyeuse je ferai
L'ouïe de ma femme en raison de votre approche;
Je prends congé très humblement.

DUNCAN

Mon cher Cawdor!

MACBETH, *en aparté.*

Prince de Cumberland! ceci est une marche
Sur quoi je trébucherai, ou que je devrai sauter,
Car elle se tient sur ma route. Étoiles, cachez vos feux!
Que la clarté ne puisse voir mes désirs profonds et noirs :
Que l'œil devant la main se ferme; et cependant cela soit
Ce que les yeux, quand tout est fait, craignent de voir.

Il sort.

DUNCAN

C'est vrai, mon cher Banquo; il est vraiment si brave,
Et je me sens nourri de ses louanges;
C'est un festin pour moi. Allons et suivons-le.
Lui dont le souci va devant nous souhaiter la bienvenue :
Un parfait homme de mon sang.

Fanfare. Ils s'en vont.

SCÈNE V

Inverness. Devant le château de Macbeth.

Entre la femme de Macbeth seule, tenant une lettre.

LADY MACBETH

« Elles m'ont rencontré dans le jour de la victoire; et j'ai connu, par le rapport le plus précis, qu'elles ont en elles plus qu'une connaissance de mortels. Quand je brûlais du désir de les questionner davantage, elles se sont changées en air, dans lequel elles disparurent. Tandis que je restais ravi dans l'étonnement de la chose, vinrent les messagers du roi, qui tous m'ont salué « Sire de Cawdor », ce titre par lequel, avant, ces Sœurs Fatales me saluaient, me désignant aussi pour l'avenir du temps avec ces mots : « Salut, tu seras roi! » Ceci j'ai jugé bon de te le communiquer (ma très chère compagne de grandeur) pour que tu ne sois pas privée des droits de réjouissance en demeurant ignorante des grandeurs qui te sont promises. Place cela dans ton cœur, et adieu. »

Glamis tu es, et Cawdor. Tu seras
Tout ce qui t'est promis. Mais je crains ta nature,
Trop pleine elle est du lait de la tendresse humaine
Pour prendre le plus court : tu voudrais être grand
Et tu n'es pas sans ambition — mais sans que t'aide
Le mal, et ce que tu voudrais puissant
Tu le voudrais justement; tu ne voudrais pas jouer faux
Et voudrais gagner faussement : tu voudrais avoir, grand
Glamis,
Cela qui crie « Tu le feras si veux avoir »,
Cela que bien plus tu redoutes de faire
Que tu n'as désir que ce soit non fait.
Viens ici, que je puisse verser mes esprits
Dans ton oreille, et par la force de ma langue
Chasser ce qui t'empêche de ce cercle d'or
Par quoi le sort et le secours surnaturel
Semblent te couronner.

Entre un serviteur.

Quelles sont vos nouvelles?

LE SERVITEUR

Le roi viendra ce soir.

LADY MACBETH

Es-tu fou disant ça!
Ton maître n'est-il pas avec lui? Si c'était,
Il aurait averti pour les préparatifs.

LE SERVITEUR

C'est vrai, ne vous déplaise; et notre sire arrive;
Un de mes compagnons prit sur lui les devants,
Qui presque mort du souffle, en avait à peine plus
Que pour dire le message.

LADY MACBETH

Alors donne-lui des soins,
Il apporte grandes nouvelles.
Le corbeau même est enroué

Le serviteur sort.

Qui croasse la fatale entrée de Duncan
Sous ma muraille... Ah! venez, vous esprits
Qui veillez aux pensées mortelles, faites-moi
Sans mon sexe, et du front à l'orteil comblez-moi
De la pire cruauté! faites-moi mon sang épais,
A la pitié interdisez accès et passage
Afin que nul mouvement sensible de la nature
N'ébranle mon dessein sinistre, ou ne fasse la paix
Entre lui et l'exécution! Venez à mes seins de femme
Prendre mon lait comme fiel, vous instruments meurtriers,
Où que vous surveilliez dans vos substances invisibles
La méchanceté de nature! Arrive donc, épaisse nuit,
Enveloppe-toi des fumées les plus sinistres de l'enfer,
Que mon couteau pointu ne voie pas la blessure
Qu'il fait, et que le ciel sous le couvert du noir
Ne vienne pas épier pour me crier « Arrête! »

Entre Macbeth.

O grand Glamis! précieux Cawdor!
Et plus grand que tous les deux, par le salut qui a suivi!
Tes lettres m'ont transportée bien au-delà
Du présent ignorant tout, et je ressens maintenant
Le futur, en cet instant.

MACBETH

Ma chère aimée,
Duncan vient ici cette nuit.

LADY MACBETH

Et quand part-il?

MACBETH

Demain, selon son dessein.

LADY MACBETH

Oh! jamais

Le soleil ne verra ce demain!
Votre face, mon sire, est un livre où les hommes
Peuvent lire une étrange chose. Afin de tromper le temps
Soyez pareil au temps, et portez bienvenue
En votre œil, votre main, votre langue, et semblez
Comme l'innocente fleur mais soyez
Sous elle le serpent. Celui qui va venir
Sera bien accueilli : et vous devez laisser
A mes arrangements la grande affaire de la nuit
Qui à toutes nos nuits et nos jours à venir
Donnera suprême pouvoir et suprématie.

MACBETH

Nous parlerons plus tard.

LADY MACBETH

Seulement, semblez gai;

Altérer sa figure est toujours redouter;
Et confiez-moi le reste.

Ils sortent.

SCÈNE VI

Hautbois. Entrent le roi Duncan, Malcolm, Donalbain, Banquo, Lennox, Macduff, Ross, Angus, et leur suite.

DUNCAN

Ce château est dans un lieu plaisant, et l'air
Rapide et doux le rend très agréable
A notre sens flatté.

BANQUO

Et l'hôte de l'été,
Le martinet familier des temples, assure
Par son amoureuse demeure, que la respiration du ciel
A ici exquise odeur : point d'avancée ou de frise,
D'arc-boutant, coin propice, où cet oiseau n'ait fait
Son lit suspendu, son procréant berceau :
Là où il niche et nidifie, j'ai remarqué
Que l'air est délicat.

Entre Lady Macbeth.

DUNCAN

Notre hôtesse honorée!
L'amour qui nous accompagne est quelquefois notre ennui,
Que nous remercions comme amour. Et ici je vous apprends
Comment vous prierez Dieu de nous bénir pour votre peine,
Et nous remercierez pour vos ennuis.

LADY MACBETH

Notre service
En tous points fait deux fois, et puis double accompli,
Serait pauvre et simple chose en comparaison
De ces honneurs profonds et larges par lesquels
Votre Majesté a comblé notre maison;
Pour d'anciennes dignités, de récentes qui s'ajoutèrent,
Nous demeurons vos adorants.

DUNCAN

Où est le sire de Cawdor?
Nous courûmes sur ses talons, et nous proposions
D'être l'avant-coureur; mais il chevauche bien,
Son grand amour, actif comme éperon, à sa demeure
Le porta avant nous. O belle et noble hôtesse,
Cette nuit nous sommes votre hôte.

LADY MACBETH

Et vos serviteurs toujours
Ont les leurs, eux-mêmes, ce qui est leur, en compte
Pour faire leur bilan selon le bon plaisir
De Votre Altesse, afin que tout revienne à vous.

DUNCAN

Donnez-moi votre main, menez-moi vers mon hôte.
Nous l'aimons chèrement et nous continuerons
Nos grâces envers lui. Et s'il vous plaît, hôtesse.

Ils sortent.

SCÈNE VII

Une cour du château de Macbeth.

Hautbois. Torches. Entre un majordome donnant ses ordres à plusieurs valets qui passent avec plats et services à travers la cour. Alors entre Macbeth.

MACBETH

Si c'était fait, lorsque c'est fait, alors ce serait bien
Si c'était vite fait; et si l'assassinat
Pouvait saisir dans son filet les conséquences, capturer
Le succès par son tranchement; mais que ce coup
Puisse être le tout-être et fin-de-tout... ici,
Seulement ici sur ce banc rive du temps
Nous risquerions la vie à venir... En tel cas
Nous avons jugement encore d'ici-bas
— Pour n'avoir enseigné que manœuvres sanglantes,
Lesquelles font retour quand elles sont connues
En infestant leur inventeur; l'égale main de la justice
Propose l'ingrédient du poisonneux calice
A notre lèvre. Il est ici sous double garantie :
En premier, je suis son parent et son sujet,
Deux forces contre l'acte; et puis je suis son hôte,

Qui devrais contre ses meurtriers fermer la porte,
Non prendre le couteau moi-même. Et ce Duncan
A montré un pouvoir si doux, il a été
Si équitable en sa haute fonction, que ses vertus
Comme des anges, trompettes parlantes,
Plaideront contre
Le crime abominable de sa suppression :
Et la pitié, comme l'enfant nu nouveau-né
Chevauchant l'ouragan, ou chérubins du Ciel
Montés sur les courriers invisibles de l'air,
Proclamera pour tous les yeux l'horrible action,
Tant que les pleurs noieront le vent! Nul éperon
Pour exciter le flanc de mon vouloir, seulement
L'ambition voltigeante et dépassant son propre but,
Qui verse de l'autre côté,

Entre Lady Macbeth.

Hé bien, quelles nouvelles?

LADY MACBETH

Il a presque soupé : et pourquoi avez-vous
Quitté la salle?

MACBETH

Lui m'a-t-il demandé?

LADY MACBETH

Ne le savez-vous pas?

MACBETH

Nous n'irons pas plus loin dans cette affaire :
Il vient de m'honorer, et j'ai gagné,
Pour toute espèce de peuple, renom doré
Qui ne peut être terni de son tout nouvel éclat
Ni aussi vite rejeté.

LADY MACBETH

Était-il soûl, l'espoir
Dans lequel vous étiez vêtu? et a-t-il dormi depuis?
Et se réveille-t-il maintenant, pour regarder pâle et vert

Ce que librement il voulait? A partir de ce moment
J'évalue ainsi ton amour. As-tu la peur
D'être en ton acte véritable et ton courage
Le même que tu es en désir? Tu voudrais
Avoir ce que tu crois ornement de la vie,
Et comme un couard vivre devant ta conscience
Laissant « je n'ose pas » veiller sur « je voudrais »
Comme le pauvre chat du proverbe[6]?

MACBETH

Allons, paix :
J'ose tout ce qui peut convenir à un homme;
Qui ose plus n'en est pas un.

LADY MACBETH

Donc quelle bête
Vous a fait révéler cette entreprise à moi?
Quand vous l'avez osé, alors vous étiez homme;
Être plus que ce que vous étiez, ce serait
Être homme d'autant plus. Ni le temps ni le lieu
Ne s'accordaient alors, vous voulûtes les faire;
Ils se sont eux-mêmes faits, et maintenant leur accord
Vous défait vous. J'ai allaité et sais
Combien tendre est d'aimer le bébé qui me trait —
J'aurais, tandis qu'il souriait à mon visage,
Arraché le mamelon à sa gencive édentée
Et fait éclater son cerveau, si j'avais juré comme vous
Avez juré.

MACBETH

Et si nous manquions le coup?

LADY MACBETH

Nous, manquer?
Mais tendez votre courage jusqu'à la note soutenue,
Et nous ne le manquerons pas. Lorsque Duncan
Sera bien endormi (à quoi l'incitera
Profondément le jour plutôt dur du voyage)

Ses deux chambellans je les abattrai
Si fort avec le vin et les hanaps,
Que la mémoire, cette gardienne du cerveau,
Sera fumée, et le réservoir de raison
Seulement un alambic : quand dans un bestial sommeil
Leurs natures détrempées gisent comme en la mort,
Ah! que ne pourrons-nous accomplir vous et moi
Sur ce Duncan sans défense? et que ne mettre sur le compte
De ces ivres officiers, qui pourront porter la faute
De notre grande boucherie?

MACBETH

N'engendre que des enfants hommes!
Car ton esprit indompté ne doit composer jamais
Rien que des mâles. Quand nous les aurons marqués
De sang ces endormis, et dans sa même chambre,
Et employé leurs vrais poignards, ne sera-t-il pas clair
Que c'est eux qui l'ont fait?

LADY MACBETH

Qui osera comprendre
Autrement, quand nos chagrins et nos clameurs
Retentiront sur sa mort?

MACBETH

Je suis décidé,
Je tends les instruments du corps vers cette terrible action.
Allons, et moquons le temps par l'aspect le plus riant :
Visage faux doit cacher ce que le cœur faux connaît.

Ils sortent.

ACTE II

SCÈNE PREMIÈRE

Entrent Banquo et Fleance portant une torche devant lui.

BANQUO

A quel point de la nuit, mon fils?

FLEANCE

La lune est couchée; je n'ai pas entendu l'horloge.

BANQUO

Elle se couche à minuit.

FLEANCE

Je crois que c'est plus tard, monsieur.

BANQUO

Tiens, prends-moi mon épée... On fait économie
Au ciel, et leurs chandelles sont éteintes.

Il défait sa ceinture avec son poignard.

Prends ça aussi.
Un lourd appel de sommeil pèse sur moi comme du plomb,
Et je ne voudrais pas dormir. Vous, puissances bienfaisantes,
Refoulez en moi les pensées mauvaises, que nature
Libère dans notre sommeil.

Donne-moi mon épée,

Entrent Macbeth, et un serviteur, avec une torche.

Qui va là?

MACBETH

Un ami.

BANQUO

Quoi, monsieur, pas en repos? Le roi est au lit.
Il eut plaisir plus que d'usage, et il envoie
A tous vos gens grandes largesses;
Par ce diamant, il salue votre femme
Avec le nom de la meilleure hôtesse; il termina
Dans le plus grand contentement.

MACBETH

Étant improvisée,
Notre volonté s'est faite la servante du défaut,
Qui autrement eût eu plus d'aise.

BANQUO

Non, tout est bien.
La dernière nuit, j'ai rêvé de nos trois Fatales Sœurs :
Elles vous ont dit quelque vérité.

MACBETH

Je n'y pense guère;
Pourtant, quand nous pourrons trouver l'heure propice,
Nous la dépenserions à quelques mots sur cette affaire,
Si vous en accordiez le temps.

BANQUO

A votre gré.

MACBETH

Et si vous suivez mes conseils en ce temps-là,
Ce sera honneur pour vous.

BANQUO

Que je ne perde aucunement,
Cherchant à l'augmenter, mais en gardant
Mon cœur très franc et ma claire allégeance,
Je suivrai vos conseils.

MACBETH

Bon repos, en attendant!

BANQUO

Merci, monsieur : de même pour vous!

Banquo et Fleance sortent.

MACBETH

Va dire à ta maîtresse qu'elle frappe à la cloche, quand ma boisson sera prête,
Et va te coucher.

Le serviteur sort.

Est-ce un poignard que je vois devant moi
Le manche vers ma main? Viens, et que je te prenne :
Je ne t'ai pas, cependant je te vois toujours.
Fatale vision, n'es-tu pas sensible
Au toucher comme à la vue? Ou bien n'es-tu
Qu'un poignard de l'esprit, une création fausse
Procédant d'un cerveau accablé de vapeurs?
Je te vois là, aussi palpable dans ta forme
Que celui qu'à présent je tire.
Tu commandes la direction que je dois prendre,
Et l'instrument dont je dois me servir!
Mes yeux se font les fous des autres sens,
Ou bien dominent tout : et je te vois encore;
Sur ta lame et ta poignée des gouttes de sang,
Qui avant n'y étaient pas. Mais il n'y a rien de cela!
C'est la sanglante affaire qui s'inscrit
Ainsi devant mes yeux... Sur la moitié du monde
La nature à présent semble morte, les rêves
Mauvais abusent dans ses rideaux le sommeil;
Les sorcelleries célèbrent les rites
D'Hécate la pâle, et décharné le Meurtre
Alerté par le loup sentinelle et horloge,
Avec pas de voleur, enjambées de Tarquin,
Arrive, allant comme un fantôme, à son dessein.
Et toi sûre et solide terre, ah! n'entends pas

Mes pas, et dans quel sens ils vont, de peur
Que les pierres n'aient bavardé sur mes démarches,
Et ne prennent au temps son actuelle horreur
Qui maintenant le revêt bien.
Il vit, tandis que je menace
Et les mots sur la chaleur d'action soufflent la glace.

Une cloche sonne.

Je viens, et c'est fait : la cloche m'invite.
Ne l'entends pas, Duncan, car c'est le glas
Qui au ciel ou à l'enfer t'appelle toi.

Il sort.

SCÈNE II

Entre Lady Macbeth, tenant une coupe dans la main.

LADY MACBETH

Ce qui les a fait ivres, m'a faite hardie,
Et les désaltéra, m'a donné feu.
Écoutez!
Paix : c'était la chouette, le sonneur fatal
Pour le bonsoir le plus funèbre. Il est en train :
Les portes sont ouvertes, les servants repus
Raillent leur charge avec des ronflements :
J'ai drogué leur breuvage
En sorte que nature et mort luttent entre elles
S'ils vivent ou s'ils meurent.

MACBETH, *à l'intérieur*

Qui va là? quoi? Ho!

LADY MACBETH

Hélas! J'ai peur, ils se sont réveillés,
Ce n'est pas fait : c'est la tentative et non l'acte,
Qui nous perd. Écoutez! J'ai mis les poignards prêts,

Il a bien dû les voir. S'il n'avait ressemblé
A mon père quand il dormait, je l'aurais fait.
Oh! mon mari.

MACBETH

J'ai fait l'action... Pas entendu de bruit?

LADY MACBETH

J'ai entendu
La chouette ululer et les criquets crier.
N'avez-vous pas parlé?

MACBETH

Quand?

LADY MACBETH

Maintenant.

MACBETH

Comme je descendais?

LADY MACBETH

Oui.

MACBETH

Écoute.
Qui couche à la seconde chambre?

LADY MACBETH

Donalbain.

MACBETH

Ceci est une vue horrible.

LADY MACBETH

Pensée de fou, que dire : vue horrible.

MACBETH

Il y en avait un qui riait en dormant,
Un autre a crié « Meurtre! »

De sorte que l'un l'autre ils se sont réveillés,
J'écoutai, m'arrêtai
Mais ils disaient leurs prières et se tournaient
De nouveau pour dormir.

LADY MACBETH

Deux dans la même chambre.

MACBETH

Et l'un cria « Dieu nous bénisse » et l'autre « Amen »,
Comme s'ils m'avaient vu, et mes mains de bourreau :
Et moi écoutant leur peur, je ne pouvais dire
« Amen », quand ils ont dit « Dieu nous bénisse ».

LADY MACBETH

Ne vois pas cela si gravement.

MACBETH

Mais pourquoi, mais pourquoi n'ai-je pu dire « Amen »?
J'avais grand besoin de bénédiction. « Amen »
Resta dans mon gosier.

LADY MACBETH

On ne doit pas penser
De telle sorte sur de tels coups : cela rend fou.

MACBETH

Il me sembla entendre une voix qui criait :
« Ne dormez plus! Macbeth a assassiné le sommeil »
L'innocent sommeil
Qui renoue les fils de soie tout embrouillés
De souci, et la mort de chaque jour de vie,
Le bain du dur travail, baume d'esprits meurtris,
Second service de la puissante Nature
Grand nourricier dans la fête de vie.

LADY MACBETH

Que veux-tu dire?

MACBETH

Et ça criait à toute la maison « Ne dormez plus!
Glamis a tué le sommeil et donc Cawdor
Jamais ne dormira plus! Macbeth ne dormira plus! »

LADY MACBETH

Qu'était-ce qui criait ainsi? Mon cher seigneur,
Quoi! vous affaiblissez votre noble force, à penser
Les choses, si hors de raison. Allez donc chercher de l'eau
Et lavez de ce sale témoin votre main.
Pourquoi avez-vous pris ces poignards de leur place?
Ils doivent se trouver là-bas : reportez-les
Et maculez du sang les valets endormis.

MACBETH

Je n'irai plus :
J'ai l'horreur de penser à cela que j'ai fait;
Le revoir, je n'ose pas.

LADY MACBETH

Infirme dans son dessein!
Donnez-moi les poignards : l'endormi et le mort
Ne sont que des peintures : c'est l'œil de l'enfance
Qui redoute le diable peint. S'il saigne encore,
Je dorerai du sang les faces des valets
Pour que ça paraisse leur crime.

Elle sort. On entend frapper.

MACBETH

Où a-t-on frappé?
Ah! qu'en est-il de moi, quand tout bruit m'épouvante?
Qu'est-ce que ces mains? ha! elles crèvent mes yeux!
Tout l'océan du grand Neptune arrivera-t-il à laver
Ce sang de ma main? Non, c'est plutôt ma main
Qui rendra les multitudes marines incarnat,
Faisant de tout le vert — un rouge.

Lady Macbeth revient.

LADY MACBETH

Mes mains ont la couleur des vôtres; mais j'ai honte
De porter un cœur si blanc.

On frappe.

J'entends frapper
A l'entrée sud; rentrons dans notre chambre :
Et un peu d'eau nous lavera de cette action.
Et que facile ce sera! Votre constance
Vous laissa désemparé...

On frappe.

Écoutez, encor des coups.
Mettez votre robe de nuit, de peur que l'occasion appelle
Et nous montre réveillés : et ne soyez pas perdu
Si misérablement dans vos pensées.

MACBETH

Voir mon action, mieux vaudrait
Ne pas moi-même me voir.

On frappe.

Par tes coups réveille Duncan!
Si tu le pouvais seulement.

Ils sortent.

SCÈNE III

Entre un portier. Coups à l'extérieur.

LE PORTIER

Ça, c'est cogner! Si un homme était portier à la porte de l'enfer, il en deviendrait vieux à tourner la clé. *(On frappe.)* Frappe, frappe, frappe! Qui est là, sacré nom de Belzébuth? C'est un fermier, qui s'est pendu, voyant arriver l'abondance : viens, esclave du temps[7], et prends avec toi assez de serviettes, car ici tu auras à transpirer. *(On frappe.)* Frappe, frappe! Qui est là, sacré nom de tous les autres diables? Parole, c t le

Double-joueur[8], qui pourrait jurer dans les deux plateaux l'un contre l'autre, qui a commis assez de trahisons au service de Dieu, et pourtant n'a pas pu « double-jouer » le ciel! oh! entre, entre, mon Double-joueur. *(On frappe.)* Frappe, frappe, frappe! Qui est là? Parole, c'est un tailleur anglais envoyé ici pour avoir resquillé sur une culotte française : viens donc, tailleur, tu vas chauffer le cul de ton fer[9]. *(On frappe.)* Frappe, frappe! jamais de répit. Qui êtes-vous? Mais cette place-ci est trop froide pour l'enfer. Je ne serai pas plus longtemps le portier du diable : je croyais avoir fait entrer un peu de toutes les professions, qui par le chemin des primevères s'en vont au feu de joie éternel. *(On frappe.)* On vient, on vient! s'il vous plaît — n'oubliez pas le portier.

Il ouvre la porte.
Entrent Macduff et Lennox.

MACDUFF.

Était-ce si tard, l'ami, quand vous étiez au lit, que vous y êtes encore si tard?

LE PORTIER

Parole, m'sieur, nous avons fait la bombe jusqu'au second coq : et boire, m'sieur, c'est la grande provocation à trois choses.

MACDUFF

Et quelles sont les trois choses provoquées par le boire?

LE PORTIER

Ben, m'sieur : le rouge au nez, le sommeil, et l'urine. La luxure, m'sieur, ça la provoque et la déprovoque : ça provoque le désir, mais ça supprime la performance. C'est pourquoi, trop boire, on peut dire que c'est double-joueur avec luxure; ça le fait, et ça le fait rater; ça le met en route, et ça l'escamote; ça l'encourage et le décourage, ça fait brandir et pas brandir; en conclusion, ça le « double-joue » par un somme, et lui disant qu'il a menti — c'est fini[10].

MACDUFF

Il me semble que le boire t'a bien « fini » cette nuit.

LE PORTIER

Il l'a fait, m'sieur, dans ma propre gorge, mais je l'aurai pour sa menterie, et je pense, suis plus fort que lui; bien qu'il me casse les pieds des fois, je le lui rendrai, en rendant.

MACDUFF

Ton maître a-t-il bougé?

Entre Macbeth.

Nos coups l'ont réveillé; le voici qui vient.

LENNOX

Bonjour, noble messire.

MACBETH

Bonjour à tous les deux.

MACDUFF

Le roi a-t-il bougé, cher seigneur?

MACBETH

Pas encore.

MACDUFF

Il m'a commandé de l'appeler très tôt,
J'ai presque passé le moment.

MACBETH

Je vous mènerai vers lui.

MACDUFF

Je sais que c'est pour vous heureux dérangement,
Mais c'en est un.

MACBETH

Le travail qui nous réjouit nous guérit de la fatigue.
Voici la porte.

MACDUFF

Je prendrai la liberté
D'appeler, c'est mon service commandé.

Il entre.

LENNOX

Le roi part aujourd'hui?

MACBETH

Il doit : ainsi en a-t-il décidé.

LENNOX

La nuit a été singulière : où nous dormions,
Nos cheminées étaient renversées par le vent,
Et dit-on, furent entendues des lamentations
Dans l'air, avec d'étranges cris de mort,
Et qui prophétisaient en terribles accents
D'horribles rébellions, confus événements
Nouvellement éclos pour des époques noires.
L'oiseau des ténèbres
Ulula tout au cours de la nuit; d'aucuns disent
Que la terre fiévreuse trembla.

MACBETH

C'était une rude nuit.

LENNOX

Ma mémoire encor jeune ne peut comparer
Une pareille, à cette nuit.

Macduff revient.

MACDUFF

Horreur! horreur! horreur! La langue ni le cœur
Ne peuvent te penser ni te nommer.

MACBETH, LENNOX

Eh quoi?

MACDUFF

La destruction a produit son chef-d'œuvre,
Le plus sacrilège meurtre a ouvert
Le temple sacré du Seigneur, et ravi
La vie du sanctuaire.

MACBETH

Que dites-vous? la vie?

LENNOX

Parlez-vous de Sa Majesté?

MACDUFF

Approchez de la chambre,
Détruisez votre vue
Par une nouvelle Gorgone :
Et ne me faites pas parler;
Voyez, alors vous parlerez.

Macbeth et Lennox montent.

Réveillez-vous! réveillez-vous!
Sonnez la cloche d'alarme! Meurtre et trahison!
Banquo et Donalbain, Malcolm! réveillez-vous!
Chassez ce sommeil plumeux, de la mort contrefaçon,
Et regardez la mort même! ah! debout, debout, voyez
L'image du grand jugement! Malcolm! Banquo!
Surgissez comme du tombeau et tels des esprits marchez,
Pour faire face à cette horreur!

La cloche sonne.
Entre Lady Macbeth.

LADY MACBETH

Qu'y a-t-il
Pour qu'une affreuse trompette appelle à se réunir
Les dormeurs de cette maison? Parlez.

MACDUFF

O douce dame,
Ce n'est à vous d'entendre ce que je peux dire :

Redire ces mots dans l'oreille d'une femme
Ferait meurtre en y tombant.

Entre Banquo.

O Banquo, Banquo, Banquo!
Notre royal maître est assassiné.

LADY MACBETH

Malheur, hélas!
Quoi, dans notre maison?

BANQUO

N'importe où — trop cruel.
Cher Duff, je t'en prie, à toi-même contredis,
Dis que ce n'est pas vrai.

Macbeth et Lennox reviennent.

MACBETH

Si j'étais mort une heure avant l'événement,
J'aurais vécu un temps béni; mais à partir de cet instant
N'est plus rien de valable dans la vie mortelle :
Tout est jouet : l'honneur et la grâce sont morts,
Le vin de la vie est tiré, reste la lie
Laissée à cette voûte de parade.

Entrent Malcolm et Donalbain.

DONALBAIN

Arrive-t-il du mal?

MACBETH

A vous, qui l'ignorez :
La source et tête et fontaine de votre sang
Est arrêtée — la source même est arrêtée.

MACDUFF

Votre père royal est tué.

MALCOLM

Oh! par qui?

LENNOX

Ce sont ceux de sa chambre, il semble, qui l'ont fait.
Mains et faces étaient écussonnées de sang,
Et aussi leurs poignards, trouvés non essuyés
Dessus leurs oreillers :
Ils regardaient fixement, semblaient égarés,
Nulle vie n'avait plus sûreté avec eux.

MACBETH

Je me repens pourtant de ma fureur —
Que je les aie tués.

MACDUFF

Pourquoi l'avez-vous fait?

MACBETH

Qui peut être sage, atterré, et modéré étant furieux,
Loyal et neutre au même instant? Personne :
L'action de mon violent amour
Dépassa réflexion, raison. Ici devant moi gît Duncan,
Sa peau d'argent brodée avec son sang doré,
Ses plaies béantes semblant ouvertures dans la nature
Pour l'entrée dévorante de la ruine; et là
Les meurtriers
Plongés dans la couleur de leur besogne, et les poignards
Couverts d'obscènes caillots : qui pouvait se retenir,
Ayant un cœur pour aimer, et dans ce cœur
Courage pour montrer amour?

LADY MACBETH

Oh! aide à moi...

MACDUFF

Occupez-vous de Madame.

MALCOLM, *en aparté.*

Pourquoi silencieuses nos langues
Qui pourraient revendiquer tout ce sujet comme à nous?

DONALBAIN, *en aparté.*

Que serait-il dit ici, où notre sort
Caché dans un trou de tarière, peut surgir
Et nous surprendre. Partons.
Nos pleurs à nous ne sont pas encor mûrs.

MALCOLM, *en aparté.*

Ni notre grand chagrin
N'est capable d'agir.

BANQUO

Prenez soin de Madame...
Quand nous aurons couvert nos fragilités nues
Qui souffrent à être exposées, retrouvons-nous
Et discutons la plus sanglante chose faite,
Pour y voir clair. Car crainte et soupçon nous secouent :
Et dans la grande main de Dieu je suis, et là
Contre des intentions mal connues je combats,
De malice traîtresse.

MACDUFF

Et moi aussi.

TOUS

Nous tous.

MACBETH

Revêtons vivement nos viriles tenues
Et retrouvons-nous dans la grande salle.

TOUS

C'est convenu.

Ils sortent.

MALCOLM

Qu'avez-vous l'intention de faire? Ne nous unissons pas à eux.
Montrer chagrin non ressenti est une besogne aisée que l'homme faux accomplit.
Je partirai pour l'Angleterre.

DONALBAIN

Moi pour l'Irlande : nos fortunes séparées
Nous garderont l'un et l'autre en plus grande sécurité.
Là où nous sommes, il y a des poignards dans les sourires des hommes,
Proche du sang, plus proche du sanglant.

MALCOLM

Le trait meurtrier tiré n'a pas achevé sa course, et pour nous la voie la plus sûre est d'en éviter l'atteinte.
Alors à cheval! et ne faisons point manière de prendre congé,
Partons non aperçus : il peut se dérober,
Qui se dérobe à l'endroit où il n'y a plus pitié.

Ils sortent

SCÈNE IV

Devant le château de Macbeth.

Entre Ross, avec un Vieillard.

LE VIEILLARD

En trois fois vingt ans et dix ans, je me souviens bien
Parmi la masse de quel temps j'ai aperçu
D'affreux moments, d'étranges faits; mais cette triste nuit
Rend banal ce qu'on a connu.

ROSS

Ah! mon bon père,
Tu vois le ciel, comme ému par l'acte de l'homme,
Menacer la scène sanglante : et d'après l'heure
C'est le jour, mais nuit noire éteint la lampe errante;

Est-ce la force de la nuit, ou est-ce la honte du jour,
Que l'obscurité enténèbre la figure de la terre
Quand la lumière devrait l'embrasser?

LE VIEILLARD

Contre nature,
Comme l'action qui fut faite. Mardi dernier,
Un faucon culminant au faîte de son vol
Par une chouette-à-souris fut frappé et tué.

ROSS

Et les chevaux de Duncan, chose sûre et très étrange,
Rapides et beaux, mignons de leur race,
Ont repris nature sauvage, et brisé leurs stalles, ont fui
Hors de toute soumission, et comme s'ils voulaient faire
La guerre à l'espèce humaine.

LE VIEILLARD

On dit qu'ils se sont dévorés
Entre eux.

ROSS

Oui, ils l'ont fait,
A l'étonnement de mes yeux
Qui l'ont vu.

Macduff arrive.

Et voici que vient le bon Macduff.
Comment va le monde, messire?

MACDUFF, *montrant le ciel.*

Comment, vous ne voyez pas?

ROSS

Sait-on qui a commis cette plus que sanglante action?

MACDUFF

Ceux-là que Macbeth a tués.

ROSS

Quel jour hélas!

Pour quel bien en tirer?

MACDUFF

Ils furent subornés.

Malcolm et Donalbain, les deux enfants du roi,
Ont fui, ont disparu : ce fait peser sur eux
Le soupçon de l'action.

ROSS

Toujours contre nature!

Ruineuse ambition qui gloutonne dévores
Tes propres sources de vie! C'est donc plus que probable,
La souveraineté tombera sur Macbeth.

MACDUFF

Il est déjà nommé, il s'est rendu à Scone
Pour y être investi.

ROSS

Où le corps de Duncan?

MACDUFF

Porté à Colme-kill
Le sacré mausolée de ses prédécesseurs,
Le gardien de leurs os.

ROSS

Et allez-vous à Scone?

MACDUFF

Non, mon cousin, à Fife.

ROSS

Bien, moi, j'irai là-bas.

MACDUFF

Bien, puissiez-vous voir là-bas choses bien faites,
Adieu !
A moins que nos vêtements neufs
Soient moins aisés à porter que les vieux.

ROSS

Adieu, père.

LE VIEILLARD

Bénédiction de Dieu sur vous et sur ceux-ci
Qui changent mal en bien, ennemis en amis.

Ils sortent.

ACTE III

SCÈNE PREMIÈRE

Une chambre d'audience dans le palais à Forres.

Entre Banquo.

BANQUO

Roi, Cawdor, et Glamis, — tu as maintenant tout,
Comme ont promis les fatales femmes; je crains,
Tu as ignoblement joué pour avoir tout.
Mais il fut encor dit
Que ça ne vaudrait pas pour ta postérité,
Et que moi-même je serais la souche, père
De nombreux rois. S'il est en elles vérité —
Comme sur toi, Macbeth, leur parole a brillé —
Ainsi, dans leur véracité prouvée par toi,
Ne seraient-elles pas aussi bien mon oracle
Pour me fonder en espérance? Mais silence.

Sonnerie de trompettes. Entrent Macbeth, comme roi, Lady Macbeth, Lennox, Ross, des seigneurs et des suivants.

MACBETH

Voici notre principal invité.

LADY MACBETH

Et si nous l'avions oublié,
C'eût été un manque à notre grande fête
Plus que tout inconvenant.

MACBETH

Nous avons ce soir un souper officiel, et je demanderai votre présence, monsieur.

BANQUO

Votre Altesse commande, à qui mes devoirs sont
Par un indéfaisable nœud
Toujours liés.

MACBETH

Montez-vous cet après-midi?

BANQUO

Mais oui, mon bon seigneur.

MACBETH

Nous aurions pourtant désiré connaître vos bons avis
(Qui toujours se sont montrés à la fois sérieux et profitables)
Au conseil de ce jour : mais aussi bien demain. Vous allez loin?

BANQUO

Aussi loin, monseigneur, que ce qui remplira le temps, entre cette heure et le souper.
Et si mon cheval ne fait mieux,
Je devrai être un emprunteur à la nuit, une heure ou deux.

MACBETH

Ne manquez pas à notre fête.

BANQUO

Seigneur, je ne ferai défaut.

MACBETH

Nous entendons que nos sanglants cousins sont bien logés
En Angleterre et en Irlande, et n'avouant leur parricide affreux, emplissent les oreilles de leurs auditeurs

Avec d'étranges inventions. Mais de cela
On parlera demain, quand nous aurons ici raison d'État
De nous réunir ensemble. Allez donc à cheval : adieu
Jusqu'à votre retour ce soir. Fleance va-t-il avec vous?

BANQUO

Oui, monseigneur; notre horaire nous appelle.

MACBETH

Je vous souhaite des chevaux rapides et sûrs de pied,
Ainsi je vous confie à leurs dos. Au revoir.

Banquo sort.

Et que chacun soit, jusqu'à sept heures ce soir, le maître
de son temps;
Pour faire que la réunion soit bienvenue d'autant plus,
Nous resterons nous-même seul jusqu'à l'heure du dîner :
Cependant, Dieu soit avec vous!

Tous sortent, sauf Macbeth et un serviteur.

Un mot, faquin : ces hommes attendent-ils nos ordres?

LE SERVITEUR

Monseigneur, ils sont devant la porte du palais.

MACBETH

Amène-les ici.

Le serviteur sort.

Être ainsi, ce n'est rien,
Sans l'être en sûreté. Nos craintes de Banquo
Vont loin, et dans la royauté de sa nature
Règne ce qui pourrait être craint. Car il ose
Beaucoup, et à la force indomptable d'esprit
Il joint sagesse, au point de guider sa valeur
Vers l'action sûre. Personne plus que lui
Dont je doive craindre l'existence, et devant lui
Mon Génie est arrêté, comme on dit que l'a été
Celui d'Antoine par César. Il a repoussé les Sœurs
Quand d'abord elles mirent sur moi le nom de roi,
Leur commanda de lui parler

Et alors telles que prophètes
Elles ont dit qu'il serait père
De toute une lignée de rois :
Elles mettaient sur ma tête une couronne sans fruit,
Elles plaçaient dans mon poing un sceptre de stérilité
Que pourrait arracher la main
D'une autre lignée étrangère
Aucun fils ne me suivant. Si c'est ainsi,
C'est pour la race de Banquo que j'aurai souillé mon âme,
C'est pour elle que j'aurai assassiné le doux Duncan,
Mis le remords dedans la coupe de ma paix,
Et seulement pour eux, mon joyau immortel
L'aurai donné à l'ennemi du genre humain!
Pour faire d'eux des rois — graine de Banquo, rois!
Ah! plutôt que cela — viens, Destin, dans la lice
Et défie-moi jusqu'au bout. — Qui va là?

Le serviteur revient avec deux meurtriers[11].

Va à la porte, et reste là jusqu'à ce que nous t'appelions.

Le serviteur sort.

N'était-ce pas hier que nous avons parlé ensemble?

PREMIER MEURTRIER

C'était hier, qu'il plaise à Votre Altesse.

MACBETH

Bien, maintenant avez-vous réfléchi à mes paroles? Sachez
Que c'était lui
Qui dans le temps passé, vous a maintenus en médiocre fortune,
Et que vous avez pensé que c'était notre très innocent nous-même :
Et ceci je vous l'ai montré dans notre dernier entretien et vous ai prouvé de point en point

Combien vous fûtes bernés, combien dupés, des instruments avec lesquels on travaillait,
Toutes choses qui devraient — même à la moitié d'une âme, même à un esprit fêlé —
Faire dire : « Ça c'est du Banquo. »

PREMIER MEURTRIER

Vous nous l'avez bien fait voir.

MACBETH

Je l'ai fait, j'arrivai plus loin, ce qui est maintenant sujet de notre second entretien.
Sentez-vous votre patience si prédominante en votre nature,
Que vous passiez outre à cela? Êtes-vous si évangéliques,
Que vous priiez pour cet homme de bien et pour sa progéniture,
Lui dont la lourde main vous courbe vers la tombe en vous faisant et pour toujours mendiants?

PREMIER MEURTRIER

Nous sommes hommes, mon souverain.

MACBETH

Aïe! oui, sur le registre vous passez pour hommes;
Comme limiers, lévriers, métis, épagneuls, mâtins, barbets, caniches et chiens-loups
Ont tous le nom de chiens : la marque de qualité
Distingue entre l'agile, le lent et le subtil, le gardien de la maison, et le chasseur,
Chacun selon le don que généreuse nature a enfermé en lui, et par où il reçoit titre particulier dans la liste d'ensemble :
Ainsi est-il des hommes.
Et maintenant, si vous avez place dans la liste
Et que ce ne soit pas au pire rang — dites-le.

Et moi, je place en vous l'affaire dont l'exécution
En vous serrant à nous, et notre cœur, et notre amour
Supprime l'ennemi, qui rend nos santés misérables par sa vie
Quand, dans sa mort, elles auraient leur accomplissement.

DEUXIÈME MEURTRIER

Je suis un de ceux, monseigneur, que les coups durs et avanies du monde
Ont tellement enragé,
Que je me moque du risque, en tout ce que je fais pour me venger du monde.

PREMIER MEURTRIER

Et moi je suis un autre, si fatigué de malheur, et tant battu par la fortune,
Que je jouerais ma vie, pour une chance quelconque, ou de l'améliorer, ou de la lâcher.

MACBETH

Tous les deux
Vous savez que Banquo était votre ennemi.

LES DEUX MEURTRIERS

C'est vrai, monseigneur.

MACBETH

Il est aussi le mien : en haine si mortelle,
Que chaque instant de sa vie menace le vif de ma vie;
Et bien que je puisse à visage découvert le balayer hors de ma vue, exerçant là mon bon plaisir,
Cependant je ne le dois pas, à cause de certains amis qui sont les siens comme les miens, dont je ne peux perdre l'amour,
Alors devrais-je pleurer la chute de qui j'aurais moi-même frappé.

C'est pourquoi je courtise ainsi votre assistance
En masquant l'affaire aux yeux du commun
Pour mainte importante raison.

DEUXIÈME MEURTRIER

Nous accomplirons, monseigneur,
Ce que vous ordonnerez.

PREMIER MEURTRIER

Bien que nos vies —

MACBETH

Vos ardeurs brillent en vous. Avant une heure d'ici
Je vous ferai savoir où vous placer vous-mêmes
En accointance avec l'espion parfait du temps[12],
Et le moment, car ce doit être fait ce soir,
Et à distance du palais; car j'ai pensé
Qu'il faut être clair de soupçon. Avec lui —
Pour ne laisser d'erreur ou bavure à l'ouvrage —
Fleance son enfant, qui lui tient compagnie,
(Dont l'absence a non moins d'importance à mes yeux
Que celle de son père) embrassera le sort
De ce sombre moment. Prenez vos décisions.
Je vous rejoins.

LES DEUX MEURTRIERS

Nous sommes décidés, seigneur.

MACBETH

Je vous appelle incessamment : restez donc à l'intérieur.

Ils sortent.

C'en est fait : ô Banquo, le vol de ton esprit
S'il doit trouver le ciel, le trouve cette nuit.

Il sort.

SCÈNE II

Entre Lady Macbeth avec un serviteur.

LADY MACBETH

Banquo a-t-il quitté la cour?

LE SERVITEUR

Oui, Madame, mais il revient ce soir.

LADY MACBETH

Va dire au roi que j'attendrai son bon plaisir,
Ayant à lui dire quelques mots.

LE SERVITEUR

J'y vais, Madame.

Il sort.

LADY MACBETH

On n'a plus rien, tout dépensé
Quand le désir est assouvi sans satisfaire.
Plus sûr est d'être ça que nous détruisons
Que, de destruction, tirer la joie douteuse.

Entre Macbeth.

Comment donc, mon seigneur! pourquoi demeurer seul,
Des plus tristes pensers faisant vos compagnons,
Nourrissant ces idées qui auraient dû mourir
Avec ceux à qui elles pensent? Sans remède,
Les choses devraient s'en aller sans regard.
Et ce qui est fait est fait.

MACBETH

Nous avons tranché le serpent, non pas tué :
Il se rejoindra, redeviendra lui-même,

Notre pauvre méchanceté durant ce temps
Sera sous le danger de son ancienne dent.
Mais non, que soit rompu l'ordre des choses,
Que souffrent les deux mondes[13] !
Plutôt que nous mangeant dans la crainte et dormant
Sous le tourment de ces terribles rêves
Qui la nuit nous secouent : mieux d'être avec les morts
Que nous, pour gagner notre paix,
Nous envoyâmes à la paix,
Qu'être couchés sur la torture de l'esprit
En furieuse folie. Duncan est dans sa tombe;
Il dort bien, après la fièvre ardente de sa vie;
La trahison a fait son pire : et ni le fer,
Ni poison, malice domestique, force étrangère,
Rien — ne peut le toucher dorénavant.

LADY MACBETH

Allons;
Lissez, mon cher seigneur, ces aspects hérissés,
Soyez brillant et gai pour vos hôtes, ce soir.

MACBETH

Ainsi serai-je, amour, et vous prie d'être aussi;
Et que vos attentions s'adressent à Banquo.
Montrez-le de haut rang, par vos yeux, vos paroles :
Si en danger nous-mêmes, que nous devons
Tremper notre honneur aux ruisseaux de flatterie,
Faire nos faces les visières de nos cœurs
Déguisant ce qu'ils sont.

LADY MACBETH

Laissez, laissez cela.

MACBETH

Oh ! mon esprit est plein de scorpions, chère femme !
Tu sais, Banquo et son Fleance sont vivants.

LADY MACBETH

L'ouvrage de nature, en eux, n'est éternel.

MACBETH

Il est encore espoir, car ils sont vulnérables,
Sois donc heureuse : avant que la chauve-souris
Ait pris son vol encloîtré, et avant
Que sur le commandement de la noire Hécate
L'escarbot né sur le fumier, avec ses bourdonnements
 sourds,
Ait sonné le bâillant couvre-feu de la nuit,
Il sera fait un acte à la force lugubre.

LADY MACBETH

Il sera fait?...

MACBETH

Sois innocente de savoir, chère poulette,
Jusqu'au point d'applaudir. Et viens, aveugle nuit,
Recouvre l'œil plein de pitié du jour
Et de ta main sanglante et invisible
Déchire, mets en pièces le grand lien de vie
Qui me tient enroulé[14]. Lumière s'épaissit,
Le corbeau prend son vol vers les forêts humides,
Les bonnes choses du jour vont tomber et s'engourdir,
Les noirs agents de la nuit
Se réveiller pour leur proie.
Tu t'étonnes de mes paroles : sois tranquille;
Choses commencées dans le mal
Prennent force en soi par le mal :
Ainsi viens, je te prie.

Ils sortent.

SCÈNE III

Entrent les deux meurtriers, avec un troisième.

PREMIER MEURTRIER

Mais qui t'a donné l'ordre de venir avec nous?

TROISIÈME MEURTRIER

Macbeth.

DEUXIÈME MEURTRIER

Pas besoin de nous méfier de lui,
Car il distribue les besogne exactement selon les ordres.

PREMIER MEURTRIER

Alors, reste avec nous.
L'ouest brille encore, avec quelques rayons : le voyageur en retard éperonne pour gagner l'auberge au temps juste,
Et il approche — l'objet de notre attente.

TROISIÈME MEURTRIER

Écoutez! j'entends des chevaux.

BANQUO, *dans le lointain*

Donnez de la lumière là-bas, ho!

DEUXIÈME MEURTRIER

Alors c'est lui.
Les autres de l'invitation sont déjà dans la cour.

PREMIER MEURTRIER

Il lâche ses chevaux.

TROISIÈME MEURTRIER

A un mille, comme il fait toujours
Tout le monde le fait —
D'ici à la porte du palais ils vont en marchant.

Entrent Banquo, et Fleance portant une torche.

DEUXIÈME MEURTRIER

Une lumière, une lumière!

TROISIÈME MEURTRIER

C'est lui.

PREMIER MEURTRIER

Alors, au travail.

BANQUO

Il va pleuvoir cette nuit.

PREMIER MEURTRIER

Et que ça tombe!

BANQUO

Traîtrise! Oh! fuis, mon Fleance, fuis, fuis!
Tu me vengeras. — Chien d'esclave!

TROISIÈME MEURTRIER

Qui a éteint la torche?

PREMIER MEURTRIER

C'était pas comme ça?

TROISIÈME MEURTRIER

Il n'y en a qu'un par terre; le fils est en fuite.

DEUXIÈME MEURTRIER

On a perdu la meilleure moitié de notre affaire.

PREMIER MEURTRIER

Bien, partons, et racontons combien on en a fait.

Ils sortent.

SCÈNE IV

La grande salle du palais.

Un banquet préparé. Entrent Macbeth, Lady Macbeth, Ross, Lennox, des seigneurs et leurs suivants.

MACBETH

Vous connaissez vos rangs, prenez place,
Et une fois pour toutes
Cordiale bienvenue.

LES SEIGNEURS

Nous remercions Votre Majesté.

Les seigneurs s'asseyent de chaque côté de la table, laissant à la tête un siège vide.

MACBETH

Nous-même nous viendrons dans votre société,
Jouant l'hôte modeste.
Notre hôtesse prend son rang, un peu plus tard
Nous lui demanderons de dire bienvenue.

LADY MACBETH

Dites cela pour moi, Sire, à tous vos amis,
Car déclare mon cœur qu'ils sont les bienvenus.

Entre le premier meurtrier.

MACBETH

Ils te répondent par le merci de leur cœur.
Égalité des deux parts : je m'assiérai au milieu.

Il désigne le siège vide.

Soyez sans frein dans la gaieté. Et tout à l'heure
Nous boirons une rasade autour de la table.
— Il y a du sang sur ta face.

LE MEURTRIER

Alors c'est celui de Banquo.

MACBETH

Mieux que tu l'aies dehors, que lui l'ayant dedans.
Il est expédié?

LE MEURTRIER

Monseigneur, son cou est tranché,
Et ça je l'ai bien fait pour lui.

MACBETH

Meilleur des tranche-gorges! Non moins bon,
Qui a fait la pareille à Fleance : l'as-tu fait,
Tu es sans rival.

LE MEURTRIER

Très royal seigneur,
Fleance a échappé.

MACBETH

Alors ma fièvre me reprend : autrement j'étais sans faille
Entier comme le marbre, appuyé comme roc,
Aussi à l'aise et libre que l'air qui m'entoure!
Je reste enfermé, encagé, et livré
Aux doutes insolents. — Banquo, c'est sûr?

LE MEURTRIER

Oui, bon seigneur, sûr au fond d'un fossé
Avec vingt ouvertures de plaies sur sa tête;
La moindre est la mort, en nature.

MACBETH

Grand merci.
Là gît le vieux serpent; le ver qui s'est enfui
A nature de faire en son temps du venin,
Sans dent pour le moment. Tu peux partir; demain
Nous nous reparlerons.

Le meurtrier sort.

LADY MACBETH

O mon royal seigneur
Vous ne faites pas la gaieté. Une fête est bon marché[15]
Qui n'est souvent ranimée tandis qu'elle se déroule,
Ce qui se donne en bienvenue :
Ou mieux vaudrait manger chez soi.
La sauce pour les mets est courtoisie,
Sinon sèche est la réunion.

Le Spectre de Banquo apparaît, et s'assied à la place de Macbeth.

MACBETH

O toi, ma douce mémoire!
Allons, que bonne digestion aide appétit,
Santé pour tous!

LENNOX

Que daigne s'asseoir Votre Altesse?

MACBETH

Nous aurions sous ce toit tout l'honneur du pays
Si la personne de notre cher Banquo était présente;
Puissé-je l'accuser de sa désobligeance
Plutôt que d'avoir pitié pour un malheur.

ROSS

Son absence, seigneur, fait blâme à ses promesses.
Plairait-il à Votre Altesse
Nous honorer de sa royale compagnie?

MACBETH

La table est pleine.

LENNOX

Ici la place est réservée, seigneur.

MACBETH

Où?

LENNOX

Mais ici, cher seigneur...
Qu'est-ce qui trouble Votre Altesse?

MACBETH

Lequel de vous a fait ça?

LES SEIGNEURS

Mais quoi, bon seigneur?

MACBETH

Tu ne peux dire que je l'ai fait : ne secoue pas
Tes boucles de sang caillé contre moi.

ROSS

Messieurs, levez-vous, Son Altesse n'est pas bien.

LADY MACBETH

Asseyez-vous, chers amis, mon seigneur est souvent ainsi,
Il l'a été dès sa jeunesse : et je vous prie, restez assis,
La crise est passagère et dans un court moment
Il sera de nouveau bien; et ne l'observez pas trop,
En l'offensant vous exciteriez sa fureur.
Mangez, sans faire attention. — Êtes-vous un homme?

MACBETH

Oui, et un homme hardi, qui ose regarder
Ce qui pourrait épouvanter le diable.

LADY MACBETH

Votre invention! le tableau peint de votre peur!
C'est le poignard sorti de l'air qui, disiez-vous,
Vous conduisait vers Duncan. Oh! ces bouffées et sursauts,
Ces impostures de vraie peur,
Iraient bien pour un conte d'après les grand-mères
Au coin d'un feu d'hiver. Honte, honte! Pourquoi
Faites-vous telle grimace? car après tout
Vous ne regardez qu'une chaise.

MACBETH

Je t'en prie, regarde là! vois! regarde! quoi! que dites-vous?
Que me fait? Si tu hoches le cou, tu peux parler.
Si les charniers et nos tombes renvoient
Ceux que nous avons enterrés, nos monuments
Qu'ils soient entrailles de vautour!

Le Spectre disparaît.

LADY MACBETH

Quoi! déformé dans la folie!

MACBETH

Aussi vrai que je suis ici, je l'ai vu.

LADY MACBETH

Fi, la honte!

MACBETH

Le sang fut répandu ici, dans les époques disparues,
Avant qu'humaine purgation eût fait meilleure société;
Encore après, les meurtriers ont accompli des actions
Trop terribles pour l'oreille : il fut un temps
Où la cervelle étant ôtée, l'homme mourait,
C'était fini : mais maintenant ils se relèvent
Avec vingt meurtres mortels sur leur crâne
Et nous poussent de nos sièges... C'est plus étrange
Que le meurtre même.

LADY MACBETH

O mon cher seigneur,
Vous manquez à vos nobles amis.

MACBETH

Je m'oublie...
Ne prêtez pas attention à moi, mes chers amis.
J'ai une étrange infirmité, laquelle n'est
Rien pour qui me connaît. Allons! joie et santé
A tous! Je m'assiérai. Donnez-moi du vin, pleine coupe.

Le Spectre reparaît.

Et je bois au bonheur de cette table entière,
A notre cher ami Banquo, qui fait défaut;
Puisse-t-il être ici! à tous, à lui, nos vœux,
Buvons tous et pour tous!

LES SEIGNEURS

Devoirs, et allégeance.

MACBETH, *se retournant vers le siège.*

Hors là! Loin de ma vue! La terre t'engloutisse!
Tes os sont sans moelle, et ton sang est froid,
Et tu n'as pas de vue en ces yeux-là
Que tu dardes sur moi.

LADY MACBETH

Mes pairs, considérez
Ceci, comme chose ordinaire, et qui n'est rien,
Mais gâte seulement le plaisir du moment.

MACBETH

Tout ce que l'homme ose, je l'ose :
Viens donc pareil à l'ours hérissé de Russie,
Au rhinocéros armé ou au tigre d'Hyrcanie,
Toute forme hors de celle-ci! mes nerfs d'acier
Jamais ne trembleront; sois de nouveau vivant
Et combats-moi, avec ton épée, au désert;
Si j'abrite alors tremblement, appelle-moi
Une fille bébé. Et va-t'en, ombre horrible!
Irréelle moquerie, va-t'en!

Le Spectre disparaît.

Voilà, ainsi.
Et lui parti, je redeviens un homme.
Je vous en prie, soyez tranquilles.

LADY MACBETH

Vous avez chassé le plaisir, rompu la bonne réunion,
En surprenante agitation.

MACBETH

Telle chose peut-elle être,
Nous assombrir comme un nuage de l'été,
Sans notre effroi profond? Vous me faites douter
De cette humeur même que je possède,
Quand je pense que vous pouvez voir de telles vues
Et garder sur vos joues le rouge naturel,
Quand la mienne est blanche de peur.

ROSS

Mais monseigneur, quelles vues?

LADY MACBETH

Je vous en prie, ne parlez pas; car il va de mal en pis.
Toute question l'enrage : à présent, bonne nuit.
Et ne vous souciez pas de l'ordre de départ,
Mais partez vite.

LENNOX

Nous souhaitons bonne nuit,
Que meilleure santé vienne à Sa Majesté.

LADY MACBETH

Bonne nuit bienveillante à tous.

Ils sortent.

MACBETH

Il y aura du sang; on dit : sang veut du sang.
Les pierres peuvent bouger, les arbres parler,
Les augures et les incidents captés
Par pies, choucas et corbeaux, ont révélé
L'homme de sang le plus secret... Quoi de la nuit?

LADY MACBETH

Presque à mi-temps du matin, l'un vaut l'autre.

MACBETH

Qu'en dis-tu, Macduff refusa sa présence
A notre grande réunion?

LADY MACBETH

Avez-vous envoyé vers lui?

MACBETH

J'eus certaine rumeur; mais j'enverrai.
Il n'y en a pas un pour qui, dans sa maison,
Je n'aie un affidé... J'irai demain
(De bonne heure j'irai) trouver les Sœurs Fatales
Qui devront parler plus. Je me tends pour savoir
Par les moyens les pires, le pire. Devant mon bien
Toutes raisons devront céder; et dans le sang
J'allai si loin, que si je n'y pataugeais plus,
Reculer serait aussi dur que pousser.
D'étranges choses sont dans ma tête, voulant la main,
Qui doivent être agies avant d'être pensées.

LADY MACBETH

Il vous manque, gardien de toute créature,
Le sommeil.

MACBETH

Viens, nous irons dormir.
Mon étrange fabrication, ce fut la crainte
Du débutant, demandant des pratiques dures.
Et nous sommes encor bien jeunes — en action.

Ils sortent.

SCÈNE V

Une lande[16].

Tonnerre. Entrent les trois Sorcières, rencontrant Hécate.

PREMIÈRE SORCIÈRE

Eh quoi, Hécate, maintenant vous semblez furieuse.

HÉCATE

N'ai-je pas raison, mauvaises vieilles effrontées?
Comment osez-vous mener avec Macbeth trafic et com-

merce, énigmes, histoires de mort, quand moi, maîtresse de vos charmes, ouvrière de tous malheurs, je n'ai pas été appelée à jouer mon rôle et à montrer la gloire de notre art?

Et chose pire, tout ce que vous avez fait était pour un fils capricieux, méchant, colérique, qui — comme le font tant d'autres — aime pour ses fins à lui, non pas pour vous.

Repentez-vous donc maintenant, allez-vous-en, et dans le fond de l'Achéron rencontrez-moi au matin, car là il viendra, lui, pour connaître son destin.

Rassemblez vos vases, vos philtres, vos charmes, et toutes les choses avec. Je monte en l'air, je passerai cette nuit, pour une lugubre et fatale fin. De grandes choses doivent être faites avant l'heure de midi :

Sur la corne de la lune, pend une goutte vaporeuse et qui est prête à tomber; je l'attraperai avant qu'elle n'arrive sur terre; ce qui distillé par magiques moyens fera surgir des esprits d'artifice, tels que, par la puissance de leur illusion, ils le jetteront à la confusion.

Il méprisera le destin, il dédaignera la mort, et il portera ses espoirs par-delà sagesse, grâce et crainte : et toutes vous savez combien sécurité est pour les mortels le pire danger.

Musique et chant : « Reviens et reviens », etc.

Écoutez, on m'appelle, et voyez, mon petit esprit, assis dans le nuage brumeux, m'attend.

PREMIÈRE SORCIÈRE

Allons et dépêchons-nous, car elle reviendra vivement.

Elles disparaissent.

SCÈNE VI

Un château en Écosse.

Entrent Lennox et un autre seigneur.

LENNOX

Mon précédent discours n'a fait qu'effleurer vos pensées
Qui pourront l'interpréter plus avant; j'ai seulement dit
Que les choses se sont étrangement passées. Le gracieux Duncan
Fut pleuré par Macbeth : hélas! il était mort;
Et le très vaillant Banquo a chevauché trop tard —
Vous pouvez dire (si cela vous plaît) que Fleance l'a tué,
Puisque Fleance a fui. On ne doit pas se promener trop tard.
Qui ne manque de penser combien c'était monstrueux
Pour Malcolm et Donalbain, de tuer leur gracieux père?
Acte damné! Et que cela peina Macbeth!
Sur-le-champ, en sainte colère, ne mit-il pas en pièces les deux coupables
Esclaves de la boisson et captifs du sommeil?
N'était-ce pas noblement fait? Oui, et sagement aussi,
Cela eût enragé tout cœur vivant, d'entendre de tels hommes dénier.
Ainsi je dis qu'il s'est bien comporté en toutes choses, et je pense
Que s'il avait mis les fils de Duncan sous sa clé (plaise au Ciel, il ne le pourra pas),
Ils auraient appris ce qu'est tuer un père; de même Fleance.
Mais là-dessus assez! Dans de vagues propos, parce qu'il a refusé sa présence au banquet de notre tyran, j'ai entendu

Que Macduff vit en disgrâce : pouvez-vous me dire,
monsieur, en quel endroit il s'est rendu?

LE SEIGNEUR

Le fils de Duncan
(Auquel ce tyran retire ce qui est dû par naissance)
Vit à la cour d'Angleterre, et il est reçu, par le très pieux
Édouard, avec courtoisie telle
Que la méchanceté de fortune n'enlève rien à sa condition
de respect.
Là, Macduff est allé, pour prier le saint roi de réveiller
Northumberland avec son guerrier Siward,
Afin qu'avec l'aide de ceux-là (et de Celui d'en haut qui
ratifiera l'ouvrage)
Nous puissions redonner les mets à notre table, le sommeil à nos nuits;
Débarrasser nos fêtes et banquets des couteaux sanglants;
Rendre fidèle hommage et recevoir libres honneurs;
Toutes choses à quoi maintenant nous aspirons. Et ces
nouvelles
Ont tellement exaspéré le roi, qu'il se prépare en vue de
quelque guerre.

LENNOX

Avait-il demandé Macduff?

LE SEIGNEUR

Il l'a fait. Ayant reçu un catégorique « Pas moi, messire! »
Le messager assombri tourna le dos, et murmura comme
qui dirait :
« Vous regretterez le moment qui m'enferre en cette
réponse. »

LENNOX

Et cela pourrait bien conseiller d'avoir prudence et de
garder les distances que sagesse peut suggérer.

Puisse quelque saint ange voler jusqu'à la cour d'Angleterre,
Qu'il porte son message avant que lui n'arrive,
Pour qu'une prompte bénédiction bientôt vienne à notre patrie
Souffrant sous une main maudite!

LE SEIGNEUR

Je l'escorte de mes prières.

Ils sortent.

ACTE IV

SCÈNE PREMIÈRE

Une caverne[17].

Tonnerre. Entrent les Trois Sorcières.

PREMIÈRE SORCIÈRE
Trois fois chat tigré a miaulé.

DEUXIÈME SORCIÈRE
Trois et une fois le hérisson piaulé.

TROISIÈME SORCIÈRE
Harpie me crie : c'est l'heure, c'est l'heure.

PREMIÈRE SORCIÈRE
Tout autour du chaudron jetons
Boyaux en putréfaction.
Crapaud qui sous pavé froid jour et nuit trente et une fois
Sues en dormant venin gonflé, premier au pot bouilliras!

TOUTES LES TROIS
Trouble double et malheur et brouille;
Brûle le feu, le chaudron bouille!

DEUXIÈME SORCIÈRE
Filet de serpent des marais, dans le chaudron cuit et bout,
Œil de salamandre et doigt de grenouille,
Poil de chauve-souris et langue de chien,
Fourche de vipère, dard de ver-aveugle,

Jambe de lézard et aile de chouette,
Pour le charme de pire trouble, bouillon d'enfer bous et bous.

TOUTES LES TROIS

Trouble double et malheur et brouille;
Brûle le feu, le chaudron bouille!

TROISIÈME SORCIÈRE

Écaille de dragon avec la dent de loup,
Momies de sorcellerie, estomac œsophage
De glouton requin dans la mer salée,
Et racine de ciguë cueillie dans l'obscurité,
Foie de Juif blasphémateur, bile de chèvre, branches d'if
Cassées sous l'éclipse de lune,
Nez de Turc, lèvre Tartare, doigt de bébé strangulé
A sa naissance accouché dans le fossé par une fille,
Font épaisse pâtée visqueuse; ajoutez les tripes d'un tigre
Comme ingrédient dans le chaudron.

TOUTES LES TROIS

Trouble double et malheur et brouille;
Brûle le feu, le chaudron bouille!

DEUXIÈME SORCIÈRE

Refroidissez avec du sang de babouin
Pour que le philtre soit solide à point.

Entre Hécate avec trois autres Sorcières[18].

HÉCATE

Bien fait! Compliments pour vos peines, chacune aura sa part au gain.
Chantez autour du chaudron, comme elfes et fées en rond, enchantez, enchantez ce que vous avez mis au fond.

Musique et chant : « Esprits noirs », etc.

DEUXIÈME SORCIÈRE

Au picotement de mes pouces, je sens arriver du mauvais.
Ouvrez, verrous,
A quiconque frappe un coup.

Entre Macbeth.

MACBETH

Alors quoi, vous secrètes, noires, femmes de minuit,
Que faites-vous?

TOUTES LES TROIS

Action sans nom.

MACBETH

Je vous adjure, par l'art que vous professez
(Et de quelque façon que vous l'ayez appris),
Répondez-moi :
Dussiez-vous délier les vents, qu'ils frappent les églises,
Dussent les vagues écumant dévorer les navigateurs,
Le blé en herbe être couché et l'arbre être arraché,
Dussent les châteaux crouler sur la tête de leurs gardes
Et palais et pyramides plonger le front à leurs fondations,
Dût le trésor des germes de Nature
S'écraser dans un vomissement de destruction,
Répondez
A ce que je demande.

PREMIÈRE SORCIÈRE

Interroge.

DEUXIÈME SORCIÈRE

Questionne.

TROISIÈME SORCIÈRE

Et nous répondrons.

PREMIÈRE SORCIÈRE

Dis si tu aimes mieux l'entendre de nos bouches,
Ou de celles de nos maîtres.

MACBETH

Appelez, que je les voie!

PREMIÈRE SORCIÈRE

Versez dedans le sang de truie qui a mangé ses neuf petits,
La graisse qui fut suée au gibet du meurtrier :
Dans la flamme, jetez, jetez.

TOUTES LES TROIS

Viens d'en bas ou viens d'en haut
Toi et ton pouvoir, il le faut.

Tonnerre. Première Apparition, une tête armée.

MACBETH

Dis, pouvoir inconnu —

PREMIÈRE SORCIÈRE

Il connaît tes pensées :
Écoute ses paroles, toi ne parle pas.

PREMIÈRE APPARITION

Macbeth! Macbeth! Macbeth! de Macduff te méfier,
Crains le sire de Fife. Et renvoie-moi. Assez.

L'Apparition descend.

MACBETH

Qui que tu sois, pour ton avis, merci.
Tu as touché ma crainte au point précis.
Un mot encore —

PREMIÈRE SORCIÈRE

Il ne reçoit pas d'ordres. En voici un autre
Plus puissant que le premier.

Tonnerre. Deuxième Apparition, un enfant sanglant.

DEUXIÈME APPARITION

Macbeth! Macbeth! Macbeth!

MACBETH

Si j'avais trois oreilles, pour mieux t'écouter.

DEUXIÈME APPARITION

Sois sanguinaire hardi : et ris jusqu'au mépris
De la force de l'homme; aucun né d'une femme
Ne pourra atteindre Macbeth.

L'Apparition descend.

MACBETH

Alors vis donc, Macduff : qu'ai-je à craindre de toi?
Pourtant je veux une assurance double sûre,
Un gage sur le destin — tu ne vivras pas :
Afin de pouvoir dire à la crainte au cœur pâle
Qu'elle ment, et dormir en dépit du tonnerre.

Tonnerre. Troisième Apparition, un enfant couronné, avec un arbre dans la main.

Qu'est ceci
Qui monte comme un rejeton de roi
Et porte à son front de bébé le cercle
Et le rameau de souveraineté?

TOUTES LES TROIS

Entends, ne parle pas.

TROISIÈME APPARITION

Sois substance-de-lion, fier, ne te soucie pas
De qui s'agite et s'insurge, où sont les conspirateurs;
Macbeth ne sera pas vaincu jusqu'à tant que
La grande forêt de Birnam vers le sommet de Dunsinane
Ne s'avance contre lui.

L'Apparition descend.

MACBETH

Et jamais cela ne sera;
Qui peut lever une forêt? ordonner à un arbre
D'arracher ses racines nouées à la terre?
Douces prédictions, bien. Toi, mort rebelle,
Ne resurgis jamais avant que n'ait bougé
La forêt de Birnam, et nous puissant Macbeth
Vivrons le bail de la nature en rendant souffle

D'accord avec le temps et loi mortelle. Mais mon cœur
Brûle de savoir une chose, et dites-moi, si votre art
Peut révéler autant : les enfants de Banquo
Régneront-ils sur ce royaume?

TOUTES LES TROIS

Ne cherche pas à le savoir.

MACBETH

Je dois être satisfait! si vous refusez cette chose,
Qu'éternelle malédiction soit sur vous. Dites-moi.

Des hautbois jouent.

Où s'en va le chaudron? Ce son d'où vient-il?

PREMIÈRE SORCIÈRE

Montrez-vous!

DEUXIÈME SORCIÈRE

Montrez-vous!

TROISIÈME SORCIÈRE

Montrez-vous!

TOUTES LES TROIS

Montrez-vous à ses yeux, troublez son cœur,
Venez comme ombre, et ainsi repartez.

Vision de huit rois, le dernier avec un miroir à la main. Suit le Spectre de Banquo.

MACBETH

Toi tu ressembles trop au spectre de Banquo.
Va-t'en! va-t'en! Ta couronne brûle mes yeux.
Toi, l'autre front cerclé d'or, tes cheveux
Pareils à ceux du premier, le troisième
Pareil au précédent. Vous, horribles salopes!
Pourquoi me montrer ça? — Un quatrième? Ah! que mes yeux
Me sortent de l'orbite! Hé quoi, s'étendrait-elle
La lignée, jusqu'au bruit détonant du Jugement?

Encore un? Le septième? Ah! je ne veux plus voir,
Mais voilà le huitième portant un miroir
Qui m'en montre beaucoup encore; j'en vois certains
Ils tiennent double globe avec le triple sceptre,
Vue atroce!... A présent je vois, c'est vrai, c'est vrai,
Car Banquo aux cheveux en caillots me sourit
Les désignant comme les siens. Quoi, est-ce ainsi?

PREMIÈRE SORCIÈRE[19]

Messire, c'est ainsi. Pourquoi Macbeth est-il prostré?
Venez, mes sœurs, égayer ses esprits, et montrons le meilleur de nos distractions.
Je charmerai l'air pour en faire un son, et vous danserez votre ronde fantasque,
Afin que ce grand roi puisse dire bonnement que nos hommages paient pour son agrément.

Musique. Les Sorcières dansent et disparaissent.

MACBETH

Où sont-elles? Parties? Que cette heure néfaste
Soit marquée au calendrier comme maudite.
Entrez, vous au-dehors.

Entre Lennox.

LENNOX

Que veut Votre Grâce?

MACBETH

Avez-vous vu les Sœurs Fatales?

LENNOX

Non, seigneur.

MACBETH

Ont-elles passé près de vous?

LENNOX

En vérité non, monseigneur.

MACBETH

Soit pourri l'air qu'elles chevauchent!
Et damnés ceux qui croient en elles!
J'ai entendu le galop d'un cheval. Qui passait là?

LENNOX

Deux ou trois, monseigneur, apportant la nouvelle
Macduff a fui en Angleterre.

MACBETH

Fui en Angleterre!

LENNOX

Hé oui, mon bon seigneur.

MACBETH, *en aparté.*

Temps, tu as prévenu mes terribles exploits :
Le fugitif dessein n'est jamais bien touché
Tant que l'action ne marche avec. Dorénavant
Les premiers fruits de mon cœur ce seront
Premiers fruits de ma main. Et à l'instant
Couronnant pensée en action,
Que soit pensé et soit fait :
Par surprise je prends le château de Macduff,
Je mets la main sur Fife, et je livre à l'épée
Sa femme, ses bébés, toute âme infortunée
Qui le suit dans sa lignée. Et non vantardise de fou :
J'agirai bien avant que soit froid le projet.
Mais assez de soupirs. — Où sont ces gentilshommes?
Menez-moi où ils sont.

Ils sortent.

SCÈNE II

Fife. Le château de Macduff.

Entrent la femme de Macduff, son fils, et Ross.

LADY MACDUFF

Qu'a-t-il donc fait, qu'il doive s'enfuir du pays?

ROSS

Madame, il faut avoir patience.

LADY MACDUFF

Lui n'en eut pas!
Sa fuite est folle, et quand ce ne sont nos actions,
Nos craintes — nous font traîtres.

ROSS

Vous ne savez pas
Laquelle c'était, sa sagesse ou sa crainte.

LADY MACDUFF

Sagesse! laisser sa femme, ses enfants,
Sa demeure et ses titres, dans un lieu
D'où lui-même il s'enfuit? Il ne nous aime pas;
Il est privé du mouvement de la nature;
Le roitelet, le moins grand des oiseaux, combattrait
Si ses petits étaient au nid, contre un hibou.
La peur en lui est tout, et l'amour nulle chose,
A peine plus est la sagesse, quand la fuite
Ainsi court contre la raison.

ROSS

Chère cousine,
Je vous en prie, maîtrisez-vous. Et quant à votre mari,
Il est noble, judicieux, sage, et connaît mieux que nous tous

Les convulsions du moment. Et je n'ose en dire plus
Mais cruels sont les temps, lorsque nous sommes traîtres
Et ne le savons pas, accueillant la rumeur
De ce que nous craignons, et sans savoir
Cela que nous craignons,
Mais flottons sur la mer très sauvage et violente
En tous sens et aucun. Je prends congé de vous,
C'est avant peu de temps que nous nous reverrons :
Les choses doivent s'arrêter au pire, ou bien remontent
Là où elles étaient avant. Belle cousine,
Que Dieu vous garde!

LADY MACDUFF

Il a un père, et cependant il est sans père.

ROSS

Je me sens si troublé, que si je restais plus
Ce serait pour ma peine et pour votre tourment.
Je m'en vais aussitôt.

Il sort.

LADY MACDUFF

Vous, votre père est mort.
Que ferez-vous maintenant, comment vivrez-vous?

LE FILS

Comme les oiseaux, mère.

LADY MACDUFF

Oui, de vers et de mouches?

LE FILS

Ce que je trouverai, je veux dire, comme eux.

LADY MACDUFF

Pauvre oiseau! tu ne craindras
Ni le filet ni la glu
Ni le trébuchet ni le piège.

LE FILS

Pourquoi craindrais-je, mère?
Les pauvres oiseaux, ils ne sont pas cherchés.
Mon père n'est pas mort, malgré ce que vous dites.

LADY MACDUFF

Si, il est mort; comment feras-tu, pour un père?

LE FILS

Bien, comment ferez-vous, vous, pour un mari?

LADY MACDUFF

Quoi! je peux en acheter vingt, sur le marché.

LE FILS

Alors vous les achèterez, pour les revendre.

LADY MACDUFF

Tu parles avec tout ton esprit, et ma foi
Avec assez d'esprit pour toi.

LE FILS

Mon père était-il un traître, mère?

LADY MACDUFF

Oui, il l'était.

LE FILS

Qu'est-ce que c'est, un traître?

LADY MACDUFF

Quoi, celui qui jure et qui ment.

LE FILS

Tous ceux qui font ça sont des traîtres?

LADY MACDUFF

Quiconque fait cela est un traître, et il doit être pendu.

LE FILS

Ils doivent être pendus tous ceux qui jurent et qui mentent?

LADY MACDUFF

Tous.

LE FILS

Qui doit les pendre?

LADY MACDUFF

Quoi, les hommes honnêtes.

LE FILS

Alors ce sont des idiots, les jureurs et les menteurs; parce qu'il y a des jureurs et des menteurs assez pour battre les honnêtes et pour les pendre.

LADY MACDUFF

Que Dieu t'aide, mon petit singe. Mais que vas-tu faire pour avoir un père?

LE FILS

S'il était mort, vous pleureriez pour lui : et si vous ne le faisiez pas, ce serait un bon signe que bientôt j'aurai un nouveau père.

LADY MACDUFF

Pauvre jacasseur, comme tu parles!

Entre un messager.

LE MESSAGER

Dieu vous bénisse, digne dame!
Je ne suis pas connu de vous,
Bien que de votre rang je sois très averti.
J'ai soupçon qu'un danger vous approche de près.
Si vous acceptez le simple avis d'un homme,
Qu'on ne vous trouve pas ici, et partez avec vos petits.
De vous effrayer ainsi il me semble être barbare;
En faire plus ce serait pour vous cruauté,
Laquelle est trop voisine de votre personne.
Que le Ciel vous préserve! Et je n'ose rester
Plus longtemps.

Il sort.

LADY MACDUFF

Où fuirais-je?
Je n'ai fait aucun mal. Je me souviens soudain
Que je me trouve en ce bas monde : où faire mal
Est louable souvent, faire bien, quelquefois
Dangereuse folie; alors, hélas! pourquoi
Compterais-je sur cette défense de femme
De dire que je n'ai fait aucun mal?

Entrent des meurtriers.

Que sont ces faces?

LE MEURTRIER

Où est votre mari?

LADY MACDUFF

J'espère, en nul endroit aussi maudit
Que là où tels que vous peuvent le trouver.

LE MEURTRIER

C'est un traître.

LE FILS

Tu mens, toi, horrible vilain poilu.

LE MEURTRIER

Quoi, espèce d'œuf! et frai de trahison!

LE FILS

Ma mère — il m'a tué. Je vous en prie fuyez.

Lady Macduff s'enfuit en criant au meurtre.

SCÈNE III

Angleterre. Devant le palais du roi.

Malcolm et Macduff s'avancent.

MALCOLM

Recherchons quelque ombrage désolé, et là
Pleurons jusqu'à vider nos tristes cœurs.

MACDUFF

Plutôt
Saisissons le glaive mortel, et en hommes braves
Défendons notre mère patrie abattue :
Chaque matin, de nouvelles veuves sanglotent
Et pleurent d'autres orphelins, d'autres malheurs
Giflent le ciel en face à tel point qu'il résonne
Comme s'il ressentait avec l'Écosse et proclamait
Mêmes syllabes de douleur.

MALCOLM

Je pleurerai si je crois
Et je croirai si je sais; ce que je puis redresser,
Quand j'aurai favorable temps, je le ferai.
Ce que vous avez dit sans doute est vérité.
Ce tyran, dont le seul nom
Couvre nos lèvres d'ampoules,
On l'a cru honnête un jour, et vous vous l'avez aimé;
Il ne vous a touché encor. Moi je suis jeune,
Mais de lui vous pouvez obtenir quelque chose
A mon sujet : et c'est sagesse
Que sacrifier un faible et innocent agneau
Pour apaiser un dieu furieux.

MACDUFF

Je ne suis pas un traître.

MALCOLM

Et l'est Macbeth.
Bonne nature et vertu peuvent faire
Recul sous la pression royale. Oh! pardonnez :
Mes pensées ne sauraient changer ce que vous êtes,
L'ange le plus brillant tombé, brillent les anges[20];
Si tout l'infâme portait le front de la grâce,
Toujours grâce serait la grâce.

MACDUFF

J'ai donc perdu mes espérances.

MALCOLM

Peut-être au même point où j'ai trouvé mes doutes.
En telle précarité pourquoi
Avez-vous laissé femme et enfants
Ces précieuses raisons, ces liens d'amour puissants,
Et sans prendre congé? Je vous en prie :
Que mes appréhensions ne touchent votre honneur,
Mais concernent ma sûreté. Vous pouvez être
Parfaitement loyal, quoi que je pense.

MACDUFF

Ah! saigne, ah! saigne donc, pauvre contrée!
Énorme tyrannie, tu as tes bases sûres,
Car le bien n'ose contre toi : porte tes vols,
Le titre est confirmé. Et adieu, monseigneur.
Je ne voudrais pas être l'impur que tu crois
Pour tout l'espace tenu par la griffe du tyran,
Et le riche Orient en sus!

MALCOLM

Ne soyez pas offensé :
Non je ne parle point par vraie crainte de vous;
Je crois notre pays chancelant sous le joug,
Il pleure, il saigne, et chaque jour nouvelle plaie
Est ajoutée à ses blessures. Et je crois
Qu'il pourrait y avoir mains levées pour mon droit;
Et ici, par la noble Angleterre, j'ai l'offre
De milliers de soldats. Mais en dépit de tout,
Lorsque je foulerai la tête du tyran
Ou la tiendrai piquée à mon épée,
Mon pauvre pays aura de plus lourds vices
Qu'auparavant, souffrira plus, et plus diversement
Sous celui qui succédera.

MACDUFF

Et qui pourrait-il être?

MALCOLM

C'est moi que je désigne : en qui je reconnais
Toutes les variétés de vices si greffées
Que, quand elles seront au jour, le noir Macbeth
Semblera neige pure, et notre pauvre État
L'estimera comme un agneau, en comparant
Avec mes méfaits sans limites.

MACDUFF

Des légions
De l'horrible enfer ne peut venir un démon
Damné en vice au point de surpasser Macbeth.

MALCOLM

J'accorde qu'il est sanguinaire,
Luxurieux, avaricieux, faux et trompeur,
Impulsif et méchant et en odeur de tous
Péchés portant un nom. Mais aucun fond, aucun
A ma concupiscence : et vos femmes, vos filles,
Vos matrones, vos vierges ne pourraient remplir
La citerne de ma luxure, et mon désir
Viendrait écraser tout obstacle de vertu
Qui s'oppose au besoin. Plutôt Macbeth,
Qu'un tel homme régnant.

MACDUFF

La folle intempérance
En nature est une tyrannie, et a été
La perte avant son temps de quelque trône heureux,
La chute de beaucoup de rois. Ne craignez pourtant pas
De prendre en vous ce qui est vôtre : vous pouvez
Offrir à vos plaisirs un champ très abondant
Et sembler froid, vous pouvez tromper votre monde :
Nous avons assez de dames de bonne grâce;
Il ne peut y avoir en vous un tel vautour,
Que vous dévoriez celles si nombreuses
Qui voudraient se dédier elles-mêmes à la grandeur
Sachant la grandeur de même inclinée.

MALCOLM

En plus il y a
Dans mon affection si mal composée
Une telle insatiable avarice, que, roi,
Je dépouillerais les nobles de leurs terres,
Je voudrais de l'un ses joyaux, et de l'autre sa maison,
Mon plus-avoir serait pareil au condiment
Pour augmenter encor ma faim, tant que je pourrais forger
Des injustes procès contre un juste loyal
Et le détruire afin de saisir sa fortune.

MACDUFF

Or la cupidité
Va plus avant; poussant avec plus pernicieuses
Racines, que l'estivale volupté.
Et ce fut pour nos rois assassinés le glaive :
Cependant n'ayez crainte,
L'Écosse est riche pour combler vos convoitises
De votre avoir en propre. Toutes choses acceptables,
Compensées par d'autres vertus.

MALCOLM

Je n'en ai pas. Celles qui font les rois
Telles justice et vérité, tempérance et sûreté,
Bonté avec humilité, persévérance, miséricorde,
Dévouement, patience et courage, constance,
Je n'ai pas traces de tout ça, par contre j'excelle
A moduler sur chacun des crimes nombreux,
Les jouant de bien des façons. Non! aurais-je le pouvoir,
Que je verserais le doux lait de la concorde dans l'enfer,
Je bouleverserais la paix universelle
Et détruirais toute unité sur terre!

MACDUFF

Écosse! Écosse!

MALCOLM

Si digne de gouverner est un tel homme — parle :
Je suis comme j'ai dit.

MACDUFF

Digne de gouverner! Non
Pas digne de vivre. O nation pitoyable
Sous un tyran sans titre et de sceptre sanglant,
Quand donc reverras-tu nouveaux jours favorables
Puisque ce véritable héritier de ton trône
Par son propre interdit se tient en accusé
Et blasphème son sang. Ton royal père
Était un très saint roi; la reine, qui te porta,
Fut plus souvent agenouillée que sur ses pieds
Et mourait chaque jour qu'elle vivait. Adieu!
Ces maux que tu confesses sur toi-même
Me bannissent d'Écosse. O mon sein, ô mon cœur,
Ici l'espoir prend fin.

MALCOLM

Macduff, ton émotion
Fille de l'intégrité, a de mon âme
Essuyé les doutes noirs, et réconcilié mes pensées
A ta vérité, ton honneur. Le démoniaque Macbeth
Par ses appâts pourris avait bien essayé
De me gagner en son pouvoir; la sagesse mesurée
M'arrache à l'impulsion crédule : que le Dieu
D'en haut arbitre entre nous deux! car maintenant
Je me mets sous ta direction, et je dénie
Mes propres accusations; ici j'abjure
Souillures et péchés que j'ai posés sur moi,
Comme étrangers à ma nature. Encor je suis
Ignorant de la femme, et ne fut point parjure,
A peine ai-je voulu tout ce qui m'appartient,
N'ai point trahi ma foi, et ne livrerais pas
Le diable à son pareil : et je me réjouis
De vérité comme de vie. Et mon premier mensonge

Je l'ai dit sur moi-même, et ce que vrai je suis
Est à toi, appartient au malheureux pays.
Ici même et déjà avant ton arrivée
Le vieux Siward et dix mille guerriers équipés
Se mettaient en mouvement! Que les chances de succès
Soient aussi justes que notre querelle est juste.
Pourquoi êtes-vous silencieux?

MACDUFF

Si favorables, si défavorables choses, ensemble,
C'est difficile à concilier.

Entre un médecin.

MALCOLM

Bien, nous verrons. —
Je vous prie, le roi va-t-il venir?

LE MÉDECIN

Oui, seigneur. Il y a une foule de pauvres âmes, attendant sa cure.
Leur maladie met en déroute la grande expérience de l'art;
Mais lorsqu'il touche, le ciel a donné telle vertu à sa main,
Sur-le-champ ils sont soulagés.

MALCOLM

Je vous remercie, docteur.

Le médecin sort.

MACDUFF

Quelle est la maladie dont il parle?

MALCOLM

Elle est appelée le Mal;
Une bien miraculeuse action de ce bon roi
Que bien souvent, depuis que je demeure en Angleterre, je l'ai vu faire.
Comment il fait intervenir le Ciel, lui seul le sait,
Mais des gens gravement éprouvés

Tout gonflés, ulcérés, pitoyables au regard, et qui sont désespoir pour la chirurgie,
En suspendant à leur cou une médaille d'or, qu'il a posée avec saintes prières,
Il les guérit. Et il est dit qu'il léguera à tous les rois ses successeurs
La guérissante bénédiction. Avec cette étrange vertu, il a pouvoir de prophétie,
Ainsi diverses grâces sont attachées à son trône, qui le manifestent plein de sainteté.

Ross s'approche.

MACDUFF

Et voyez qui vient ici.

MALCOLM

Un homme du pays; je ne le connais pas.

MACDUFF

Toujours gentil cousin, la bienvenue ici.

MALCOLM

Je le reconnais à présent : et Dieu veuille changer bientôt
Les faits qui nous firent étrangers.

ROSS

Seigneur, amen.

MACDUFF

L'Écosse est dans le même état?

ROSS

La pauvre terre,
Presque épouvantée à se voir! qui ne pourrait
Être nommée la mère, mais la tombe; où rien,
Sinon qui ne sait rien, n'est surpris à sourire,
Où les soupirs, plaintes et cris déchirant l'air
Sont poussés et non connus; où semble le violent chagrin
Une agitation ordinaire : et le glas de l'homme mort

On sait à peine pour qui, et les vies d'hommes de bien
Plus vite que les fleurs de leurs chapeaux, expirent
Mourant avant d'être malades.

MACDUFF

Oh! quel récit
Trop exact et pourtant trop vrai!

MALCOLM

Quelle est la dernière épreuve?

ROSS

Celle qui, vieille d'une heure, fait siffler son annonceur!
Chaque minute en engendre une neuve.

MACDUFF

Comment va ma femme?

ROSS

Hé bien.

MACDUFF

Et tous mes enfants?

ROSS

Aussi, bien.

MACDUFF

Et le tyran n'a pas attenté à leur paix?

ROSS

Non, ils étaient en paix quand je les ai quittés.

MACDUFF

Ne sois pas avare de tes mots : qu'en est-il?

ROSS

Quand je venais ici transporter les nouvelles
Que j'ai tristement dites, courait la rumeur
De braves compagnons ayant pris la campagne;
Ce qui, me semblait-il, plutôt se confirmait,

Puisque je vis sur pied les forces du tyran.
Maintenant c'est le temps du secours : en Écosse
Votre œil créerait des soldats,
Ferait combattre les femmes
Afin de repousser tant d'atroces malheurs.

MALCOLM

Ah! qu'ils se réconfortent.
Nous partons pour là-bas : et la bonne Angleterre
Va nous prêter Siward et dix mille soldats;
Le plus éprouvé et le meilleur soldat
Que la Chrétienté pût donner.

ROSS

Je voudrais pouvoir répondre
Par réconfort au réconfort! Mais j'ai des mots
Qui devraient être hurlés dans l'air désert
Où nul entendant ne les capterait.

MACDUFF

Qui concernent quoi?
La cause générale? ou un chagrin privé
Ne touchant qu'un seul cœur?

ROSS

Aucun esprit sincère
Qui ne partage en quelque part cette douleur,
Mais la plus haute part vous revient à vous seul.

MACDUFF

Si c'est à moi,
Ne me la garde pas et montre-la-moi vite.

ROSS

Que vos oreilles pour toujours ne repoussent point ma langue
Qui va leur faire posséder le son le plus lugubre
Qu'elles aient jamais entendu.

MACDUFF

Hum. Je devine.

ROSS

Votre château est surpris, votre femme et vos petits
Sauvagement assassinés; et vous en dire la manière
Serait, à l'amas de ces biches massacrées
Ajouter votre mort à vous.

MALCOLM

Miséricorde!
Homme, ne tirez pas le chapeau sur vos yeux,
Donnez au malheur des mots : le chagrin qui ne parle pas
S'insinue au cœur surchargé et fait qu'il se brise.

MACDUFF

Mes enfants aussi?

ROSS

Femme, enfants, serviteurs,
Tout ce qu'on a trouvé.

MACDUFF

Et je devais être loin d'eux!
Ma femme aussi tuée?

ROSS

J'ai dit.

MALCOLM

Reprends ton cœur,
Faisons remède avec notre grande vengeance
Pour soigner ton chagrin mortel!

MACDUFF

Et lui n'a pas d'enfants. Tous mes jolis petits?
Et tous, vous avez dit? O vautour-d'enfer! Tous?
Quoi, tous mes très gentils poussins avec leur dame
D'un seul coup?

MALCOLM

Résiste comme un homme.

MACDUFF

Je le ferai.

Mais d'abord je dois ressentir comme un homme :
Je ne peux que me rappeler ces choses qui existaient,
Les plus précieuses pour moi. Le Ciel a-t-il vu cela —
Et n'aurait-il pas pris leur défense? O coupable
Macduff, c'est pour toi qu'ils ont été frappés!
Pauvre rien que je suis,
Ce n'est point pour leur faute, mais c'est pour la mienne
Que le meurtre est tombé sur leur âme. Ah, que vienne
Le Ciel les apaiser maintenant!

MALCOLM

Que cela soit de pierre aiguisant votre épée .
Que le chagrin se transforme en colère;
N'émoussez pas le cœur, enragez-le.

MACDUFF

Oh, pourrais-je jouer la femme avec mes yeux
Et le brave avec ma langue! Généreux Ciel,
Raccourcis-moi tous les délais : que face à face
Tu places le démon de l'Écosse et moi-même;
Mets-le à la portée de mon épée, et s'il échappe,
Que lui pardonne aussi le Ciel!

MALCOLM

Voilà d'un homme.

Viens, allons vers le roi, nos forces sont armées,
Il ne faut plus que les adieux. Macbeth
Est bien mûr pour la gaule; les Pouvoirs d'en haut
Montrent leurs instruments. Prends toute aide et secours;
Longue est la nuit qui ne trouve jamais le jour.

Ils sortent.

ACTE V

SCÈNE PREMIÈRE

Dunsinane. Une chambre dans le château.

Entrent un Docteur médecin et une Dame de compagnie.

LE MÉDECIN

J'ai veillé deux nuits avec vous, mais je n'aperçois aucune vérité dans votre récit. Quand s'est-elle promenée la dernière fois?

LA DAME

Depuis que Sa Majesté est en campagne, je l'ai vue se lever de son lit, jeter sur elle sa robe de nuit, ouvrir son secret, prendre du papier et le plier, écrire dessus, relire, ensuite sceller, et retourner dans son lit; et pendant tout le temps dans un profond sommeil.

LE MÉDECIN

Un grand trouble de nature, à la fois recevoir les bénéfices du sommeil et faire les actions de la veille! Dans cette agitation dormante, en dehors de la marche et des autres gestes, qu'est-ce que, à un moment ou l'autre, vous l'avez entendue dire?

LA DAME

Cela, monsieur, je ne veux pas le rapporter à son sujet.

LE MÉDECIN

A moi, vous le pouvez, et il est très juste que vous le fassiez.

LA DAME

Ni à vous, ni à personne, n'ayant pas de témoin pour confirmer mes paroles.

Entre Lady Macbeth, avec une chandelle.

Regardez, voilà qu'elle vient. C'est tout à fait sa manière, et sur ma vie, endormie profondément. Observez-la, tenez-vous caché.

LE MÉDECIN

Comment se fait-il qu'elle ait cette lumière?

LA DAME

Eh bien, à côté d'elle; elle a toujours de la lumière, c'est son ordre.

LE MÉDECIN

Vous voyez, elle a les yeux ouverts.

LA DAME

Oui, mais ses sens sont fermés.

LE MÉDECIN

Qu'est-ce qu'elle fait maintenant? Regardez, comme elle se frotte les mains.

LA DAME

C'est un acte habituel chez elle, avoir l'air de se laver les mains. Je l'ai vue continuer de faire ça pendant un quart d'heure.

LADY MACBETH

Il y a encore une tache.

LE MÉDECIN

Écoutez, elle parle! Je vais noter ce qu'elle prononce, pour assurer ma mémoire de façon précise.

LADY MACBETH

Va-t'en, damnée tache! va-t'en, je te dis. Une : deux : c'est le moment de le faire. L'enfer est tout noir. Fi, mon seigneur, fi! un soldat, et avoir peur? Qu'est-ce que nous avons à craindre, quand personne ne peut forcer notre pouvoir à rendre compte? Et pourtant qui aurait pensé que le vieil homme avait en lui tant de sang?

LE MÉDECIN

Vous avez entendu?

LADY MACBETH

Le sire de Fife avait une femme, où est-elle maintenant? Quoi, ces mains ne seront-elles jamais propres? Assez là-dessus, mon seigneur, assez là-dessus : vous gâtez tout avec votre agitation.

LE MÉDECIN

Allez, allez; vous avez su — ce que vous ne deviez pas savoir.

LA DAME

Elle a dit ce qu'elle n'aurait pas dû dire, de cela je suis sûre : Dieu sait ce qu'elle a su.

LADY MACBETH

Ici est toujours l'odeur de sang : tous les parfums de l'Arabie n'adouciraient pas cette petite main. Oh! Oh! Oh!

LE MÉDECIN

Quel soupir! Le cœur est douloureusement chargé.

LA DAME

Je ne voudrais pas avoir un tel cœur dans ma poitrine, pour la sauvegarde du corps tout entier.

LE MÉDECIN

Bien, bien, bien, —

LA DAME

Priez Dieu qu'il en soit ainsi!

LE MÉDECIN

Cette maladie dépasse mon art; et cependant, j'en ai connu, qui ont marché pendant leur sommeil, et sont morts saintement dans leur lit.

LADY MACBETH

Lavez vos mains, mettez votre robe de nuit, ne soyez pas si pâle : je vous le répète, Banquo est enterré, il ne peut pas sortir de sa tombe.

LE MÉDECIN

Même ça?

LADY MACBETH

Au lit, au lit : des coups dans la porte : venez, venez, venez, venez, donnez-moi votre main : ce qui est fait ne peut être défait : au lit, au lit, au lit, au lit.

Elle sort.

LE MÉDECIN

Et maintenant, est-ce qu'elle va au lit?

LA DAME

Directement.

LE MÉDECIN

Terribles rumeurs sont dans l'air : des actes non naturels
Créent des troubles non naturels; et les esprits infestés
Sur leurs oreillers sourds déchargent leurs secrets.
Plus que du médecin, elle a besoin du prêtre :
Dieu, Dieu, pardonne-nous à tous. Surveillez-la,
Éloignez d'elle tous moyens de destruction.
Toujours gardez les yeux sur elle. Adieu, bonsoir;
Elle a abattu mon esprit, elle a épouvanté ma vue :
Je pense, et n'ose pas parler.

LA DAME

Bonne nuit, bon docteur.

Ils sortent.

SCÈNE II

La campagne près de Dunsinane.

Tambours et drapeaux. Entrent Menteith, Caithness, Angus, Lennox, et des soldats.

MENTEITH

La force anglaise approche, conduite par Malcolm, et son oncle Siward, et le bon Macduff.
La vengeance brûle en eux, car leurs précieuses causes, pour le sang et le combat sans merci,
Réveilleraient un mort.

ANGUS

Près de la forêt de Birnam nous les rencontreronts sûrement, c'est de ce côté-là qu'ils viennent.

CAITHNESS

Sait-on si Donalbain est avec son frère?

LENNOX

Certainement pas, monsieur. J'ai la liste de toute la noblesse.
Il y a le fils de Siward, et plusieurs jeunes imberbes qui sont en train de prouver leur première virilité.

MENTEITH

Et que fait le tyran?

CAITHNESS

Il fortifie durement le grand Dunsinane.
Certains disent qu'il est fou, et d'autres le haïssant moins, nomment cela fureur guerrière;
Mais, ce qui est certain, il ne peut plus enserrer sa maladie frénétique dans la boucle d'une règle.

ANGUS

A présent il sent ses meurtres cachés qui lui collent sur les mains,
A présent des révoltes incessantes lui reprochent sa félonie;
Ceux qu'il commande agissent seulement sur commande,
Rien par amour; et maintenant il sent son titre pendre lâchement sur lui
Comme la robe d'un géant, sur un nain voleur.

MENTEITH

Qui pourrait condamner ses sens pestiférés
De se relâcher et de refuser,
Quand tout ce qui est en lui se condamne d'être là?

CAITHNESS

Allons, allons donc, donner obédience à qui elle est due,
Rejoignons le médecin de cet état malade, et avec lui versons chaque goutte de sang, pour la purgation de notre pays.

LENNOX

Ou tout au moins ce qu'il faut
Pour humecter la fleur souveraine et noyer la mauvaise herbe.
Mettons-nous en marche vers Birnam.

Ils sortent en marche.

SCÈNE III

Dunsinane. Une cour dans le château.

Entrent Macbeth, le médecin, et les suivants.

MACBETH

Ne me donnez plus de nouvelles, et qu'ils s'enfuient tous!
Jusqu'à ce que Birnam monte vers Dunsinane

Je ne peux être pris de peur. Qu'est ce garçon Malcolm?
N'est-il pas né d'une femme? Or les esprits qui connaissent
Tout le mortel enchaînement ont prononcé pour moi ceci :
« Macbeth, ne crains rien, nul homme né d'une femme
Jamais ne pourra contre toi. » Alors fuyez, sires félons,
Mélangez-vous aux épicuriens d'Angleterre :
Cet esprit qui me porte et le cœur que je porte
Ne fléchiront sous le doute et ne trembleront de peur.

Un serviteur entre.

Le diable te damne en noir!
Idiot à la face de crème!
Où prends-tu ce regard d'oie?

LE SERVITEUR

Ils sont dix mille —

MACBETH

Canards, vilain?

LE SERVITEUR

Soldats, messire.

MACBETH

Va donc griffer ta face et fais rougir ta peur,
Marmot au foie blanc! Quels soldats, crétin?
Mort à ton âme! Tes joues de linge mou
Sont conseillères de peur. Quels soldats, face en lait?

LE SERVITEUR

La force anglaise, s'il vous plaît.

MACBETH

Sors ta face d'ici!

Le serviteur sort.

Seton! Le cœur me manque,
Lorsque je vois — Seton, je dis! — Et cet assaut
Va me guérir pour toujours, ou me basculer maintenant.
J'ai vécu assez longtemps : et le chemin de ma vie

Est tombé dans les feuilles jaunies et séchées;
Et tout ce qui devrait escorter le vieil âge,
Honneur, amour, hommage, et cohorte d'amis,
Je ne dois pas espérer les avoir; mais à leur place
Malédictions, non criées mais profondes,
Honneur du bout des lèvres, souffle
Que le pauvre cœur voudrait refuser, mais qu'il n'ose.
Seton!

Seton entre.

SETON

Quel est votre bon plaisir?

MACBETH

Quelles nouvelles encore?

SETON

Monseigneur, tout est confirmé des rapports.

MACBETH

Je combattrai jusqu'à tant
Que de mes os ma chair soit arrachée.
Donne-moi mon armure.

SETON

Pas nécessaire encore.

MACBETH

Je la mettrai.
Envoyez des chevaux. Patrouillez la campagne.
Pendez ceux qui parlent de peur. Et donnez-moi mon armure.
Docteur, comment va la malade?

LE MÉDECIN

Point tant malade, monseigneur,
Que troublée de visions qui arrivant pressées
La privent de repos.

MACBETH

Guéris-la de cela!
Ne peux-tu assister à un esprit malade,
Enlever de la mémoire un chagrin enraciné,
Effacer des tourments inscrits dans le cerveau
Et avec quelque doux bienfaisant antidote
Délivrer le sein souffrant[21] de cette terrible angoisse
Qui pèse sur le cœur?

LE MÉDECIN

En ce point le patient
Doit s'assister lui-même.

MACBETH

Jette la science aux chiens, je n'en veux plus.
Viens, pose-moi l'armure; et donne mon bâton;
Une sortie, Seton. Les sires, docteur, désertent.
Plus vivement, monsieur. Si tu pouvais, docteur,
Analyser l'urine du pays, trouver son mal
Et le purifier dans son état sain d'autrefois,
Ah! je t'applaudirais juqu'à emplir l'écho
Qui applaudirait en retour. — Ote-la, te dis-je.
Quel séné, ou rhubarbe, ou drogue purgative
Pourrait balayer d'ici ces Anglais? Le savez-vous?

LE MÉDECIN

Oui, bon seigneur, et vos préparatifs royaux
Nous en apprennent quelque chose.

MACBETH

Porte-la derrière moi.
Je ne craindrai ni la mort ni la destruction
Tant que Birnam n'arrivera à Dunsinane.

Il sort.

LE MÉDECIN

Et si j'étais, sain et sauf, loin de Dunsinane,
Aucun profit ne m'y ferait rentrer.

Il sort.

SCÈNE IV

La campagne près de Birnam.

Tambours et drapeaux. Entrent Malcolm, Siward, Macduff, le fils de Siward, Menteith, Caithness, Angus, Lennox, Ross, et des soldats en marche.

MALCOLM

Cousins, je crois, les jours sont à portée de main
Où les chambres seront sûres.

MENTEITH

N'en doutons point.

SIWARD

Quelle est la forêt devant nous ?

MENTEITH

C'est Birnam.

MALCOLM

Que chaque soldat abatte une branche,
La porte devant lui : ainsi nous ferons ombre
Au nombre de l'armée, et leur reconnaissance
Se trompera dans son rapport sur nous.

UN SOLDAT

Ce sera fait.

SIWARD

Nous savons seulement : le tyran assuré
Se tient dans Dunsinane, et il a l'intention
De supporter le siège.

MALCOLM

Son plus grand espoir :
Car partout où il fut possible de s'enfuir,

A la fois grands et petits sont entrés dans la révolte;
Ne le servent que les créatures contraintes
Dont les cœurs sont absents.

MACDUFF

Que le sûr jugement
Suive exactement les faits, puis faisons
Le métier de soldat.

SIWARD

Oui le moment approche
Qui nous fera savoir avec vraie décision
Ce que nous disons avoir, ce que nous devons encore :
Les spéculatives pensées récitent l'espoir indécis,
Les coups décident de l'issue :
Vers quoi se dirige la guerre.

Ils sortent en marche.

SCÈNE V

Dunsinane. La cour du château comme auparavant.

Entrent Macbeth, Seton, et des soldats avec tambours et drapeaux.

MACBETH

Suspendez nos bannières aux murs extérieurs;
« Ils viennent » sera le cri; la force de notre château
Va rire à mépriser un siège : et qu'ils soient là
Jusqu'à ce que la famine et la peste les dévorent;
S'ils n'avaient été renforcés
Par ceux qui devraient être nôtres,
Nous aurions pu les affronter en face, barbe à barbe,
Et les battre jusque chez eux.

Cris de femmes, à l'intérieur.

Quel est ce bruit?

SETON

Ce sont des cris de femmes, bon seigneur.

MACBETH, *en aparté*

J'ai presque oublié le goût de la peur;
Il fut un temps, mes sens auraient eu froid
A entendre un cri nocturne, et ma chevelure
Pour un récit funèbre se serait dressée
Comme animée de vie : je suis gorgé d'horreurs;
L'atroce, familier de mes pensées sanglantes,
Ne peut plus me surprendre. Pour quoi était ce bruit?

SETON

La reine, monseigneur, est morte.

MACBETH

Elle aurait dû mourir plus tard,
Il y aurait eu le temps pour un tel mot.
Demain, et demain, et demain
Se glisse dans ce pauvre pas de jour en jour
Vers la dernière syllabe du temps des souvenirs;
Et tous nos hiers ont éclairé les fous
Sur le chemin de la mort poussiéreuse.
Éteins-toi, petite chandelle!
La vie n'est qu'une ombre en marche, un pauvre acteur
Qui s'agite pendant une heure sur la scène
Et alors on ne l'entend plus; c'est un récit
Conté par un idiot, plein de son et furie,
Ne signifiant rien.

Entre un messager.

Tu viens te servir de ta langue : vivement ton histoire.

LE MESSAGER

Gracieux seigneur,
Je dois vous raconter ce que j'ai vu
Et ne sais comment faire.

MACBETH

Eh bien, parlez, monsieur.

LE MESSAGER

Comme je montais la garde sur la colline
J'ai regardé vers Birnam, tout à coup m'a semblé
La forêt commence à bouger.

MACBETH

Menteur, esclave!

LE MESSAGER

Que j'endure votre fureur, si ce n'est vrai :
Et à trois milles d'ici
Vous pouvez la voir venir,
Je dis, une forêt qui marche.

MACBETH

Si c'est faux,
Au prochain arbre tu seras pendu vivant
Tant que famine te dessèche; et si c'est vrai,
Ça m'est égal que tu m'en fasses tout autant.
Je chancelle en résolution. Je recommence
A soupçonner le double jeu de l'ennemi
Qui ment semblable à la vérité : « Ne crains rien
Jusqu'à ce que la forêt de Birnam
Arrive à Dunsinane »; et voilà la forêt
Qui va vers Dunsinane. Armez! armez! sortez!
Si cela qu'il annonce est en train d'arriver,
On ne peut fuir d'ici, non plus rester ici.
Ah, je commence à être lassé du soleil,
Et je voudrais que tout l'état du monde fût défait.
Sonnez la cloche d'alarme!
Vents, soufflez! Naufrage, arrivez!
Et qu'au moins nous mourions armure sur le dos.

Ils sortent.

SCÈNE VI

Dunsinane. Devant la porte du château.

Tambours et drapeaux. Entrent Malcolm, Siward, Macduff, et leur armée portant des branchages.

MALCOLM

C'est assez près : ces écrans feuillus jetez-les,
Et montrez-vous comme vous êtes. Vous, cher oncle,
Ainsi que mon cousin votre très noble fils
Commanderez le premier corps; Macduff et nous
Nous prendrons ce qu'il reste à faire
Selon nos dispositions.

SIWARD

Au revoir à vous.
Si nous trouvons ce soir les forces du tyran,
Que nous soyons abattus, si nous ne savons nous battre.

MACDUFF

Faites parler toutes trompettes; donnez souffle
Aux éclatants avant-coureurs de sang et mort.

Ils sortent. Les trompettes sonnent.

SCÈNE VII

Macbeth sort du château.

MACBETH

Ils m'ont lié à un poteau; je ne peux fuir,
Mais comme l'ours, je dois tenir contre la course[22].
Qui est celui
Qui n'est pas né de femme? celui-ci
Je dois le craindre, et aucun autre.

Le jeune Siward arrive.

LE JEUNE SIWARD

Quel est ton nom?

MACBETH

Tu aurais grand-peur de l'entendre.

LE JEUNE SIWARD

Non; t'appellerais-tu par un nom plus damné
Qu'aucun dans l'enfer.

MACBETH

Mon nom est Macbeth.

LE JEUNE SIWARD

Le diable même ne pourrait dire vocable
Plus odieux à l'oreille.

MACBETH

Non, ni plus redoutable.

LE JEUNE SIWARD

Tu mens, exécrable tyran, par mon épée
Je prouve que tu mens.

Ils combattent. Le jeune Siward est tué.

MACBETH

Tu étais né de femme.
Je souris des épées, jusqu'au mépris, des armes,
Quand un homme les tient qui fut né d'une femme.

Il sort.

Sonneries. Entre Macduff.

MACDUFF

Le bruit de ce côté. Tyran, montre ta face!
Si tu étais tué, mais non par moi, les ombres
De ma femme et mes enfants toujours me persécuteraient.
Je ne peux pas frapper sur la piétaille misérable
Aux bras loués pour manœuvrer les épieux. Toi, Macbeth,
Ou rengainer mon épée, avec son fil non usé,

Sans m'en servir. Par ici tu dois être :
Au grand vacarme, un de présence encor plus grande
Semble annoncé. Oh, que je le trouve, fortune!
Et je ne demande plus rien.

Il sort. Sonneries.
Entrent Malcolm et Siward.

SIWARD

Venez là, monseigneur. Le château tombe peu à peu.
Les gens du tyran combattent des deux parts,
Les dignes sires se montrent braves dans la guerre,
La journée presque vous appartient. Peu reste à faire.

MALCOLM

Nous avons trouvé des ennemis qui évitaient de nous frapper.

SIWARD

Monseigneur, entrez dans le château.

Ils sortent. Sonneries.

SCÈNE VIII

Entre Macbeth.

MACBETH

Pourquoi jouer l'idiot romain, mourir
Sur mon épée? Tant que j'aperçois des vivants,
Les plaies leur vont mieux qu'à moi.

Macduff revient.

MACDUFF

Retourne-toi, chien de l'enfer!

MACBETH

Entre tous hommes, toi, je t'avais évité
Et va-t'en, car mon âme est beaucoup trop chargée
Avec le sang des tiens.

MACDUFF

Pas de paroles :
Ma voix c'est mon épée, toi brute assassine
Plus que les mots ne pourraient te montrer!

Ils combattent. Sonneries.

MACBETH

Tu perds ta peine.
Aussi bien les intouchables airs
Pourrais-tu les marquer de ta tranchante épée,
Que me faire saigner : laisse tomber ta lame
Sur des chefs vulnérables. Je porte une vie
Charmée, et qui ne pourra céder
A un né de la femme.

MACDUFF

Abandonne ton charme!
Et cet ange que tu as toujours servi
Qu'il te dise que Macduff fut arraché
Avant terme au ventre de sa mère.

MACBETH

Maudite soit la langue qui me parle ainsi,
Elle a détruit la part la meilleure de l'homme!
Et qu'on n'écoute plus ces ennemis jongleurs
Qui nous ont enroulés dedans le double sens,
Qui ont mis le mot de promesse à notre oreille,
Et le brisent, à notre espoir
Je ne me bats pas avec toi.

MACDUFF

Alors, rends-toi
Et vis, couard, pour être un objet à montrer
Et nous t'aurons, comme un de nos plus rares monstres,
Peint sur un bois avec dessus écrit[23]
« Ici on peut voir le tyran. »

MACBETH

Je ne me rendrai pas,
Pour baiser la terre devant les pieds du jeune Malcolm,
Être forcé par les malédictions de la canaille!
Bien que Birnam soit arrivé à Dunsinane,
Et que toi me combattant ne sois né d'aucune femme,
Je tenterai le dernier coup. Devant mon corps
Je mets mon bouclier, Macduff, tu peux frapper.
Damné soit le premier qui criera d'arrêter.

Macbeth est tué.

SCÈNE IX

Dans le château.

Retraites et fanfares. Entrent, avec tambours et drapeaux. Malcolm, Siward, Ross et les sires, et des soldats.

MALCOLM

Je voudrais qu'arrivent sains et saufs tous les amis qui nous manquent.

SIWARD

Il en est qui doivent manquer; pourtant d'après ceux que je vois,
Une si grande journée que celle-ci a été gagnée à bon compte.

MALCOLM

Macduff est manquant, et votre noble fils.

ROSS

Votre fils, monseigneur, paya la dette du soldat; lui qui vécut à peine jusqu'à être un homme,
Aussitôt que l'ont confirmé ses prouesses, dans la position sans recul où il combattait,
Il mourut comme un homme.

SIWARD

Donc il est mort?

ROSS

Oui, retiré au champ de bataille, et la cause de votre chagrin
Ne doit pas être mesurée à sa valeur, car elle serait sans limites.

SIWARD

Il a reçu sa blessure en face?

ROSS

Oui, sur le front.

SIWARD

Alors bien, qu'il soit soldat de Dieu!
Si j'avais autant de fils que de cheveux, je ne les vouerais pas à une mort plus belle.
Que soit ainsi sonné son glas d'honneur.

MALCOLM

Il est digne de plus de chagrin, et je paierai pour lui ce prix.

SIWARD

Il n'est pas digne de plus.
On dit qu'il est bien mort et qu'il a payé sa dette : ainsi que Dieu soit avec lui.
Voici que vient une consolation nouvelle.

Entre Macduff, avec la tête de Macbeth.

MACDUFF

Salut, roi! Tu es roi. Et regarde comme est
La tête de l'usurpateur. Les temps sont libres.
Je te vois entouré des perles du royaume
Qui parlent ma salutation dans leurs esprits,
Dont je désire que les voix retentissent avec la mienne :
Salut, ô roi d'Écosse!

TOUS

O roi d'Écosse, salut!

Trompettes.

MALCOLM

Nous ne dilapiderons pas grande dépense de temps
Avant de récompenser de chacun l'amour
Et nous acquitter envers vous. O mes sires et parents,
Désormais vous serez comtes, premiers que jamais l'Écosse
Ait nommés à tel honneur. Ce qu'il nous faut encor faire
Et nouvellement planter selon le temps —
Ainsi rappeler chez eux nos amis en long exil
Qui fuyaient les traquenards de l'écouteuse tyrannie,
Et démasquer tous les cruels agents
De ce boucher mort et son démon de reine
(Qui croit-on, de ses propres et violentes mains
S'arracha de la vie) — tout cela, toute chose
Qui s'offrira à nous, par grâce de la Grâce
Nous le ferons selon mesure, temps et place :
Merci à tous ensemble et à tous en personne,
Nous vous invitons à nous couronner à Scone.

Trompettes. Ils sortent tous.

APPENDICE

CRHONOLOGIE

*Dans ce bref résumé chronologique, nous ne poserons pas, après tant d'autres, le problème de « l'imposture shakespearienne ». Nous ignorerons délibérément les diverses théories dont les tenants affirment, à tort ou à raison, que Shakespeare n'est pas l'auteur des pièces qui lui sont attribuées et que son œuvre a été écrite soit par Francis Bacon, soit par William Stanley, VI*e *comte de Derby, soit par Roger Manners, V*e *comte de Rutland, soit par Edward de Vere, XVII*e *comte d'Oxford. Nous admettrons, traditionnellement, que l'homme, l'acteur et l'auteur sont un seul et même personnage : William Shakespeare. Personnage fort mystérieux, d'ailleurs, car nous ne savons presque rien à son sujet.*

1564. — Le *23 avril*, naissance à Stratford-on-Avon (Warwickshire) de William, fils de John Shakespeare et de Mary Arden. Le père est un riche commerçant chargé de diverses fonctions publiques. La mère est l'une des huit filles de Robert Arden, propriétaire terrien de petite noblesse, dont le manoir se trouve à Wilmcote (Warwickshire).

1571-1577. — Études à la Grammar School de Stratford. Heures nombreuses de vagabondage dans la campagne. William a dû assister à plusieurs représentations dramatiques données par des troupes en tournées (Compagnie de la Reine, Compagnie du comte de Leicester) soit à Stratford, soit à Coventry. Mais nous n'avons de tout ceci aucune preuve formelle.

1577-1582. — John Shakespeare a de très sérieux embarras financiers et retire son fils de l'école. C'est là tout ce que nous savons de ces années qui durent être des années de gêne, sinon de grande pauvreté.

1582. — Le *27 novembre*, mariage de William Shakespeare et d'Anne Hathaway, cette dernière étant de huit ans plus âgée que son époux. Le mariage a été consommé avant la cérémonie, comme le prouve la naissance du premier enfant, Susanna, six mois plus tard.

1585. — Naissance de Hamnet et de Judith, enfants jumeaux de William et de Anne.

1587. — Shakespeare part pour Londres. Nous ignorons les raisons de ce départ, et la nuit se fait de nouveau sur la vie du futur dramaturge jusqu'en 1592.

1592. — La présence à Londres de Shakespeare est attestée par un pamphlet du poète Robert Greene qui l'accuse de s'être approprié des textes rédigés par ses contemporains.

1593 — Publication du poème *Vénus et Adonis*, dédié au comte de Southampton. A partir de cette date jusqu'en 1611, selon les uns, ou 1613, selon les autres, Shakespeare ne cessera pas de produire : 36 pièces, 2 poèmes, 154 sonnets. Il connaîtra le succès et la fortune, achètera maisons et terres à Stratford et à Londres, fera le commerce des blés et des malts, et passera plusieurs heures par jour dans les tavernes, à boire et à banqueter avec des compagnons de bohème, acteurs ou auteurs.

1596. — En *août*, mort de Hamnet, unique fils du poète, âgé de onze ans, à Stratford-on-Avon. En octobre, le vieux John Shakespeare, redevenu riche, est anobli et reçoit l'autorisation de porter des armoiries ayant pour devise : « Non sanz droict. »

1599. — Constitution de la société du théâtre du Globe, dont Shakespeare devient actionnaire. (Il possédait déjà des actions dans d'autres théâtres.)

1601. — Deux faits très importants pour William Shakespeare : la mort de son père ; l'emprisonnement de son protecteur, le comte de Southampton, à la suite de l'échec de la rébellion du comte d'Essex dont il était le lieutenant. A partir de cette année-là, le ton des pièces de Shakespeare devient grave, triste, amer.

1607. — Mariage de Susanna Shakespeare et de John Hall, médecin à Stratford.

1609. — Mort de la mère de Shakespeare. Publication des *Sonnets*.

1610. — Shakespeare, las de la ville et du monde, se retire à Stratford. Il ne quittera plus le Warwickshire que pour de rapides incursions dans la capitale.

1616. — Le *10 février*, mariage de Judith Shakespeare et de Thomas Quiney.
Le *25 mars*, sentant sa fin prochaine, Shakespeare rédige son testament devant témoins. Il meurt le *23 avril*, jour de son anniversaire, et est enterré le *25 avril* dans l'église de la Trinité.

CHRONOLOGIE DES PIÈCES

Les critiques sont loin d'être d'accord sur les dates exactes des diverses pièces de Shakespeare; et nous ne saurions prendre parti, ici encore, dans un débat qui dure depuis trois siècles. Nous nous contenterons de reproduire ci-dessous la chronologie établie par G. L. Kittredge, éminent spécialiste en matière shakespearienne (citée par Jean Paris dans son livre : Shakespeare par lui-même).

1590-1591. *Henry VI,* Première partie.

1591. *Henry VI,* Deuxième partie.

1591-1592. *Henry VI,* Troisième partie.

1592. *Richard III.*

1592-1593. *La Comédie des Erreurs.*

1593. *Titus Andronicus.*

1594. *Les deux Gentilshommes de Vérone.*
Le Roi Jean.

1594-1595. *Peines d'Amour perdues.*

1594-1598. *La Mégère apprivoisée.*

1595. *Roméo et Juliette.*
Le Songe d'une Nuit d'été.

1596. *Le Marchand de Venise.*
Richard II.

1597. *Henry IV,* Première partie.
Henry IV, Deuxième partie.

1598-1599. *Beaucoup de bruit pour rien.*

1599. *Comme il vous plaira.*
Henry V.
Jules César.

1600-1601. *Les Joyeuses Commères de Windsor.*
La Nuit des Rois.
Hamlet.

1602. *Tout est bien qui finit bien.*
Troïlus et Cressida.

1604. *Othello.*
Mesure pour mesure.

1605-1606. *Macbeth.*
Le Roi Lear.

1605-1608. *Timon d'Athènes.*

1606-1608. *Périclès.*

1607. *Antoine et Cléopâtre.*

1608. *Coriolan.*

1610. *Cymbeline.*

1610-1611. *La Tempête.*

1611. *Le Conte d'hiver.*

1613. *Henry VIII.*

NOTICES

NOTES DES TRADUCTEURS

HAMLET

NOTICE HISTORIQUE

Les sources de *Hamlet :* problème particulièrement touffu, et qui retiendra surtout notre attention avec, accessoirement, les questions de date et de texte.

L'origine de cette histoire se perd « dans les brumes de l'antiquité » nordique (J. D. Wilson). Le nom du héros paraît pour la première fois sous sa forme islandaise d'Amlothi, dans l'Edda en prose (vers 1230). Peut-être faut-il y retrouver le surnom scandinave d'Othi, qui veut dire *furieux dans le combat*, puis *fou*. Y aurait-il donc déjà, dans la saga, le thème de la folie simulée allié à celui de la vengeance et attaché à quelque personnage historique ou semi-historique, ainsi que pourraient le faire croire des allusions contenues dans l'*Historia Danica* du Danois Saxo Grammaticus, qui s'en inspire?

Quoi qu'il en soit, cette œuvre, rédigée en latin à la fin du XIIe siècle, mais publiée en 1514 seulement, à Paris, introduit la saga dans la littérature.

Les *Histoires tragiques* du compilateur français Belleforest (vers 1580) reprennent, modifié, le récit de Saxo. La relation de Belleforest fut traduite en anglais sous le titre de *The Hystorie of Hamblet*, dont la première édition connue date de 1608. Cette version anglaise a pu avoir (Derocquigny, plus affirmatif, dit « avait eu ») une édition antérieure.

Voilà donc trois textes dont Shakespeare a pu s'inspirer. Il y en a d'autres. Avant de poursuivre, signalons ce qui ferait croire à telle ou telle de ces filiations.

Chez Saxo, le héros s'appelle Amleth. Son père Horwendille, gouverneur du Jutland, a épousé Gerutha, fille du roi de Danemark, et s'est illustré en tuant le roi de Norvège dans un combat singulier. Horwendille est assassiné par son frère, Feng, qui s'empare de son gouvernement et fait sa femme de Gerutha, « couronnant ainsi le meurtre par l'inceste ». Amleth, résolu à venger son père, veut gagner du temps et endormir les soupçons de son oncle. Il simule donc « une folie insensée et grotesque » en des discours où se cache « une ruse insondable ». Feng tente à deux reprises de le percer à jour. Il met sur son chemin d'abord une fille qu'Amleth avait connue dès son enfance, puis un seigneur, « doué de plus de présomption que de jugement » qui l'espionnera un jour qu'il est « enfermé seul avec sa mère dans l'appartement de celle-ci ». Le premier piège est éventé grâce à un ami fidèle, frère de lait d'Amleth. Du second sa prudence le garde : ayant fouillé la chambre, et découvert l'homme sous la paille du lit, il y plonge son épée, « empalant » ainsi l'espion, dont il découpe le cadavre et dont il jette les fragments aux pourceaux. Puis il reproche à Gerutha de s'être conduite en « prostituée » et en « bête brute » avec l'assassin de son époux. De la sorte il « lui déchire le cœur » et lui inspire le désir de « se racheter » en « suivant le chemin de la vertu ».

Feng, déjoué, envoie Amleth en Bretagne (c'est-à-dire en Angleterre) avec deux suivants qui portent au roi des Bretons « une lettre gravée dans le bois » lui enjoignant de mettre à mort le jeune homme. Pendant leur sommeil, Amleth fouille leurs coffres, découvre la lettre et la maquille de façon à faire pendre à sa place les deux compères. Le roi de Bretagne l'accueille avec honneur, lui donne sa fille en mariage. Après un an d'absence il retourne au Jutland où, ayant enivré Feng et sa suite, il met le feu au palais, en brûle vifs les habitants et tue Feng après avoir changé d'épée avec lui, la sienne ayant été par traîtrise rendue inutile.

Le caractère du héros mis à part, presque tous les éléments de *Hamlet* sont là en germe : le fratricide, l'inceste, l'égarement simulé, Ophélie, Horatio, Polonius, Rosencrantz et Guildenstern, le voyage en Angleterre, la lettre substituée, le sceau contrefait, et jusqu'à l'ivrognerie de l'oncle et à l'échange des épées.

Belleforest ajoute à Saxo deux détails : l'adultère de Geruth et de Fengon, comme il les appelle, avant l'assassinat : et l'amour réciproque d'Amleth et de la belle tentatrice. D'autre part il supprime des éléments frappants du récit de Saxo : la « présomption » du prédécesseur de Polonius, le « déchirement » de la reine.

On peut donc croire que Saxo et Belleforest ont tous deux laissé leur trace dans le drame de Shakespeare, peut-être à des moments différents de son élaboration.

La *Hystorie of Hamblet* ajoute aux précédents la célèbre exclamation « Un rat, un rat! » et remplace la couverture du lit par une tapisserie derrière laquelle s'est caché l'espion. Dès lors, de deux choses l'une : ou la traduction anglaise s'est inspirée de la pièce de Shakespeare, ou Shakespeare a puisé dans une édition antérieure de ce récit.

Même si cette édition a réellement existé, elle pourrait encore être tributaire d'un autre drame sur le même sujet, qui aurait également sa place dans les sources du *Hamlet* définitif. Il semble qu'on ait représenté à Londres, dès 1589, une pièce intitulée *Hamlet*. Il en existait certainement une en 1594. Aujourd'hui perdue, on l'attribue généralement à Thomas Kyd, l'auteur de la *Spanish Tragedy* (1588-1589). On a baptisé, à l'allemande, « Ur-Hamlet » — « proto-Hamlet » en quelque sorte — cette pièce dont l'existence est attestée par des allusions trop nombreuses et trop concordantes pour ne pas la rendre infiniment probable.

J. D. Wilson suppose encore une autre source, italienne celle-là, en se fondant sur le passage où Hamlet cite une pièce intitulée *L'Assassinat de Gonzago* (II, II) et précise (III, II) que l'original de l'intrigue subsiste, écrit dans un excellent italien. Or, d'une part, ni Saxo ni Belleforest ne soufflent mot de l'empoisonnement du roi révélé par son fantôme et par la pantomime que Hamlet organise pour confondre son oncle. D'autre part Dowden, autorité respectée, rapporte comme un fait avéré qu'en 1538 le duc d'Urbin fut assassiné par Luigi Gonzaga, qui lui versa du poison dans l'oreille. Si l'on prend garde encore que le Feng de Saxo, homme essentiellement violent, s'est efféminé chez Shakespeare et rapproché d'un type de politicien décadent, intelligent et perfide, tel qu'on pouvait en trouver dans les petites cours italiennes de l'époque, on conviendra que la conjecture de Wilson est sérieusement étayée.

En plus des sources littéraires, Shakespeare a pu nourrir son œuvre de références à des événements contemporains. Il en est un que seul semble avoir relevé le Français Abel Lefranc : la mort peut-être volontaire d'Hélène de Tournon, victime de l'amour et sœur ou fille, peu importe, d'une dame d'honneur de Marguerite de Valois. Il pourrait y avoir déjà une allusion à cet événement dans *Peines d'amour perdues*. Les circonstances en sont trop semblables à la fin et aux obsèques d'Ophélie pour ne pas faire présumer qu'elles sont utilisées dans *Hamlet*.

La pièce de Shakespeare est citée pour la première fois dans une note manuscrite de Gabriel Harvey à un *Chaucer* publié en 1598. La même note parle du comte d'Essex encore vivant. Elle est donc antérieure au mois de février 1601. D'autre part les passages de *Hamlet* relatifs à la fameuse « guerre des théâtres » n'ont pu être écrits avant l'été ou l'automne de la même année. En conséquence il est raisonnable de croire avec J. D. Wilson que Shakespeare aurait remanié le « proto-Hamlet » dans les dernières années du XVIe siècle et rédigé définitivement son œuvre en 1601.

Les pièces dont on convient que Shakespeare est l'auteur furent pour la première fois publiées en recueil, à l'exception de *Pericles*, dans l'édition in-folio de 1623. Dix-neuf d'entre elles avaient déjà paru séparément, de 1594 à 1622, en éditions in-quarto. La qualité inégale de leurs textes tient aux conditions souvent hasardeuses où ils étaient transcrits. *Hamlet* fut déposé en 1602 au Registre de la librairie et publié in-quarto en 1603. Ce premier texte (étiqueté Q 1 par les éditeurs) est considéré comme très imparfait et rédigé de mémoire, peut-être d'après les représentations au théâtre du Globe en 1601 ou 1602. C'est sur lui que se fonde, au moins en grande partie, une adaptation allemande, *Der bestrafte Brudermord*, publiée en 1710. Corambis, nom donné à Polonius dans Q 1, s'y retrouve transformé en Corambus. Q 1 n'est pas entièrement sans valeur. Plusieurs de ses leçons en confirment d'autres ultérieures. J. D. Wilson lui emprunte plusieurs indications scéniques. Le deuxième in-quarto Q 2, qui parut en 1605, est la plus longue version connue de *Hamlet*. Cette version, et l'in-folio de 1623, sont les seules qui puissent prétendre à un rapport direct avec le manuscrit de Shakespeare. Ce sont les deux bases principales, utilisées à doses variables, des textes établis par les éditeurs, dont la science, le jugement, le flair et le goût ont trouvé à s'exercer là plus, peut-être, que pour toute autre pièce de Shakespeare.

JACQUES VALLETTE.

NOTES DU TRADUCTEUR

Avertissement

La traduction que voici a été faite d'après le texte établi par M. John Dover Wilson pour Cambridge University Press. Ce texte du *New Shakespeare* contredit en plusieurs passages la leçon traditionnellement retenue par les éditeurs d'*Hamlet*, et il faut reconnaître là l'origine de certaines des interprétations que j'adopte.

1. *Ce qu'il en reste*. Littéralement : *a piece of him*, un fragment. On peut comprendre qu'Horatio désigne par ces mots, soit la main qu'il tend à Bernardo; soit (et c'est l'interprétation que je fais mienne) ce que le froid n'a pas encore détruit en lui; soit enfin cette faible part de son intérêt, de son attention qu'il veut bien accorder à l'attente du fantôme.

2. *Tu es savant, Horatio*. On n'exorcisait qu'en latin.

3. *l'aube en vêtements de bure*. Le mot *russet* suggère le brun-rouge indécis du ciel de l'aube. Mais il signifie avant tout un vêtement de cette couleur (en français *rousset*) que portaient les paysans.

4. *rien moins qu'un fils*. Jeu de mots intraduisible sur *kin*, la parenté, et *kind*, adj., qui signifie ici : « dont les sentiments sont ceux d'un fils ».

5. *du soleil*. Autre jeu de mots. Dans *sun*, le soleil, on peut entendre *son*, le fils, et la réplique d'Hamlet prend ce sens : depuis ce mariage funeste, je ne suis que trop votre fils.

6. *au moins*. *It*, accentué, laisse entendre que d'autres choses ne sont pas aussi communes.

7. *Wittenberg*. L'université de Luther, mais peut-être surtout, pour les spectateurs de *Hamlet*, celle du Docteur Faust, popularisé vers 1589 par la pièce de Marlowe.

8. *O souillures, souillures...* Ce mot répété traduit le *too too sullied* de l'édition de Cambridge, mais beaucoup d'autres éditeurs ont préféré *too too solid* et l'idée d'une chair non plus trop souillée, mais trop compacte.

9. *que je peux l'être d'Hercule*. Non qu'Hamlet soit débile : cf. tout l'acte V. Il faut comprendre avec R. Travers qu'Hercule est ici le purificateur.

10. *une nigaude*. Jeu de mots, *fool* ajoutant une nuance de tendresse à la traduction retenue, mais pouvant signifier en outre : un petit enfant. « Vous m'apporterez un enfant. » Cet autre sens éclaire la réponse et l'indignation d'Ophélie.

11. *de tous les serments*. *Almost all*, c'est-à-dire, selon M. Dover Wilson, *even all*.

12. Texte altéré sûrement. On a souvent conjecturé qu'*of a doubt* doit être corrigé en *often doubt* et c'est la solution que j'ai retenue.

13. *l'intuition*. Le mot anglais est *meditation*. Mais on voit mal comment la « méditation » pourrait être une image de la rapidité. Je suppose qu'il s'agit de la pensée (cf. *to meditate* dans le *Oxford English Dictionary*) conçue comme prise de possession directe et immédiate de la vérité.

14. *l'hébénon*. Un poison qui vient du *Juif de Malte*, de Marlowe, III, 271 *(hebon)* et qui est peut-être cet ébène que le dieu du sommeil des *Métamorphoses* d'Ovide (XI, 610 ff) employait pour le revêtement de sa chambre. Mais Shakespeare a probablement attribué à cet hébénon les dangereuses propriétés prêtées communément à la jusquiame *(henbane)*.

15. *oiseau*. Marcellus a crié comme pour appeler un faucon.

16. *par saint Patrick*. Celui qui a visité le Purgatoire. En tant que protestant de Wittenberg (cf. la note 7) Horatio ne croit pas à l'existence du Purgatoire.

17. *Une grande offense, Horatio.* Hamlet ne voudrait rien cacher à Horatio, et il ne lui cachera rien (cf. III, 2, 75). Mais il doit se taire à cause de Marcellus.

18. *le bonhomme à la cave.* Hamlet désigne l'espace qui s'étend sous la scène, où sans doute le spectre a disparu à la faveur d'une trappe. On appelait cet espace *l'enfer* depuis les représentations des Mystères.

19. *Fameux sapeur!* On croyait volontiers que les démons se frayaient un passage sous la terre. Le ton familier d'Hamlet a peut-être pour but d'égarer Marcellus.

20. *un maquereau.* Littéralement, un *fishmonger*, un marchand de poisson, mais aussi un proxénète (l'anglais dit encore : *fleshmonger).*

21. *quel est leur lien?* J'ai essayé ainsi de traduire le double sens de *matter*, sujet de livre, mais aussi intrigue amoureuse, liaison. Hamlet comprend, ou feint de comprendre, que Polonius fait allusion à l'amour qu'il porte à Ophélie.

22. *c'est le pentamètre qui boitera.* On suppose généralement que les jeunes garçons qui tenaient des rôles de femmes ne savaient qu'à peu près leur rôle.

23. *les derniers bouleversements.* Peut-être la rébellion du comte d'Essex en février 1601.

24. Il s'agit des « Enfants de la Chapelle ». La guerre des théâtres eut lieu en 1600-1601, Ben Jonson dans le parti des Enfants (ils jouèrent *Cynthia's Revels*) et Dekker et Marston répliquant dans la *Satiromastix* donnée au Globe par la compagnie de Shakespeare.

25. *tant ils sont effrayés par les plumes d'oie.* Les écrivains du parti des Enfants ont tourné les « théâtres du commun » en ridicule.

26. *Hercule et son fardeau.* L'enseigne du théâtre du Globe représentait Hercule portant le globe terrestre.

27. *je sais distinguer la poule de l'épervier.* Simple approximation. Distinguer *the handsaw* et *the hawk*, c'est distinguer la scie de la truelle, preuve d'un peu de bon sens. Mais *handsaw* rappelle *hernshaw*, le héron, et *hawk*, c'est aussi, c'est avant tout le faucon. Ainsi, quand le vent est au sud, et chasse vers le soleil le héron et l'épervier qui le pourchasse, Hamlet sait encore les reconnaître dans la lumière. Rosencrantz et Guildenstern sont l'oiseau de proie.

28. *O Jephté...* Jephté sacrifia sa fille.

29. *ma jeune dame, ma princesse...* Un jeune garçon, comme toujours à l'époque élisabéthaine.

30. On admet généralement que ce prétendu fragment est de Shakespeare lui-même. Tous ces vers sont à la fois parodiques et d'une certaine beauté. *La bête d'Hyrcanie*, c'est le tigre.

31. *Mourir, dormir...* Je regrette que la ponctuation adoptée par M. Dover Wilson atténue le syllogisme qui soutient la pensée d'Hamlet : mourir, dormir, rêver. On lit généralement : *...devoutly to be wished! To die, to sleep! To sleep, perchance to dream*, etc. Ma traduction s'est efforcée de garder autant que possible ce mouvement.

32. Cette traduction essaye de sauver l'ambiguïté de la phrase anglaise, qui permet de comprendre indifféremment : 1) que la vertu d'Ophélie devrait garder sa beauté du rôle déshonnête de piège que lui fait jouer Polonius, et 2) que la vertu d'Ophélie devrait se garder de tout commerce avec sa beauté. C'est ce dernier sens qu'Ophélie retient.

33. *Ce fut un paradoxe autrefois.* Avant l'infidélité de la reine. Avant qu'Ophélie accepte le rôle que son père lui a suggéré.

34. *dans un couvent.* Le mot anglais est *nunnery* qui, dans son acception argotique qu'Hamlet a certainement présente à l'esprit, signifie aussi : maison de prostitution.

35. *Termagant, Hérode.* Termagant était, dans les Mystères du Moyen Age, un prétendu dieu des musulmans. Hérode, le roi de Judée, est aussi un personnage des Mystères.

36. *mes habits de martre : ... a suit of sables*, expression ambiguë qui peut aussi signifier : costume de deuil.

37. *le petit cheval.* C'est le *hobby-horse*, une des plus fameuses figures de la *morris-dance*, symbole de la civilisation plus libre que les Puritains s'efforçaient avec succès de détruire. Le *hobby-horse* est encore, argotiquement, un étourdi, un écervelé, et aussi une prostituée.

38. *Trente fois.* Toute la scène est écrite en vers rimés, et, cette fois, d'une platitude parfaite.

39. *Lucianus, le neveu du roi.* Que l'assassin soit un *neveu* n'est pas sans introduire une certaine ambiguïté dans ce « Piège de la Souris ». Pour Hamlet et Claudius, le sens de cette scène est le meurtre du vieil Hamlet. Mais pour la cour qui ignore tout de ce meurtre, et même pour la reine, elle sera l'insultante insinuation qu'un neveu (Hamlet) puisse tuer son oncle (Claudius lui-même).

40. *une forêt de plumes.* Les tragédiens portaient panaches et plumes.

41. *une rime.* Ane *(ass)* est le mot attendu.

42. *ce regard pitoyable.* Littéralement : *this piteous action*, cette action pitoyable. Faut-il penser, avec M. Dover Wilson, qu'il s'agit d'un geste par lequel le spectre trahit sa douleur de ne pas être vu par la reine?

43. *Ouvrez la cage...* Allusion à une fable inconnue.

44. *un certain congrès de vers politiques.* Allusion possible à la Diète de Worms, avec un double jeu de mots (*worm* = le ver).

45. *fille de boulanger.* La fille du boulanger avait refusé du pain à Jésus, qui la transforma en chouette.

46. *Voici pour vous du fenouil.* Le fenouil était associé à la flatterie, et les ancolies à l'adultère. La rue, qu'Ophélie partage avec la reine, est l'emblème du chagrin et du regret. La pâquerette signifie la dissimulation et la violette la fidélité.

47. Je me sépare ici du texte de M. Dover Wilson, remplaçant *Therewith fantastic garlands did she make,* qu'il a cru devoir adopter (« et elle les tressait en d'étranges guirlandes ») par *There with fantastic garlands did she come.* C'est la leçon du Premier Folio, suivie par la plupart des éditeurs, et beaucoup plus compréhensible et plus belle.

48. *des bribes de vieux airs.* Pour rester en accord avec le texte du *New Shakespeare*, il faudrait : des fragments de vieux cantiques. M. Dover Wilson a préféré les *old lauds* du Second Quarto aux *old tunes* (vieux airs) des autres éditions anciennes.

49. *se offendendo.* Le fossoyeur veut dire : se defendendo.

50. C'est l'habituel jeu de mots sur *arm*, le bras et *arm*, l'arme.

51. *Parbleu! la raison d'État.* Essai de traduction du jeu de mots : *Upon what ground? — Why, here in Denmark.* La cause (mais aussi le sol, le fondement) de la folie d'Hamlet, c'est le Danemark, ou même « Danemark », le roi.

52. Hercule, c'est sans doute ici Laërte. Hercule passait (au moins à Rome) pour détester les chiens.

53. *comme le palmier.* Cf. *Psaumes*, XCII, 12.

54. *vus.* Un jeu de mots intraduisible. *Many such like asses of great charge* peut signifier aussi : tant d'autres ânes aussi lourdement chargés.

55. *Il a parié douze contre neuf.* Peut-être ce « il » est-il Laërte et faut-il comprendre que Laërte a accepté le pari à condition que la rencontre ait douze reprises, et non simplement neuf comme d'habitude : rendre trois points à Hamlet étant alors évidemment plus facile.

56. *les épées.* Il ne s'agit pas des fleurets employés en escrime à une époque plus récente, mais de véritables épées de combat, dont la pointe était peut-être simplement émoussée.

57. *un repoussoir.* Il y a là un intraduisible jeu de mots. *Foil* signifie aussi bien fleuret que repoussoir.

58. *une perle.* Le mot anglais est *union*, qui permettra le dernier jeu de mots d'Hamlet (vers 324).

OTHELLO

NOTICE HISTORIQUE

Peter Cunningham publiait en 1842 des extraits de comptes du Bureau des menus plaisirs. Au jour de la Toussaint de 1604 y est portée une représentation du *More de Venise* de « Shaxberd » à la Cour. Rien ne prouve que ce fût la première. Si l'on admet que certaines ressemblances et allusions contenues dans l'in-quarto de *Hamlet* de 1603, et dans le chef-d'œuvre de Dekker *The Honest Whore*, ne sont pas fortuites, on peut considérer qu'*Othello* existait dès 1603 ou même 1602. (Voir notice pp. 493-494).

Le premier in-quarto d'*Othello* parut en 1622, le second en 1630. Les discussions textuaires portent généralement sur les distinctions et les choix à établir entre l'in-quarto de 1622, sensiblement plus court que l'in-folio de 1623, sans doute pour des raisons de commodité scénique, et ce même in-folio. M. R. Ridley (« Arden Shakespeare », 1958) accorde au deuxième in-quarto plus d'attention qu'on ne l'a fait la plupart du temps. Que l'in-folio soit une copie corrigée du premier in-quarto, ou que tous deux dérivent d'un original commun, les éditeurs ont toujours cherché un compromis à doses variables entre les deux textes, avec une préférence générale pour l'in-folio (c'est le cas du docteur Alice Walker, éditeur d'*Othello* pour le *New Shakespeare*) et en corrigeant aussi bien le premier par le second que réciproquement.

La source principale d'*Othello* est un conte de Giovanni Battista Giraldi (1504-1573), plus connu sous le nom de Cinthio. Ce professeur, dramatiste et nouvelliste compte dans l'histoire du théâtre : il orienta la tragédie uniformément sombre, héritée de Sénèque, vers la tragi-comédie; il empruntait ses intrigues à des récits tirés des temps modernes, et non plus de modèles classiques. Shakespeare lui doit, indirectement, la donnée de *Mesure pour Mesure*. Celle d'*Othello* se trouve dans la septième nouvelle de la troisième décade de ses *Hecatommithi* (1565). On n'en connaît pas de traduction anglaise avant 1753. Les rapports de l'œuvre shakespearienne avec la nouvelle sont, quant à l'action, assez étroits pour donner à croire que Shakespeare a suivi l'original italien ou la traduction française de Gabriel Chappuys (1584); à moins qu'il n'ait eu sous les yeux, comme Ridley tend à le penser, une version anglaise aujourd'hui perdue.

Le travail de Chappuys fut reproduit, au siècle dernier, par François-Victor Hugo dans sa célèbre traduction de Shakespeare; de larges extraits s'en trouvent en tête de la version d'*Othello* par Jules Derocquigny (Paris 1928), et, traduits en anglais, dans l'édition Arden de M. R. Ridley. Pour bien apprécier l'œuvre de Shakespeare, et pour en apercevoir la nouveauté, il n'est pas indifférent de la lire sur ce fond, dont voici un rappel succinct.

Cinthio commence par présenter un More qu'il ne nomme pas, beau et vaillant, « fort aimé des seigneurs de Venise », et une dame, Disdemona, vertueuse et merveilleusement belle; laquelle, rendant au More passion pour passion, l'épouse malgré l'opposition de ses parents. Ils vivent plusieurs mois à Venise dans l'harmonie et la félicité.

Le More, nommé commandant des troupes envoyées à Chypre, s'inquiète pour sa femme. Va-t-il la laisser derrière lui? Mais elle, insoucieuse du danger et de l'inconfort, insiste pour l'accompagner. Ils arrivent dans l'île après une traversée paisible.

Il y a dans la compagnie du More un enseigne dont la bonne mine donne le change sur sa profonde méchanceté. Il s'éprend violemment de Disdemona mais, devant son indifférence et l'adoration qu'elle porte à son mari, la prend aussi violemment en haine et ne cherche plus qu'une occasion de la perdre. Un capitaine, ami du ménage, s'est exposé à la dégradation pour avoir attaqué et blessé un homme de garde. Avec insistance, Disdemona implore son mari d'être indulgent. L'enseigne en profite pour éveiller à mots de moins en moins couverts la jalousie du More et le persuader que sa femme, lassée de son teint sombre, le trompe avec le capitaine. La fureur du More se tourne d'abord vers l'enseigne, qu'il somme de lui faire constater de ses propres yeux la preuve de ses insinuations; faute de quoi il le tuera.

L'enseigne est tiré d'embarras par le hasard d'un mouchoir, don du More à sa femme, et auquel tous deux attachent un prix infini. Il le subtilise, le dépose chez le capitaine. Celui-ci va chez le More pour le restituer, mais s'enfuit à la voix de son commandant, lequel a eu le temps de le reconnaître. Un peu plus tard, le More assiste de loin à une conversation du capitaine avec l'enseigne qui rapporte ensuite que l'autre s'est vanté, en riant, d'avoir possédé Disdemona et reçu d'elle le mouchoir.

Cette fable suffit au jaloux. Il réclame le mouchoir à sa femme qui perd contenance et feint de l'avoir égaré. Dès lors, le More ne songe plus qu'au moyen de tuer ceux qu'il croit complices dans la trahison. Disdemona, le trouvant tout autre maintenant vis-à-vis d'elle, s'en désespère. Pour confirmer la certitude du More, l'enseigne profite encore d'un hasard favorable. Son chef obtient de lui qu'il assassine le capitaine. Mais il ne réussit qu'à le blesser et fait semblant d'être accouru à son aide parmi les passants ameutés. Puis il assomme Disdemona de concert avec le More et fait écrouler sur elle le plafond de sa chambre pour égarer les soupçons.

Le reste de l'histoire est fort différent chez les deux auteurs, et chez Cinthio beaucoup plus long et embrouillé. Dès l'arrivée à Chypre jusqu'à l'assassinat de Desdemona, Shakespeare le suit de près, reprenant même certaines de ses expressions. Chez tous deux se retrouvent de nombreuses données : les circonstances du renvoi de Cassio, les interventions de Desdemona, l'empoisonnement du cœur d'Othello et ses réactions, le thème du mouchoir, la confusion de Desdemona, son recours à Iago, les conseils qu'elle reçoit d'Emilia (pour ne pas surcharger le résumé qui précède, on a laissé de côté la femme de l'enseigne).

Il y a des différences importantes. Voici les principales. Chez Cinthio, l'enseigne ne hait pas son chef et ne cherche qu'à posséder Desdemona, puis à la perdre. Ce n'est pas Emilia qui subtilise le mouchoir, mais Iago dont la complice inconsciente est sa petite fille de trois ans. Emilia connaît dès le début les desseins de son mari. L'Othello du poète est seul à tuer sa femme : ainsi l'assassin fait place au justicier. Il n'y a pas chez Cinthio de pendant à Roderigo. Shakespeare fait immédiatement quitter Venise aux nouveaux mariés, et pour la guerre, non pour un simple changement de garnison. Presque tous les remaniements de Shakespeare ont pour but le resserrement de l'action, une intensité dramatique accrue, une présentation des caractères plus concentrée et plus achevée. Si, par exemple, le sens de cette terrible histoire est le même chez les deux auteurs, Shakespeare accentue la noblesse et la dignité du More.

Du point de vue de la construction, il faut au moins signaler un trait particulier à *Othello* et que depuis Wilson, il y a plus d'un siècle, on appelle en Angleterre « Double Time », en quelque sorte le temps, ou la durée, à deux registres.

Cette manipulation du temps, « tour de passe-passe dramatique » selon J. D. Wilson, ne se découvre qu'à la réflexion. Que Shakespeare y ait recouru d'instinct ou délibérément, elle consiste à précipiter l'action dans la première moitié de la pièce, où il n'est pas à la lettre croyable que tout ait pu se passer si vite, et de nouveau depuis le début de l'acte IV; le seul répit concevable ne pouvant être inséré qu'entre les actes III et IV. Le plan d'Iago ne peut s'exécuter que si Othello n'a pas le temps de se reprendre. De là le départ accéléré pour Chypre, la nuit de noces dans l'île et l'adultère supposé survenant coup sur coup, alors que dans la réalité l'action demanderait une durée incompatible avec les exigences de la pièce. Que le spectateur empoigné ne s'avise pas de cette contradiction démontre à quel point Shakespeare est maître de l'illusion indispensable au théâtre.

JACQUES VALLETTE.

NOTES DU TRADUCTEUR

1. Le serviteur portait sur sa manche la marque distinctive de son maître.

2. Nom d'une auberge ayant pour enseigne le Sagittaire du zodiaque.

3. *le magnifique :* tel était le nom, ordinaire, des sénateurs de la République de Venise, d'où la minuscule.

4. *Par Janus :* Janus, le Dieu à double face; le seul sur qui puisse jurer Iago.

5. Une loi votée en 1604 en Angleterre condamnait « l'emploi de la magie pour provoquer un amour illégitime ». Tous les propos de Brabantio au cours de cette scène ont un caractère juridique, tendent à provoquer un procès.

6. Je rends fort mal le jeu des mots : « *far*, more *fair* than black. » En fait, j'ai pensé qu'il fallait ici s'attendrir et non pas s'amuser. Mon contresens, moral, est volontaire.

7. *fait une carrousse :* Il serait excellent qu'en ce siècle, en français, on reprenne cette expression, empruntée par Shakespeare au français du XVIe siècle : partie de boire, excès de boisson.

8. *à Naples :* allusion à « la maladie napolitaine » et à l'accent nasal des Napolitains, au XVIe siècle, en italien.

9. *qui tourmente :* le verbe anglais *mock* que je rends ainsi a fourni l'occasion de beaucoup de controverses. Ce mot est peut-être le plus discuté de tout *Othello*.

10. *un faucon libertin :* faucon rebelle au dressage malgré les *jets*, ces petites courroies de cuir sur ses pattes.

11. Shakespeare avait lu Pline l'Ancien, qui dit : « Le flot de la mer Pontique s'écoule sans jamais de reflux, dans la Propontide... »

12. *ciel de marbre :* emprunt direct au latin : « coelum marmoreum ». Sens tout simple : « ciel resplendissant ».

13. Le saule, dans les siècles qui précédèrent en Angleterre l'œuvre de Shakespeare, était déjà le symbole de l'amour malheureux. Il est très probable que Shakespeare n'ait fait ici qu'intercaler en sa pièce une chanson populaire de son temps.

14. Shakespeare continue à lire Pline l'Ancien : les chiens de Sparte étaient renommés pour la férocité.

MACBETH

NOTICE HISTORIQUE

La première mention d'une représentation de *Macbeth*, par un certain docteur Simon Forman, date de 1611. Des références à cette tragédie dans des pièces contemporaines donnent à penser qu'elle avait vu la scène dès 1606. Plusieurs passages de *Macbeth* font des allusions flatteuses à Jacques Ier. L'œuvre a donc dû être composée entre 1603, année où ce prince monta sur le trône, et 1606, date que confirmeraient des concordances avec des événements du temps et des analyses métriques. Sans négliger certaines objections non irréfutables, on peut raisonnablement supposer que *Macbeth* ne fut pas écrit avant 1606 et que la première eut lieu cette année-là, au théâtre du Globe (Voir notice pp. 493-494).

On ne connaît pas de *Macbeth* in-quarto. Il est à peu près certain qu'il n'y en eut jamais : le Registre de la librairie en fait foi.

Dans quelles conditions le texte de *Macbeth* fut-il établi? D'après un exemplaire de souffleur, peut-être transcrit comme le feraient croire certaines indications scéniques répétées? Sous la dictée? Au vol, pendant la représentation? L'hypothèse de la dictée est la moins vraisemblable. En revanche, un certain nombre d'erreurs laisseraient supposer que le texte transcrit à l'usage de l'imprimeur est la pièce entendue et reproduit des erreurs dues soit aux interprètes, soit à l'auditeur suivant les cas. Il est encore possible que le copiste d'un original écrit ait introduit des fautes rien qu'en se le répétant.

La brièveté anormale de ce texte pourrait être due soit à des coupures du censeur, soit — hypothèse beaucoup moins vraisemblable — aux nécessités d'une représentation à la Cour, soit au dessein de compenser des interpolations. On ne peut ici traiter ces questions dans le détail. Il apparaît suffisamment que le texte de *Macbeth* laisse une grande part à la conjecture et à la préférence individuelle. Le dernier éditeur, K. Muir dans le « Arden Shakespeare », est plus proche de l'in-folio de 1623 qu'aucun de ses prédécesseurs.

L'un des problèmes particuliers à *Macbeth* est celui des interpolations possibles. On n'en mentionnera que deux : la scène du portier (III, III) et les scènes où paraît Hécate (III, v et IV, I).

Sur la première, les critiques se partagent. Encore ne s'agit-il parfois que de plus ou de moins dans l'intervention d'un étranger. Pour Coleridge lui-même, au gré de qui le monologue du portier fut ajouté par les acteurs, certains passages ou expressions ne peuvent provenir que de Shakespeare. Ceux qui penchent à lui rendre l'intégralité de la scène invoquent des raisons de théâtre et de style. Entre la sortie de Macbeth et l'entrée de Macduff après l'assassinat, il faut une transition. Mais la faut-il comique plutôt que lyrique ou de tout autre ton? De quelque façon qu'on la conçoive, elle ne doit pas faire oublier l'horreur fondamentale qui la précède et la suit : d'où peut-être l'allusion à l'enfer, transporté pour l'occasion dans le château. Le portier, parlant de trahison, rappelle celle du Thane de Cawdor; il annonce celle des protagonistes, et jusqu'à l'oppressant climat de suspicion qui alourdit la mise à l'épreuve de Macduff par Malcolm (IV, III). Ses pointes contre les bailleurs d'équivoques, lesquels, entre autres les sorcières, embrouillent le mensonge avec la vérité, le mal avec le bien, la réalité avec l'apparence; son opposition grotesque du désir et de l'acte, sont en harmonie évidente avec de grands thèmes de la pièce. Dans le style, pourquoi ne pas prêter à Shakespeare de nombreuses images et l'emploi persistant de l'antithèse?

Tels sont les principaux arguments qui réintégreraient la scène du portier, complètement ou à peu de détails près, dans un original authentique. Voyons les discours d'Hécate. On s'accorde à les trouver tout à fait distincts par le style de ceux des sorcières et indignes de Shakespeare, même à ses moments de faiblesse. Dans les scènes où paraît la déesse, deux chansons ont été tirées de la pièce de Middleton *The Witch*. Il serait sans profit de nous attarder aux rapports de *Macbeth* avec ce drame non plus qu'à la date où durent être interpolées les deux scènes hécatéennes et aux raisons qu'on a pu avoir de le faire. Tout n'est là qu'ignorance et hasard.

Quelles sont les sources de *Macbeth?* Selon des critiques respectés, Shakespeare aurait connu le *Buik of the Croniclis of Scotland*, par William Stewart, énorme poème de plus de quarante-deux mille vers demeuré manuscrit jusqu'en 1858 et composé vers 1531-1535, sur l'ordre de la reine Marguerite d'Écosse, à l'usage de son fils Jacques V. L'hypothèse ne repose sur aucune rencontre assurée d'expressions ou d'images entre les deux poètes. On peut tenir pour accidentelles des ressemblances de faits ou de caractères qui se retrouvent en d'autres endroits, notamment chez l'historien écossais Hector Boece (1527) et chez l'Anglais Holinshed (1578 et 1587) qui a repris à Boece beaucoup de récits plus ou moins fabuleux et légendaires.

L'histoire de Macbeth, qui se passe au XIe siècle, est du nombre. Les fameuses *Chroniques* de Holinshed, constamment utilisées par Shakespeare et par les autres dramatistes élisabéthains, sont la source principale de *Macbeth*, peut-être la seule. Shakespeare a puisé ses faits dans plusieurs parties différentes pour les refondre à sa guise. Par exemple il y a bien un roi, Duff, assassiné chez Holinshed par un certain Donwald; mais cela se passe fort avant les autres événements représentés dans la tragédie. Le chroniqueur montre plusieurs nobles conspirant contre Duff avec des sorcières (bizarrement traitées de nymphes). La femme de Donwald pousse au crime son époux. Le roi est leur hôte et vient de leur faire des présents. Donwald et sa femme assassinent les chambellans qu'ils ont enivrés. L'indignation feinte de Donwald, les prodiges qui accompagnent l'assassinat, sont aussi déjà chez Holinshed, de même qu'en des siècles précédents la voix entendue par un autre roi, Kenneth, qui avait tué son neveu, et un ou deux détails tirés du règne d'Édouard le Confesseur. Ces éléments et quelques modifications mises à part, l'intrigue du drame suit de près l'histoire de Macbeth contée par Holinshed. Elle la suit jusqu'à de nombreuses ressemblances verbales, dans la rencontre des sorcières avec le général vainqueur et dans celle de Macduff et de Malcolm en Angleterre.

Signalons quelques-unes des différences. Le Duncan de la chronique est plus jeune que celui de la pièce, et faible; en effaçant ses faiblesses, en accentuant son âge et sa sainteté, le poète rend plus scélérat le crime de Macbeth. Pour la même raison sans doute, Shakespeare tait les griefs sérieux que le Macbeth de Holinshed a envers Duncan. L'assassinat de celui-ci, dans les *Chroniques*, est politique. Banquo y trempe avec d'autres complices. Shakespeare supprime cette circonstance, non seulement pour faire porter toute la responsabilité sur Macbeth et sa femme, mais aussi parce que Banquo était l'ancêtre de Jacques Ier, lequel par surcroît avait horreur du crime politique. Silence encore sur les dix ans de bon gouvernement de Macbeth entre la mort de Duncan et celle de Banquo. La scène du festin, avec l'apparition du spectre, sont inventées par Shakespeare, de même que le délire nocturne et le suicide présumé de Lady Macbeth. N'insistons pas davantage. On a déjà compris que les différences relevées entre les *Chroniques* et *Macbeth* sont dues à une recherche d'économie et d'intensité dramatiques.

Il était bon d'apercevoir sur quel fond, dans quel sens, Shakespeare a travaillé. Les libertés qu'il a prises avec ses sources disent assez qu'on se tromperait en demandant des personnages, et surtout un protagoniste, conformes à l'histoire ou à la tradition. Leur vérité est d'un autre ordre. L'imagination d'un poète leur a donné une nouvelle naissance. Comme tels ils se suffisent, comme tels ils vivent.

JACQUES VALLETTE.

NOTES DU TRADUCTEUR

On rappelle que *Macbeth* est une des pièces les plus mutilées de Shakespeare. En plusieurs points, le dialogue et la situation dramatique demeurent obscurs.

On a réduit les indications scéniques en s'inspirant plus ou moins du Folio modernisé par la tradition.

1. *Museau gris.* « Graymalkin » est le nom du chat dans *The Witch* (La Sorcière) de Middleton. Cf. note 16. Littéralement : petite Marie grise. Nom communément donné à un chat.

2. *Crapaud m'appelle.* « Paddock », nom du crapaud. Chat et crapaud sont les familiers des Sorcières.

3. Il s'agit en anglais de « kerns » et « gallowglasses », mercenaires venus d'Irlande, fantassins légèrement ou lourdement armés.

4. *Sire.* Le terme « thane », désignant un titre de noblesse terrienne et militaire d'Écosse, n'a aucun équivalent en français. Déjà archaïque au temps de Shakespeare, il ne saurait avoir en français la moindre des associations que fournit encore l'archaïsme. Faute de mieux, nous le représentons par le mot « sire », qui semble avoir une valeur analogue dans certains de nos anciens textes.

5. *Les Fatales Sœurs. Les Folles Sœurs.* « The Weird Sisters » peut être traduit par : les Sœurs folles, étranges, fatales, etc. « Weird » en ancien anglais signifie comme substantif : principe de prédestination; comme adjectif : qui a pouvoir de contrôler les destinées. Le commentateur remarque que la nature des trois « Weird Sisters » a été longuement discutée par les critiques. Elles ne sont ni des Nornes (car elles sont trop Sorcières), ni des Sorcières (car elles sont trop Nornes). Elles sont des créations de Shakespeare, à la manière d'Ariel ou de Caliban, commençant par être Sorcières, finissant par être des expressions du Destin. — Nous avons adopté le terme « Les Fatales Sœurs » dans la nomenclature des personnages, nous ré-

servant d'admettre parfois « Les Folles Sœurs », en rapport avec le contexte.

6. *Comme le pauvre chat du proverbe.* « Le chat voudrait manger le poisson, mais il ne veut pas se mouiller les pattes. »

7. *Viens, esclave du temps.* Nous suivons la leçon de l'éditeur.

8. *C'est le Double-joueur.* Le terme « equivocator » fait allusion à l'affaire d'un jésuite nommé Henry Garnet, accusé d'espionnage au profit de l'Espagne, compromis dans la Conspiration des Poudres, torturé et mis à mort sous le règne de Jacques Ier (1606). Mais le terme se réfère encore aux jésuites qui préconisaient les faux serments avec restriction mentale, lorsque des catholiques étaient obligés de jurer qu'ils ne cachaient pas de prêtres.

9. *Chauffer le cul de ton fer.* Le tailleur a trouvé le moyen de tromper, en économisant sur l'étoffe de la culotte française très ajustée. Le sens littéral de « you may roast your goose » est : tu chaufferas ton oie. Il s'agit de la forme du fer du tailleur ; mais on peut conjecturer pour « oie » un sens trivial, le même qu'il a sans doute dans *Roméo et Juliette*, II, 4.

10. *Et lui disant qu'il a menti — c'est fini.* Il y a un jeu de sons entre « lie », mentir, et « leave », laisser. Le sens est : en se réveillant, l'ivrogne libidineux comprend qu'il n'a rien pu faire.

11. *Deux meurtriers.* Les commentateurs admettent qu'il ne s'agit pas de meurtriers à proprement parler, d'agents payés, mais de soldats qui se trouvent humiliés, et que Macbeth excite par son discours démagogique.

12. *L'espion parfait du temps.* L'expression est équivoque, et peut désigner : soit le troisième personnage qui apparaîtra ensuite pour surveiller l'opération, soit dans un sens plus abstrait : le Temps se contrôlant lui-même.

13. *Que souffrent les deux mondes.* Le monde temporel (le pouvoir, ici-bas) et le monde spirituel (celui de l'âme). On remarquera que Macbeth fait sans cesse allusion à la vie éternelle de l'âme.

14. *Le grand lien de vie qui me tient enroulé.* « Le grand lien de vie » doit être entendu à la fois comme l'existence de Banquo, et comme le lien démoniaque de complicité noué entre Macbeth et Banquo par les Sorcières.

15. *Une fête est bon marché.* Il y a un jeu de mots sur « sold ». La fête dans laquelle l'hôte ne met pas assez de chaleur ressemble à une fête payée (à la taverne) ou à une fête gâchée.

16. La scène v, est une interpolation, due à la faible plume de Thomas Middleton, auteur d'un drame *The Witch* (La Sorcière),

et qui sans doute avait participé à la forme primitive de *Macbeth*. Inutile à l'action, sinon nuisible, cette scène devrait, semble-t-il, être éliminée. Elle ne se prête guère à la traduction. Le chant « Reviens et Reviens » (Come away! Come away!) provient d'une scène de *The Witch;* il était adressé à la sombre Hécate en ces termes :

Reviens et reviens,
Hécate, reviens, etc.

au moment où Hécate disparaissait dans une machine de théâtre.

17. L'incantation du Chaudron, procédé scénique et évocation démonologique (l'ensemble étant fort prisé du public au temps de Jacques Ier), est construite sur le jeu des mots monosyllabiques, l'onomatopée, et la rime. Si à de tels procédés on ajoute une matière étrange, on comprendra qu'il est impossible de la transporter dans une autre langue. Nous donnons ici une approximation, seulement destinée à en tenir lieu.

18, 19. Interpolations, liées à celle de la scène III, 5.

20. Le sens de ce passage obscur est, selon le commentaire anglais : vous pouvez avoir été trompé par Macbeth (l'ange le plus brillant tombé), encore que votre bonne foi ne soit pas en cause. — Toute cette partie de la scène, dominée par la ruse de Malcolm, sa méfiance, son auto-accusation simulée, rencontrant la ruse de Macduff par le moyen de mauvais conseils, jusqu'aux rétractations finales, est d'une singulière difficulté dialectique. On remarque avec étonnement que *rien* ne s'y réfère, même dans les dernières paroles, à la situation de Malcolm dans la scène III de l'acte II (après le meurtre de Duncan).

21. *Délivrer le sein souffrant.* Nous suivons la leçon de l'éditeur.

22. *Comme l'ours, je dois tenir contre la course.* On attachait un ours capturé à un poteau par une longue chaîne, et à chaque « course », plusieurs molosses étaient jetés sur lui.

23. *Peint sur un bois avec dessus écrit.* La baraque foraine avait extérieurement une peinture, représentant le phénomène montré à l'intérieur.

DU MÊME AUTEUR

parus dans Le Livre de Poche

Trois Comédies

Roméo et Juliette *suivi de*
Le Marchand de Venise *et* Les deux Gentilshommes de Vérone.

HAMLET - OTHELLO - MACBETH